Lise Pratte

COLOCATAIRES

Danielle Steel

COLOCATAIRES

Roman

Traduit de l'anglais (Etats-Unis)
par Catherine Berthet

PRESSES
DE LA CITÉ

Titre original : *44 Charles Street*

© Danielle Steel, 2011
Tous droits réservés, incluant tous les droits de reproduction d'une partie ou de toute l'œuvre sur tous types de support
© Presses de la Cité, 2012 pour la traduction française
ISBN 978-2-258-09304-1

Presses
de   un département **place des éditeurs**
la Cité

place
des
éditeurs

A mes merveilleux enfants,
Beatie, Trevor, Todd, Nick, Sam, Victoria,
Vanessa, Maxx et Zara, que j'aime de tout mon cœur.
Prenez soin de vous, soyez prudents, soyez heureux,
soyez aimés et, si c'est possible, soyez aussi sages,
compatissants et indulgents.
Puissiez-vous toujours avoir de la chance et être en paix.
C'est une recette parfaite pour traverser la vie.

Avec tout mon amour,

Maman/d.s.

1

Francesca Thayer resta assise à son bureau, jusqu'à ce que les chiffres finissent par se brouiller sous ses yeux. Elle avait refait ses comptes au moins une centaine de fois au cours des deux derniers mois, et elle venait de passer tout un week-end à essayer de réduire les dépenses. En vain. Les chiffres ressortaient à l'identique. Il était trois heures du matin, et elle avait tant passé les mains dans ses longs cheveux blonds que ses boucles étaient tout emmêlées. Elle voulait absolument sauver son affaire et sa maison, et elle n'avait pas encore trouvé de solution. Son estomac se contracta à l'idée qu'elle risquait de perdre les deux.

Todd et elle avaient ouvert une galerie d'art à New York dans le quartier de West Village quatre ans auparavant. Ils exposaient les œuvres d'artistes débutants, qu'ils vendaient à des prix très raisonnables. Francesca repérait les artistes, travaillait avec eux, et organisait les expositions. Todd s'occupait du financement et réglait les factures.

Francesca était profondément attachée aux peintres qu'elle présentait et, à la différence de Todd, elle avait une grande connaissance du monde de l'art, ayant déjà tenu deux galeries à Manhattan après avoir obtenu son diplôme : la première dans un quartier chic et une autre à Tribeca, le nouveau quartier branché.

Celle de West Village représentait l'aboutissement d'un rêve pour Francesca, diplômée des beaux-arts et fille d'un peintre célèbre. Dès son ouverture, la galerie avait eu d'excellentes critiques. Todd, collectionneur d'art contemporain, avait été séduit par l'idée d'aider Francesca à concrétiser son projet. A l'époque, sa carrière d'avocat à Wall Street l'amusait moins. Il avait mis de l'argent de côté et il se disait qu'il pouvait se permettre de relâcher la pression pendant quelques années. Son plan de développement pour la galerie prévoyait des rentrées financières importantes sur une période de trois ans. Il n'avait pas compté avec la passion de Francesca pour les œuvres d'artistes totalement inconnus. Pas plus qu'il ne s'était rendu compte que Francesca avait avant tout pour but d'exposer des tableaux. Elle était mécène autant que galeriste. Il s'était dit que ce changement de carrière serait excitant, après avoir passé des années à faire du droit fiscal et de la gestion de patrimoine pour une firme importante. A présent, il en avait assez d'écouter les protégés de la galerie épancher leur âme trop sensible, et de voir sa fortune se réduire comme peau de chagrin. Pour Todd, ce n'était plus drôle. Il avait quarante ans, et il voulait recommencer à bien gagner sa vie. Quand il en parla à Francesca, il avait déjà trouvé un nouveau job dans un cabinet de Wall Street, où on lui promettait un poste d'associé dans l'année. La vente de tableaux, ce n'était plus son truc.

Francesca, elle, s'en tenait à son objectif : faire de sa galerie un succès. Et, contrairement à Todd, le manque de moyens ne la gênait pas. Sur un plan personnel, l'année précédente, leur relation s'était mise à battre de l'aile, ce qui rendait leur entreprise encore moins attrayante aux yeux de Todd. Ils se querellaient sur tout : leurs loisirs, leurs fréquentations, la gestion de la galerie. Ils s'étaient rencontrés cinq ans auparavant. Francesca venait juste d'avoir trente ans et Todd, trente-cinq.

Elle avait du mal à comprendre que leur relation de couple qui semblait si solide ait pu se détériorer à ce point en l'espace de douze mois. A quarante ans, Todd avait subitement décidé qu'il voulait un style de vie plus conventionnel. Il ne voulait pas attendre plus long-temps pour devenir père et ne concevait pas d'avoir des enfants hors des liens du mariage. Au début de leur relation, Francesca avait été très franche avec lui : elle avait une aversion pour le mariage, ayant été aux pre-mières loges pour observer l'obsession de sa mère, Tha-lia, à se trouver un mari. Francesca ne voulait pas commettre les mêmes erreurs. Sa mère lui avait tou-jours fait un peu honte, et ce n'était pas maintenant qu'elle allait se mettre à suivre ses traces.

Ses parents avaient divorcé quand elle avait six ans et elle avait vu son père, un homme extrêmement beau, charmant et irresponsable, glisser d'une liaison à l'autre, avec de très jeunes filles qui ne s'attardaient générale-ment pas plus de six mois dans sa vie. Le comporte-ment de ses parents l'avait rendue allergique à tout engagement jusqu'à sa rencontre avec Todd. Ce der-nier, marqué par le divorce pénible de ses propres parents quand il avait quatorze ans, était lui-même un peu frileux vis-à-vis du passage devant monsieur le maire. Mais récemment, Todd avait changé : il en avait par-dessus la tête de leur vie de bohème, et de tous ces gens qui trouvaient normal de vivre ensemble et d'avoir des enfants sans être mariés. A peine eut-il soufflé les bougies de son quarantième anniversaire que, sans crier gare, il prit en grippe son environnement.

Il se plaignit de West Village, que Francesca adorait, et dont il trouvait les rues et les habitants crasseux. Pour compliquer les choses, peu de temps après l'ouverture de leur galerie, ils étaient tombés amoureux d'une maison en très mauvais état. Ils l'avaient découverte par un après-midi de décembre froid et enneigé, s'étaient emballés, et l'avaient obtenue à un prix exceptionnel, à cause de son état de délabrement. Ils l'avaient restaurée ensemble, faisant la plus grande partie des travaux eux-mêmes. Lorsqu'ils ne travaillaient pas à la galerie, ils s'occupaient de la maison. En un an, tout l'intérieur avait été refait à neuf. Ils avaient acheté des meubles dans les brocantes, et, petit à petit, l'avaient transformée en un nid douillet. A présent, Todd prétendait qu'il avait passé les quatre dernières années à réparer des fuites sous l'évier et à repeindre les murs. Il avait envie d'un appartement moderne et facile à vivre. Francesca luttait avec l'énergie du désespoir pour la survie de leur affaire et de leur maison. Malgré l'échec de leur relation, elle voulait garder les deux. Elle était déjà bien assez triste d'avoir perdu Todd.

Ils avaient tout tenté pour sauver leur couple : consulter un conseiller conjugal, essayer chacun une thérapie individuelle, se séparer pendant deux mois. Ils avaient discuté à en perdre haleine. Ils avaient fait le maximum de compromis. En vain. Todd tenait à fermer la galerie, ou bien à la vendre, ce qui aurait brisé le cœur de Francesca. Il voulait se marier et avoir des enfants alors qu'elle n'en avait aucune envie, ou, du moins, pas encore. Peut-être même n'en aurait-elle jamais envie. Elle se hérissait à l'idée de se marier, fût-ce avec l'homme qu'elle aimait. Elle trouvait les nouveaux amis de Todd tristes à pleurer. Lui trouvait les siens terriblement banals et limités. Il en avait assez des végétaliens, des artistes sans le sou, et de ce qu'il considérait comme des idéaux gauchistes. Francesca n'aurait su dire comment ils en étaient arrivés là en si peu de temps, mais c'était la réalité.

Ils avaient vécu l'été précédent chacun de son côté. Au lieu de faire du bateau ensemble dans le Maine comme à leur habitude, Francesca avait passé trois semaines dans une résidence d'artistes, tandis que Todd s'était rendu en Europe. En septembre, après avoir essayé pendant une année entière de sauver leur couple, ils convinrent que la situation était sans espoir.

Ce sur quoi ils ne parvenaient pas à s'entendre, en revanche, c'était sur ce qu'ils devaient faire de la galerie et de la maison. Francesca avait investi toutes ses économies dans l'achat de leur maison. Pour la garder, elle devait racheter la part de Todd. Sinon, ils seraient obligés de vendre. Ils avaient moins investi dans la galerie, et la somme que Todd lui réclamait n'était pas excessive. Le problème, c'était qu'elle ne l'avait pas plus. Todd lui avait laissé le temps de s'organiser jusqu'à la fin de l'année, mais on était début novembre, et elle n'avait toujours aucune solution en vue.

Todd continuait malgré tout à l'aider à la galerie quand il en avait le temps, mais le cœur n'y était plus. Et c'était pour eux de plus en plus stressant de vivre sous le même toit, alors que leur couple était mort. Ils n'avaient plus fait l'amour depuis des mois, et, dès qu'il le pouvait, Todd partait passer le week-end chez des amis. C'était triste. Francesca avait dans la bouche le goût amer de la défaite, et elle détestait ça.

Assise là devant sa table, dans son vieux jean et son sweat-shirt, les chiffres sous les yeux, elle avait beau additionner, soustraire et multiplier, elle revenait toujours au même résultat : elle n'avait pas les moyens. Les larmes aux yeux, elle contempla fixement les colonnes de comptes.

Elle se doutait déjà de la réaction de sa mère qui s'était toujours vigoureusement opposée à ce que sa fille crée une affaire et achète une maison avec un homme qu'elle aimait, mais qu'elle n'avait pas l'intention d'épouser.

Sa mère pensait que toute vie de couple devait commencer par un contrat de mariage et finir avec une pension alimentaire.

« Que se passera-t-il quand tu rompras ? avait-elle demandé – issue qu'elle tenait pour inévitable puisque quatre de ses mariages sur cinq s'étaient terminés par une séparation. Comment feras-tu sans argent ?

— Ce sera comme pour un divorce, maman, avait répondu Francesca, agacée comme toujours par les propos maternels. Avec un bon avocat, de bonnes manières, un respect mutuel et autant d'affection qu'on peut en avoir pour son conjoint, à ce stade d'une vie de couple. »

Sa mère était restée amie avec tous ses ex-maris, et ces derniers l'adoraient. Thalia Hamish Anders Thayer Johnson di San Giovane était belle, chic, choyée, égocentrique, séduisante, et son attitude outrancière la faisait passer pour excentrique. Francesca la qualifiait gentiment « d'originale », mais en réalité elle s'était sentie toute sa vie humiliée d'avoir une mère comme la sienne qui avait épousé trois Américains et deux aristocrates européens, l'un britannique, l'autre italien. Il y avait eu un auteur à succès, un artiste – le père de

Francesca –, le rejeton d'un couple de banquiers britanniques célèbres, un riche propriétaire terrien texan qui lui avait offert une pension considérable et deux galeries commerciales, ce qui lui avait permis d'épouser ensuite un comte italien absolument charmant, mais sans le sou. Celui-ci l'avait laissée veuve, ayant trouvé la mort à Rome au volant de sa Ferrari, huit mois après leur union.

Pour Francesca, il était clair que sa mère venait d'une autre planète. Elles n'avaient strictement rien en commun. Et Francesca savait qu'à l'annonce de sa rupture avec Todd, ce qu'elle n'avait pas encore eu le cran de faire, sa mère déclarerait : « Je te l'avais bien dit ! » Elle n'avait nullement envie d'entendre son inévitable discours moralisateur.

Thalia ne lui avait pas proposé d'aide financière quand elle avait acheté la maison et ouvert la galerie. Francesca avait tout à fait conscience qu'elle ne le ferait pas davantage aujourd'hui. Sa mère n'aimait pas West Village, et elle pensait que la maison n'était pas un investissement intelligent. A l'instar de Todd, elle conseillerait à Francesca de la vendre et d'en partager les bénéfices avec son ex. Mais Francesca restait persuadée qu'il lui serait possible de garder la maison, même si elle n'avait pas encore trouvé de quelle manière. Et elle n'espérait pas que sa mère puisse lui apporter des idées. Thalia n'avait aucun sens pratique : toute sa vie, elle s'était reposée sur un mari. Elle n'avait jamais gagné un sou, sinon par ses mariages et ses divorces, et, pour sa fille unique, qui ne mâchait pas ses mots quand il s'agissait de sa mère, cela s'apparentait à de la prostitution.

Francesca était indépendante et tenait à le rester. L'exemple de sa mère l'avait confortée dans l'idée qu'il ne fallait compter sur personne, et surtout pas un homme. Son père, Henry Thayer, n'était pas plus raisonnable que sa mère. Des années durant, il avait vécu en artiste pauvre, bon à rien charmant et coureur de jupons. Mais à cinquante-quatre ans, il avait eu la chance incroyable de rencontrer une avocate, Avery Willis. Il l'avait engagée comme conseil dans un procès qui l'opposait à un marchand de tableaux indélicat, et elle avait gagné. Elle lui avait appris à placer son argent au lieu de le dépenser avec des femmes. Et, dans un trait de génie, le seul qu'il ait jamais eu selon Francesca, il avait épousé Avery un an plus tard qui, à cinquante ans, se mariait pour la première fois. En dix ans, elle l'avait aidé à construire une belle fortune, qui consistait en un portefeuille d'actions et d'excellents placements immobiliers. Elle l'avait persuadé d'acheter une maison à SoHo, où ils vivaient ensemble et où il se consacrait à son art. Ils avaient aussi une résidence secondaire dans le Connecticut. Avery était devenue son agent artistique, et les prix de ses œuvres étaient montés en flèche, suivant la même courbe que ses placements financiers. Henry adorait sa femme, et la portait aux nues. Pour la première fois de sa vie, il avait eu l'élégance d'être fidèle. C'était la seconde femme – après la mère de Francesca – envers laquelle il s'était engagé et qu'il avait épousée, mais Avery et Thalia étaient aussi différentes que possible.

Avery avait fait une carrière d'avocate, sans jamais dépendre d'un homme. A présent, son mari était son seul client. Sans être glamour, elle était jolie. Sérieuse et pragmatique, elle brillait par son intelligence. Francesca et elle s'étaient adorées dès leur première rencontre. Avery aurait pu être la mère de sa belle-fille, mais elle ne voulait pas jouer ce rôle. Elle n'avait pas d'enfants, et jusqu'à sa rencontre avec Henry avait montré la même réticence que Francesca pour le mariage. Elle aussi avait eu, comme elle le disait elle-même, des « parents timbrés ». Au fil du temps, Francesca et sa belle-mère étaient devenues très proches. A soixante ans, Avery avait toujours une allure jeune et naturelle.

Parfaitement heureuse, mariée à un homme qu'elle adorait et dont elle tolérait les excentricités avec bonne humeur, Avery connaissait son comportement volage passé. Il avait couché avec des centaines de femmes sur la côte Est, la côte Ouest, et dans toute l'Europe. Il aimait à dire qu'il avait été un « mauvais garçon » avant de la rencontrer, et Francesca pouvait en témoigner. Il avait été « mauvais », c'est-à-dire parfaitement irresponsable, comme père et comme mari, et il resterait un enfant jusqu'à sa mort, même s'il devait vivre jusqu'à quatre-vingt-dix ans. Sa mère était exactement comme lui, le talent en moins.

Tout ce que cette dernière désirait à présent, à soixante-deux ans, c'était de trouver un nouveau mari. Elle était persuadée que le sixième serait le dernier et le meilleur de tous. Francesca n'en était pas aussi certaine, et elle espérait que sa mère aurait la sagesse de s'abstenir. Elle pensait que la recherche obstinée de Thalia pour ce fameux numéro six avait éloigné d'elle tous les candidats acceptables. Il était difficile de croire qu'elle était veuve depuis seize ans, et seule en dépit d'une multitude d'aventures. Sa mère était toujours une jolie femme. Cependant elle disait souvent, avec une pointe de tristesse, que les chances de trouver un mari s'amenuisaient avec l'âge.

Tout bien considéré, Avery était la seule personne sensée dans l'entourage de Francesca. Elle avait les pieds sur terre, et sa belle-fille aurait eu grand besoin de son avis en ce moment, mais elle n'avait pas eu le courage de l'appeler. C'était tellement difficile, de reconnaître qu'elle avait fait fausse route dans tous les domaines : dans sa relation de couple et aussi dans son affaire.

Francesca finit par éteindre la lumière de son bureau, adjacent à la chambre. Elle allait descendre dans la cuisine pour se préparer une tasse de lait chaud quand elle entendit un bruit d'eau. C'était une petite fuite provenant de la lucarne ; les gouttes tombaient sur la rampe de l'escalier et s'écoulaient lentement sur le bois ciré. La fuite ne datait pas d'hier : Todd avait essayé de la réparer plusieurs fois, mais elle réapparaissait chaque année avec les fortes pluies de novembre. Et ce soir il n'était pas là pour y remédier. Il lui disait toujours qu'elle ne pourrait jamais entretenir cette maison toute seule, peut-être avait-il raison. Néanmoins elle voulait essayer, quoi qu'il lui en coûte. Il pouvait bien y avoir des fuites dans la toiture, et la maison pouvait même s'écrouler autour d'elle, Francesca n'était pas prête à renoncer.

D'un pas décidé, elle se dirigea vers la cuisine. En remontant dans sa chambre, elle disposa un torchon sur la rampe pour absorber l'eau. C'était tout ce qu'elle pouvait faire en attendant que Todd revienne de son week-end. Elle soupira et se promit d'appeler sa belle-mère dès le lendemain matin. Avery aurait peut-être une solution à laquelle elle n'avait pas pensé. C'était son dernier espoir. Elle voulait absolument garder sa maison de Charles Street qui prenait l'eau et sa galerie avec ses quinze artistes peintres inconnus. Elle avait investi quatre ans de sa vie dans ces deux projets, et, quelle que soit l'opinion de Todd ou celle de sa mère, elle refusait de renoncer à ses rêves.

2

Sa conversation au téléphone avec Avery, le lendemain matin, fut plus décontractée qu'elle ne l'aurait cru. Francesca se sentit mieux dès qu'elle entendit la voix de sa belle-mère. Elles bavardèrent quelques minutes, riant des dernières pitreries de son père. Par bien des côtés, Henry avait gardé le charme d'un adolescent, ce qu'Avery trouvait adorable, et ce qui avait conduit Francesca à lui pardonner ses défauts. Puis Francesca en vint à l'affaire qui la préoccupait. La gorge nouée, elle l'informa de sa rupture avec Todd et lui exposa son désarroi concernant la galerie et la maison.

— Je suis désolée, dit Avery avec une sincère compassion. Je sentais bien qu'il y avait anguille sous roche. Nous n'avons pas souvent vu Todd, ces derniers mois.

En fait, ils ne l'avaient pas vu du tout. Francesca leur avait rendu visite seule dans le Connecticut, à plusieurs reprises au cours de l'été. Elle avait trouvé des excuses pour expliquer l'absence de son compagnon, mais Avery n'avait pas été dupe. Henry non plus. Néanmoins il ne voulait pas s'immiscer dans la vie de sa fille au caractère secret.

« S'il se passe quelque chose, elle nous le dira elle-même quand elle se sentira prête », avait-il déclaré.

Avery ne fut donc pas grandement surprise en apprenant la nouvelle.

— Cela pose effectivement un problème pour la galerie. Est-ce que tu perds de l'argent ?

Elle se demandait si Francesca pourrait tirer un profit de la vente de la galerie.

— Pas vraiment. Nous arrivons tout juste à équilibrer les comptes. Mais je ne pense pas séduire un acheteur si elle ne génère pas de bénéfices. Todd pense que, si j'augmentais le prix des œuvres, nous serions bénéficiaires en l'espace de deux ou trois ans. Et il dit aussi que si je continue à présenter des artistes émergents, la galerie ne rapportera jamais beaucoup d'argent. Mais je n'ai vraiment pas envie de me mettre à exposer des artistes célèbres. C'est un aspect du métier entièrement différent, et ce n'est pas ce que je voulais faire quand j'ai ouvert.

Francesca avait une vision très idéaliste de l'art, ce dont Todd se plaignait. Il aurait voulu mettre en place une stratégie plus commerciale, mais Francesca ne voulait pas de ce genre de compromis. Toutefois, elle se rendait compte à présent qu'elle allait y être obligée, que cela lui plaise ou non. Elle aimait les artistes véritables, même inconnus. Elle venait juste de signer un contrat avec un peintre japonais qu'elle considérait extrêmement talentueux. Il avait eu d'excellentes critiques pour sa première exposition, et Francesca vendait ses tableaux pour trois fois rien. Elle ne se sentait pas le droit de demander plus pour un jeune artiste, elle avait une éthique très stricte à ce sujet.

— Tu seras sans doute obligée de faire quelques concessions et de vendre des artistes dont la carrière a déjà démarré, suggéra Avery avec son habituel esprit pratique.

Elle avait beaucoup appris sur le monde de l'art au contact du père de Francesca, et en savait long sur l'aspect financier. Mais le père de Francesca vivait dans un monde différent, et grâce à Avery ses tableaux atteignaient à présent des prix astronomiques.

— Parlons tout d'abord de la maison. Y a-t-il quelque chose que tu pourrais vendre afin de réunir la somme nécessaire pour racheter la part de Todd ?

Francesca fut accablée. Elle n'avait rien. Et c'était là tout le problème.

— Non, je ne vois pas. J'ai investi tout ce que je possédais dans cette maison. C'est à peine si je parviens à payer ma part des remboursements pour l'emprunt. Mais si je prenais des locataires, trois seraient suffisants, ça réglerait au moins ce problème.

— Je ne te vois pas vivre avec des étrangers, rétorqua Avery avec franchise.

Elle savait que sa belle-fille était une personne extrêmement réservée. Enfant unique, elle avait toujours eu un goût pour la solitude. Si elle proposait de prendre des locataires, cela signifiait qu'elle était vraiment décidée à garder la maison coûte que coûte.

— Mais si tu te sens capable de supporter ce genre de situation, cela résoudra le problème des mensualités. Et que comptes-tu faire pour rembourser sa part à Todd ?

Avery posa la question d'une voix pensive, mais elle ne laissa pas le temps à sa belle-fille de répondre.

— J'ai une idée, Francesca, mais je ne sais pas ce que tu en penseras ! Tu possèdes six tableaux de ton père, ils font partie de ses premières œuvres et sont excellents. Je suis sûre que tu en obtiendrais un bon prix. Assez en tout cas pour payer à Todd ce que tu lui dois. Je peux appeler sa galerie principale, si tu le souhaites.

Ils feront n'importe quoi pour mettre la main sur des œuvres de jeunesse.

Francesca fit la moue. La seule pensée de vendre les tableaux de son père suffisait à la culpabiliser. Elle n'avait jamais rien fait de tel jusqu'à présent. Mais jamais non plus elle ne s'était trouvée dans une situation aussi désespérée. Et elle n'avait rien d'autre de monnayable.

— Comment le prendrait-il, d'après toi ? demanda Francesca, un peu inquiète.

Malgré les reproches qu'elle avait pu lui faire, Francesca aimait son père, et elle avait un profond respect pour son travail. Elle tenait beaucoup aux six toiles qu'elle possédait.

— Je crois qu'il comprendra, répondit gentiment Avery. Avant notre mariage, il vendait sans arrêt ses œuvres pour survivre. Il sait mieux que personne ce que c'est de se retrouver dans cette situation. Une fois, il a même vendu un petit Pollock pour donner à ta mère l'argent qu'il lui devait ! Fais ce que tu dois faire, Francesca.

— Je pourrais peut-être me contenter d'en vendre cinq. J'en garderai au moins un. Papa m'a offert ces toiles. Je ne suis pas fière de les vendre pour acheter une maison.

— Tu n'as pas le choix, il me semble.

— Non, c'est vrai.

L'espace d'une minute, elle envisagea de vendre la maison plutôt que les toiles. Mais cela ne la satisfaisait pas non plus.

— Tu veux bien appeler son marchand, pour voir ce qu'il en dit ? Si je peux en obtenir un bon prix, je pense que je me déciderai à les vendre. Mais proposes-en cinq seulement.

Francesca était extrêmement sentimentale. Cette vente allait représenter un grand sacrifice pour elle. Un de plus.

— Je m'en occupe, promit Avery. Son marchand a une liste de collectionneurs intéressés par ses œuvres. Je pense qu'ils s'empresseront de sauter sur l'occasion. A moins que tu ne préfères attendre une vente aux enchères ?

— Je ne peux pas attendre, avoua Francesca. Todd m'a laissé jusqu'à la fin de l'année pour lui payer sa part. C'est-à-dire dans deux mois. Je n'ai plus de temps.

— Dans ce cas, j'appelle dès que nous aurons raccroché.

C'est alors qu'Avery eut une nouvelle idée. Elle ne savait pas encore ce que son mari en penserait, mais elle la confia néanmoins à Francesca.

— Ton père est enthousiasmé par le travail que tu accomplis à la galerie. Henry est comme toi, il adore découvrir de nouveaux artistes. Peut-être aimerait-il collaborer avec toi. Devenir une sorte de commanditaire dans l'ombre. Bien que ton père préfère généralement la lumière ; mais il trouvera peut-être excitant de t'aider, jusqu'à ce que la galerie commence à générer des bénéfices. D'après ce que tu me dis, la part que te réclame Todd ne représente qu'une somme assez modeste.

Todd avait été très fair-play. La somme qu'il demandait était presque symbolique, d'un montant à peine plus élevé que ce qu'il avait investi au départ. Pour la maison, c'était une autre histoire. Celle-ci avait pris une valeur considérable en l'espace de quatre ans, mais là aussi il se montrait juste. Il espérait cependant retirer suffisamment d'argent de Charles Street pour acheter un appartement. La situation était difficile pour lui aussi, et la fin de leur vie de couple lui causait une grande déception. Tous deux voulaient en finir le plus vite possible.

— Je n'ai jamais pensé à demander à mon père de s'investir dans ma galerie, répondit-elle, intriguée par cette idée. Tu penses qu'il serait intéressé ?

— C'est possible. Pour lui ce serait passionnant, et en plus je suis sûre qu'il aimerait t'aider. Cela ne représente pas un si grand investissement. Pourquoi ne l'invites-tu pas à déjeuner pour lui soumettre cette idée ?

Cette suggestion plut à Francesca. Son père était plus susceptible de l'épauler que sa mère, qui avait désapprouvé ses deux projets dès le départ. Thalia ne s'était jamais intéressée à la peinture, bien qu'elle possédât plusieurs tableaux de son ex-époux, d'une valeur considérable. Au début, elle les avait conservés par attachement sentimental, et, aujourd'hui, la dizaine d'œuvres de jeunesse d'Henry qui était restée chez elle représentait une petite fortune. Elle disait toujours qu'elle ne vendrait jamais ces toiles.

Pour la première fois depuis deux mois, Francesca entrevit une lueur d'espoir.

— Je vais l'appeler et l'inviter à déjeuner demain. Tu fais des miracles, Avery. Tu es géniale, mon père a de la chance de t'avoir épousée.

— Et j'en ai aussi de l'avoir rencontré. C'est quelqu'un de bien, surtout depuis qu'il a cessé de collectionner les maîtresses.

Avery était bien plus réaliste que toutes les femmes que Henry avait connues avant elle. Et elle aimait bien aussi la mère de Francesca. Thalia avait une telle façon d'être choquante et outrancière qu'elle la trouvait amusante et éprouvait une certaine affection pour elle. Ce qui ne l'empêchait pas de comprendre que Francesca soit mal à l'aise avec sa mère. Même Avery, avec toute l'indulgence dont elle était coutumière, devait bien reconnaître que l'attitude de Thalia était embarrassante, surtout pour une enfant qui rêvait par-dessus tout d'avoir une mère comme les autres. Henry, de son côté, n'était pas moins excentrique. Ils étaient tout le contraire de parents traditionnels, ce qui avait eu pour résultat de rendre Francesca excessivement effacée. Avery était consciente que Henry et Thalia avaient dû former un couple très particulier. Ils étaient si différents l'un de l'autre qu'elle était même étonnée que leur mariage ait duré sept ans. La seule chose positive issue de leur union, c'était leur fille. Thalia de son côté aimait beaucoup Avery. Mais qui ne l'aimait pas ? C'était une personne qu'on ne pouvait que respecter, et ses manières amicales, intelligentes, décontractées emportaient l'adhésion. Authentique, saine, modeste, Avery avait beaucoup de classe. Tout le contraire de la mère de Francesca.

— Je crois que mes problèmes sont résolus, dit Francesca avec un soupir de soulagement.

— Pas tout à fait. Il faut encore que j'appelle le marchand de tableaux de ton père, et que tu parles à Henry de ta galerie. Mais il me semble que c'est en bonne voie, déclara Avery d'un ton encourageant.

Elle espérait de tout cœur que les choses s'arrangeraient pour sa belle-fille. Elle la tenait pour quelqu'un de bien qui méritait d'être récompensé pour son travail ; elle n'aurait pas aimé la voir tout perdre à cause de sa rupture avec Todd.

— Je savais que tu m'aiderais à trouver une solution, dit Francesca, heureuse pour la première fois depuis des mois. Je ne voyais pas d'issue.

— C'est parce que tu es plongée jusqu'au cou dans tes problèmes, expliqua Avery avec simplicité. Parfois, les solutions paraissent plus évidentes de l'extérieur. Espérons que tout cela va marcher. Dès que j'aurai parlé au marchand de tableaux, je t'appellerai. Le moment est très bien choisi, car il va partir bientôt à la foire internationale Art Basel, qui se tient à Miami. Même s'il n'a pas déjà sous la main de collectionneur intéressé par les premières œuvres de ton père, il rencontrera beaucoup de monde là-bas et pourra probablement trouver un acheteur d'ici la fin de l'année.

— Cela fera plaisir à Todd, dit Francesca avec une pointe de tristesse en pensant à lui.

Avec ou sans contrat de mariage, ils avaient beaucoup de questions à résoudre et de partages à opérer. Leur séparation était presque aussi compliquée qu'un divorce.

— Cela te fera plaisir aussi, si ça te permet de garder la maison.

— Oui, je serai heureuse de pouvoir la garder, confirma Francesca. Je crois qu'il vaut mieux que j'avertisse mes parents, pour Todd. A dire vrai, je redoute ce moment. Papa ne me posera pas vraiment de problème, mais maman va me sermonner. Elle trouvait que c'était de la folie d'acheter la maison et de créer une affaire sans être mariés.

— C'est pourtant ce que font les gens de nos jours. Beaucoup de couples placent leur argent en commun, alors qu'ils ne sont pas mariés.

— Tu devrais le lui expliquer, répliqua Francesca avec un sourire ironique.

— Je n'essaierai même pas !

Complices, les deux femmes rirent à l'unisson : Thalia avait des idées bien à elle, et il était impossible de la faire changer d'avis.

— Tiens-moi au courant pour le marchand de tableaux.

— Oui, c'est promis. Et ne baisse pas les bras, Francesca. Tout finira par s'arranger, affirma Avery d'un ton rassurant.

Jamais Thalia n'aurait prononcé ces paroles de réconfort, et pourtant c'était elle qui aurait dû le faire. En réalité, Thalia était plus une tante excentrique qu'une maman. Et Avery, plus qu'une amie.

Francesca demeura un long moment à réfléchir avant de prendre à nouveau son téléphone. Cette conversation avec sa belle-mère l'avait remontée. Comme elle l'espérait, Avery l'avait aidée. Elle avait toujours de bonnes idées, généralement fructueuses, comme le prouvait la réussite de son père. Henry avait été très impressionné par sa deuxième femme au début de leur vie commune, et il l'était toujours. Elle avait accompli des miracles pour lui, la preuve en était leur style de vie, très confortable. Avery avait une fortune personnelle. Elle avait mené une carrière professionnelle lucrative, et avait su faire des investissements judicieux. L'idée de devoir dépendre de quelqu'un d'autre qu'elle-même lui paraissait risible. Comme elle le disait si bien, elle n'avait pas passé toute sa vie à travailler comme une dingue pour être tributaire d'un homme. Elle avait toujours fait ce qu'elle voulait de son argent, et elle continuait. Rien n'avait changé quand elle s'était mariée. Henry avait retiré beaucoup plus d'avantages qu'elle-même de leur union. Financièrement, il avait eu besoin d'elle, alors qu'elle n'avait nullement besoin de lui. Mais, sentimentalement, ils dépendaient l'un de l'autre, ce qui paraissait normal à Francesca. Elle avait cru avoir le même type de relation avec Todd. Elle s'était trompée, et maintenant leur séparation la faisait souffrir. Enormément.

Le coup de fil suivant fut pour sa mère. C'est à peine si Thalia lui demanda de ses nouvelles, avant de se lancer dans un long monologue centré sur elle-même. Sur ses activités, les gens qui l'agaçaient, son décorateur nul, les mauvais placements de son banquier, et tous les soucis que cela lui causait.

— Ce n'est pas comme si j'avais un mari pour me soutenir, se lamenta-t-elle.

— Tu n'as pas besoin d'un mari. Don t'a laissé de quoi vivre tranquillement jusqu'à la fin de tes jours.

Ses deux galeries commerciales s'étaient multipliées comme des petits pains, si bien qu'elle en possédait dix désormais. Et ce n'étaient pas ses seuls investissements. Elle était donc loin d'être indigente, comme en témoignait son élégant petit appartement sur la Cinquième Avenue. L'endroit était superbe, et elle avait une vue imprenable sur Central Park.

— Je ne dis pas le contraire. Mais c'est très angoissant pour moi de ne pas avoir un mari pour me protéger, répondit Thalia d'une voix qui aurait pu laisser penser qu'elle était fragile, ce qu'elle n'était pas non plus.

Francesca s'abstint de lui faire observer qu'elle aurait dû s'habituer à vivre seule, seize ans après la mort tragique de son mari à Rome. Ce dernier lui avait légué le titre de *Contessa,* ce qu'elle appréciait beaucoup. Son seul regret, c'était que son époux n'ait pas été prince. Elle avait avoué des années plus tôt à Francesca qu'elle aurait adoré être princesse, mais, après tout, comtesse, ce n'était déjà pas si mal. Elle portait donc le titre de *Contessa di San Giovane.*

Francesca décida de se jeter à l'eau, tête la première.

— J'ai rompu avec Todd, annonça-t-elle calmement.

— Quand ? répondit Thalia d'une voix étonnée, comme si, contrairement à Avery et à Henry, elle n'avait rien vu venir.

— Cela couvait depuis plusieurs mois. Nous avons essayé de continuer à vivre comme un couple normal, mais c'était impossible. Il va retourner travailler dans un cabinet d'avocats, et il veut que je lui rembourse sa part de la galerie et de la maison.

— As-tu les moyens de le faire ? interrogea sa mère, sans détour et sans compassion.

— Pas encore. Mais j'espère trouver une solution avant la fin de l'année.

Par délicatesse, pour ne pas la blesser, elle se garda de révéler à sa mère qu'elle avait demandé conseil à Avery.

— Je t'avais bien dit que tu n'aurais pas dû acheter une maison et créer une affaire avec lui ! C'est de la folie quand on n'est pas mariés, ça ne peut conduire qu'au désastre. Est-ce qu'il te fait des difficultés ?

Thalia aimait bien Todd. Ce qui ne lui plaisait pas, c'était qu'ils n'aient pas voulu se marier. Par certains côtés, curieusement, elle se montrait très vieux jeu.

— Pas du tout, maman. Il est très gentil. Mais il veut récupérer la part qui lui revient sur la maison, et sur l'affaire.

— Pourras-tu lui donner tout ce qu'il réclame ?

— Peut-être. Sinon, il faudra que je vende la maison et que je ferme la galerie. Je fais tout mon possible pour éviter ça.

— Quel dommage que tu te sois autant engagée avec lui ! Je n'ai jamais trouvé que c'était une bonne idée.

Et elle ne laissait pas sa fille l'oublier une minute.

— Oui, je sais, maman. Mais nous pensions que notre couple allait durer.

— Chacun le croit, jusqu'à ce que tout s'écroule. Et quand ça arrive, il vaut mieux se retrouver avec une pension alimentaire et une rente, plutôt qu'avec un cœur brisé.

C'était tout ce que Thalia avait appris, et la seule carrière qu'elle ait jamais faite.

— Une pension alimentaire ne remplace pas un travail, maman. Pas pour moi, du moins. Avec un peu de chance, je trouverai une solution, rétorqua-t-elle agacée comme toujours par les commentaires maternels.

— Tu n'as qu'à vendre la maison. De toute façon, tu ne pourras pas l'entretenir sans lui. Cette baraque est sur le point de s'effondrer.

Todd avait employé les mêmes mots et souligné qu'elle ne s'en sortirait pas toute seule. Elle était bien décidée à leur prouver à tous les deux qu'ils avaient tort.

— As-tu au moins de quoi payer les mensualités ? demanda sa mère, sans pour autant lui proposer de l'aider.

Francesca n'en fut nullement étonnée. Jusqu'ici, la conversation s'était déroulée exactement comme elle l'avait prévu, à commencer par le fameux : « Je te l'avais bien dit » ! D'ailleurs, avec sa mère, il n'y avait jamais de surprise.

— J'ai l'intention de prendre des locataires, déclara-t-elle, d'une voix tendue.

La réaction de Thalia ne se fit pas attendre.

— Tu es folle ? s'exclama-t-elle, horrifiée. C'est un peu comme si tu invitais des auto-stoppeurs à dormir chez toi. Tu n'es pas sérieuse ? Louer à des inconnus ?

— Je n'ai pas le choix si je veux garder la maison, maman. Je serai prudente, je ne mettrai pas une simple pancarte dans la rue ! Je vérifierai d'abord à qui j'ai affaire.

— Et tu finiras par te retrouver avec un tueur en série sous ton toit !

— J'espère bien que non. Avec un peu de chance, je trouverai des locataires corrects.

— C'est une idée épouvantable, et je suis sûre que tu le regretteras.

— Si c'est le cas, tu auras le droit de dire que tu m'avais prévenue, rétorqua Francesca, narquoise.

— J'exige que tu reviennes sur ta décision.

— Je ne peux pas, il faudra bien que je paie les remboursements une fois que Todd sera parti. Quand la galerie commencera à rapporter de l'argent, je cesserai de prendre des pensionnaires. En attendant, je n'ai pas d'autre solution. Il faudra que je serre les dents et que je tienne bon sur ce point.

Et sur tout le reste. Elle allait devoir renoncer à beaucoup de choses pour garder la galerie et la maison : à sa vie privée en prenant des locataires, et aux tableaux de son père pour pouvoir donner sa part à Todd. Et si son père refusait d'investir dans la galerie, elle risquait de la perdre complètement. L'idée la bouleversa tellement qu'elle préféra ne pas y penser.

— C'est complètement fou, reprit Thalia. Je ne vais plus dormir la nuit en pensant aux gens qui vivent dans ta maison.

— Je n'en prendrai que trois, je pense que ça ira.

— Peut-être, mais ce n'est pas sûr. Et si tu leur fais signer un contrat de location, tu seras obligée de les garder pendant toute la durée du bail. Tu ne pourras

31

pas les mettre à la porte si tu t'aperçois ensuite qu'ils ne te conviennent pas.

— Non, c'est vrai. J'ai intérêt à bien choisir, répliqua Francesca d'un ton plat.

Elle mit fin à la conversation aussi vite que possible. Elle avait communiqué à sa mère les nouvelles les plus importantes : sa rupture avec Todd, et son espoir de garder la galerie et la maison. Thalia n'avait pas besoin d'en savoir plus, ni de connaître les détails sordides. En tout cas, sa mère avait agi exactement comme prévu : elle l'avait critiquée, sans lui offrir son aide. Certaines personnes ne changeaient jamais.

Le coup de fil à son père fut à la fois plus bref et plus décontracté. Francesca l'invita simplement à déjeuner le lendemain, et il accepta. Elle avait l'intention de tout lui annoncer au cours du repas. Ils convinrent de se retrouver à La Goulue, son restaurant préféré dans le quartier chic de Manhattan. L'établissement était proche de sa galerie, et Henry y déjeunait souvent – il faisait partie des célébrités du quartier. Il parut content d'avoir des nouvelles de sa fille.

— Tout va bien ? s'enquit-il au moment de raccrocher.

Francesca l'invitait rarement à déjeuner, et il se demandait la raison de ce rendez-vous.

— Assez bien. Nous en parlerons demain.

— D'accord. Il me tarde de te voir.

Malgré ses soixante-cinq ans, il avait toujours une voix de jeune homme au téléphone. Et, comme sa femme, il faisait beaucoup plus jeune que son âge. Francesca trouvait que sa mère vieillissait moins bien. Sa quête frénétique d'un mari lui donnait un air quelque peu désespéré, et ce depuis plusieurs années.

Son père était plus détendu. C'était sa nature, et c'était aussi grâce à la présence apaisante d'Avery.

Sa mère n'avait plus eu de liaison sérieuse avec un homme depuis des années. Pour sa fille, la raison en était simple : Thalia voulait absolument trouver un mari, et cela se voyait trop. C'était une leçon que Francesca avait intérêt à garder en tête maintenant qu'elle se retrouvait libre pour la première fois depuis cinq ans.

Cette pensée la déprima profondément. Elle n'était pas prête pour de nouveaux rendez-vous galants. Quelle plaie ! Il fallait avant tout qu'elle trouve trois locataires pour partager les frais, et peut-être ensuite se remettrait-elle à sortir avec des amis, mais elle n'était pas obligée d'y penser tout de suite. Todd n'avait même pas encore déménagé.

Le jour suivant, le déjeuner avec son père se déroula agréablement. Henry sortit d'un taxi devant La Goulue, au moment précis où Francesca arrivait de la station de métro. Comme de coutume, il était très chic. Son manteau en tweed noir et blanc acheté à Paris des années auparavant, et dont il avait relevé le col pour se protéger du vent, son vieux Borsalino qui venait de Florence, son jean et ses bottines lui donnaient un look à la fois artiste et aussi élégant qu'une couverture de *GQ,* le magazine pour hommes haut de gamme. Son visage mince et ridé aux traits taillés à la serpe était rehaussé d'une mâchoire carrée et d'une profonde fossette au menton qui fascinait Francesca quand elle était enfant. Il l'étreignit avec chaleur. Beaucoup plus expansif que sa mère, il avait l'air enchanté de la voir.

Lui annoncer sa séparation d'avec Todd fut plus facile qu'elle ne s'y attendait. Henry avoua qu'il n'était pas étonné, et qu'il avait toujours pensé qu'ils étaient trop différents l'un de l'autre. Francesca considérait au contraire qu'ils avaient tout en commun.

— Il n'était qu'un touriste dans le monde de l'art, déclara son père.

Il avait commandé une soupe à l'oignon et des haricots verts. Rien d'étonnant s'il avait gardé sa silhouette longue et mince, qui n'était pas sans rappeler celle de sa fille. Apparemment, la cuisine saine et légère d'Avery lui convenait à merveille. Francesca n'était pas très regardante pour ses repas, surtout ces derniers temps, depuis qu'elle ne les partageait plus avec Todd. La plupart du temps, elle n'avait pas le courage de se préparer à dîner le soir et elle avait perdu du poids.

— J'ai toujours pensé qu'il finirait par retourner à Wall Street, dit son père, en attaquant sa soupe à l'oignon.

Francesca, elle, avait commandé une salade de crabe.

— C'est drôle, fit-elle, pensive. Mais tu dois avoir raison. Il dit qu'il en a assez d'être pauvre.

Son père se mit à rire.

— Oui, moi aussi j'en avais assez ! Et puis Avery m'a sauvé.

Elle expliqua alors à son père qu'elle voulait rembourser à Todd la part qu'il détenait dans la maison, et lui avoua d'un air coupable qu'elle pensait être obligée de vendre ses tableaux. Il réagit avec beaucoup de gentillesse. Francesca comprenait pourquoi les femmes le trouvaient irrésistible. Il était charmant, facile à vivre, rarement critique, et d'une grande indulgence. Il la mit tout de suite à l'aise, et lui assura qu'il ne lui en voulait pas du tout. Lorsque le café arriva, elle avait déjà trouvé le courage de lui parler de la galerie. Il accueillit ses propos avec un sourire. Avery l'avait prévenu, à mots couverts, que Francesca avait besoin de lui et qu'il devrait lui prêter une oreille attentive. Ce qu'il aurait fait de toute façon. Francesca était son seul enfant, et, si léger et insouciant qu'il se soit montré en tant que père, c'était essentiellement quelqu'un de bon.

— Je suis flatté que tu me demandes ça, dit-il simplement, en sirotant un café léger. Je ne pense pas en savoir plus que toi sur la façon de tenir une galerie. En fait, j'en sais probablement beaucoup moins. Mais j'aimerais vraiment devenir ton associé, même si je resterai en retrait dans un premier temps.

Elle lui annonça alors la somme dont elle avait besoin pour dédommager Todd. Ce n'était pas énorme, mais tout de même plus que ce qu'elle possédait.

— Tu pourras toujours racheter ma part une fois que la galerie aura démarré, suggéra-t-il avec optimisme. Tu n'es pas obligée de me garder avec toi éternellement.

— Merci, papa.

Ils se regardèrent en souriant, un sourire qui accentua leur ressemblance. Francesca était profondément reconnaissante, et ses yeux s'embuèrent de larmes. Son père acceptait de l'aider à sauver l'entreprise dans laquelle elle avait mis toute son énergie depuis quatre ans.

Après le déjeuner, elle reçut un appel d'Avery. Le marchand d'art qui s'occupait des œuvres de son père était enthousiaste. Il avait déjà au moins trois acheteurs intéressés, et pensait pouvoir vendre les deux tableaux restants à Miami, en décembre. La somme obtenue par la vente des trois premiers tableaux suffirait d'ores et déjà à contenter Todd.

Il semblait à Francesca avoir échappé de justesse à la guillotine. Grâce à son père, aux tableaux qu'il lui avait offerts et qui avaient pris tant de valeur au fil des ans, elle allait pouvoir conserver tout ce à quoi elle était tant attachée. Jamais dans ses rêves les plus fous avait-elle osé l'envisager.

Alors qu'elle descendait l'escalier du métro, un large sourire s'épanouit sur ses lèvres. Les choses se présentaient bien pour elle, et sa rupture avec Todd lui paraissait déjà moins dramatique. Il y avait de l'espoir. Elle avait encore une affaire, une maison, et un adorable papa.

3

Dès qu'elle arriva chez elle, Francesca appela Todd à son bureau pour lui annoncer la bonne nouvelle. Elle lui expliqua qu'elle pensait avoir l'argent qui lui revenait, ou du moins une bonne partie de la somme, dans les prochaines semaines. Son père lui avait promis qu'Avery lui remettrait le lendemain même un chèque représentant la part de Todd dans le marchand. Et Avery avait assuré que la galerie de Henry effectuerait ce mois-ci un paiement pour les trois premiers tableaux.

— Cela signifie sans doute que je ferais bien de me mettre à la recherche d'un appartement, dit-il d'une voix teintée de tristesse. Je vais en visiter quelques-uns ce week-end.

Elle eut l'impression de recevoir un coup de poignard en plein cœur. Ils parlaient pourtant de ce déménagement depuis des mois, et Todd ne restait jamais là le week-end. Mais soudain, la situation devenait trop réelle. Tout était bien fini entre eux.

— Rien ne presse, dit-elle doucement.

Ils s'étaient aimés, ils avaient cru qu'ils passeraient toute leur vie ensemble, et ils regrettaient que leur couple n'ait pas résisté. Il était plus facile de se concentrer sur les détails financiers que de parler du sentiment de perte qu'ils éprouvaient chacun. C'était la mort d'un rêve. Ils avaient tous deux connu des ruptures auparavant, mais ils n'avaient jamais vécu avec quelqu'un d'autre. Leur séparation ressemblait vraiment à un divorce. Cette pensée était douloureuse. Qu'allaient-ils faire de tout ce qu'ils avaient acheté ensemble ? Le canapé, les lampes, la vaisselle, le tapis du salon qui leur plaisait tant... Ils allaient devoir renoncer à ce qui avait été leur vie commune, et Todd en était aussi malheureux qu'elle.

— Je te dirai ce que j'ai trouvé, dit-il avant de raccrocher précipitamment car il était appelé en salle de réunion.

Quand recommencerait-il à sortir, quand rencontrerait-il une autre femme ? Peut-être était-ce déjà fait ? Francesca ne le questionnait pas sur ce qu'il faisait durant les week-ends, mais elle ne pensait pas qu'il voyait quelqu'un. Ils se croisaient très peu à la maison, désormais. Il rentrait tard et dormait dans une chambre d'amis à un autre étage.

Leur conversation lui rappela qu'elle devait se mettre à chercher des locataires. Pouvoir garder seule la maison représentait un énorme soulagement. Mais, d'un autre côté, elle se sentait pleine de tristesse. Todd et elle ne se détestaient pas. Simplement, ils ne s'entendaient plus et voulaient mener des vies différentes. Todd avait parlé de s'installer *uptown*, dans les quartiers chics. C'était son monde. Il n'avait emménagé *downtown*, dans West Village, plus bohème, que pour lui faire plaisir, et maintenant il retournait vers l'environnement qui lui était familier. Peut-être son père avait-il raison, peut-être Todd n'avait-il été qu'un touriste dans sa vie. Un peu comme ces gens qui partent vivre dans un pays étranger et décident de rentrer chez eux au bout de quelques années. Elle ne lui reprochait rien. Elle était juste désolée que ça n'ait pas marché entre eux.

Ce soir-là, elle eut une longue conversation avec Avery à ce sujet. Sa belle-mère était d'une grande sagesse.

— Tu ne peux pas obliger les gens à devenir ce qu'ils ne sont pas, lui dit-elle. Todd veut tout ce dont tu ne veux pas. Du moins, c'est ce qu'il dit. Le mariage, des enfants tout de suite avant d'être trop vieux, Wall Street, le milieu des avocats et pas celui de l'art, un monde et un mode de vie plus traditionnels. Il te trouve bohème, et ce n'est pas comme ça qu'il veut vivre.

— Je sais, reconnut Francesca. Mais je suis triste. Ce sera très dur, une fois qu'il aura déménagé.

Pourtant, la vie avait été difficile pendant un an, car ils se querellaient sans cesse. A présent, c'est à peine s'ils s'adressaient la parole, sinon pour parler des détails qui mettraient un point final à leur relation. Au cours des cinq dernières années, Francesca avait oublié quelles souffrances pouvait engendrer une séparation. Avery la plaignait de tout cœur, et elle était contente que Henry ait accepté de l'aider. Ainsi Francesca n'avait pas tout perdu. Elle comptait chercher de nouveaux artistes dès que possible. Il y avait tant à faire pour que la galerie se développe ! Et elle avait le sentiment de devoir quelque chose à son père à présent, bien qu'il lui eût assuré qu'il ne s'impliquerait pas trop dans l'affaire, d'autant qu'il était très occupé en ce moment par la préparation de sa prochaine exposition, prévue au printemps. Francesca connaissait son métier et tous deux étaient conscients qu'il allait falloir du temps pour que la galerie rapporte de l'argent. Henry comprenait cela bien mieux que Todd, qui voulait des résultats immédiats. Les galeries d'art ne fonctionnaient pas comme une entreprise classique. Son père avait raison. Todd était passé dans son univers en visiteur, et maintenant il repartait dans le sien.

Ce soir-là, elle consulta dans les journaux et sur Internet les demandes de colocation et de chambres à louer. Rien ne correspondant à ce qu'elle cherchait, elle décida de passer une annonce. Elle envisageait de diviser la maison de Charles Street par étages. Au dernier se trouvait une petite pièce ensoleillée, jouxtant une chambre encore plus petite, et une minuscule salle de bains. C'était exigu, mais suffisant pour une personne. D'ailleurs, c'était la partie de la maison que Todd occupait en ce moment. A l'étage au-dessous, il y avait sa propre chambre, qu'elle partageait autrefois avec lui, un dressing, et une salle de bains en marbre qu'ils avaient installée eux-mêmes. Francesca disposait également d'un petit bureau attenant à la chambre, où elle travaillait parfois en rentrant de la galerie.

Au-dessous encore se trouvait l'actuelle salle à manger, qu'elle comptait transformer en salon. Il y avait également une salle d'eau et une bibliothèque qui serait transformée en chambre. Le salon principal était situé à l'étage inférieur, et elle pensait le garder pour son propre usage. Quant à la cuisine, elle était encore au-dessous, en rez-de-jardin. Elle était vaste, ensoleillée, et comportait un espace repas confortable que tous les occupants de la maison pourraient utiliser. A côté de la cuisine se trouvait une autre pièce très spacieuse, où Todd avait installé son matériel de gymnastique. Les fenêtres donnaient sur le jardin, il y avait une belle salle de bains, si bien que cette pièce pourrait devenir un studio et lui permettre de prendre un troisième pensionnaire. Francesca avait tout calculé au plus juste. Il y avait assez d'espace pour quatre personnes, à condition que chacun se montre respectueux de son voisin, prévenant, et poli. Il fallait donc qu'elle trouve à louer les trois espaces dont elle disposait, et elle était bien résolue à ce que cela fonctionne.

Elle fit ce soir-là sur son ordinateur une description détaillée de chaque partie à louer, et y joignit des renseignements plus généraux sur la maison. Elle envisagea tout d'abord de ne louer qu'à des femmes, mais elle avait besoin de tous les locataires possibles. Aussi, elle n'exprima aucune restriction dans son annonce.

Elle était en train de se relire une dernière fois quand Todd frappa à la porte de son bureau et resta sur le seuil, à l'observer d'un air grave.

— Tu vas bien ?

Il était inquiet. Il continuait de penser qu'elle ne pourrait pas se débrouiller seule, et qu'elle ferait mieux de vendre. Il savait aussi qu'elle n'en ferait rien et qu'elle était prête à tout pour garder la maison, y compris loger des inconnus chez elle. Cette solution lui semblait très imprudente.

— Oui, très bien, répondit-elle d'un ton las. Et toi ?

— Je ne sais pas. C'est bizarre, non ? De se séparer comme ça... Je ne m'attendais pas à ce que ce soit aussi douloureux.

Il avait l'air si affligé et si vulnérable qu'elle repensa à tout ce qu'elle aimait tant chez lui. Son chagrin empira.

— Moi non plus, répondit-elle avec franchise.

41

Mais il n'était plus temps de recoller les morceaux. Leurs divergences étaient trop importantes. Ils avaient des points de vue irréconciliables, selon les termes utilisés lors des divorces.

— Je déteste te voir partir, reprit-elle. Je vais peut-être me rendre chez mon père, dans le Connecticut, pour ne pas être là quand tu déménageras.

Todd hocha la tête sans un mot. Il était prêt à recommencer une nouvelle vie, mais triste de laisser Francesca derrière lui. Elle était toujours aussi belle que lorsqu'il l'avait rencontrée, toujours aussi séduisante et chaleureuse. Mais ils ne s'appartenaient plus l'un l'autre.

— Si jamais tu as besoin de moi après mon départ, tu pourras toujours m'appeler. « Monsieur Répare-Tout » demeure à ton service. D'ailleurs, dans ma prochaine vie, j'ai décidé d'être plombier.

Il sourit d'un air piteux, et elle l'imita. Todd en avait plus qu'assez de faire des réparations dans la maison, mais restait disposé à lui prêter main-forte. Le pire, dans leur histoire, c'était qu'ils n'éprouvaient pas de rancœur. Et c'était justement pour cela que la situation était si triste. Tout aurait été tellement plus facile s'ils avaient été fâchés.

— Je te laisserai mes outils, promit-il, trop content de ne plus avoir à s'en servir.

Francesca se mit à rire.

— Merci. Il va falloir que j'apprenne à bricoler !

— Tu n'as pas peur de loger un cinglé, ou un criminel ? Ou simplement un escroc, quelqu'un capable de mettre la maison à sac ?

Il s'inquiétait, mais il savait aussi que Francesca était forte et avait la tête sur les épaules. Elle avait survécu trente ans, avant qu'il n'entre dans sa vie. Il supposait donc qu'elle saurait se débrouiller. Elle lui manquerait. Elle n'était peut-être pas la femme qu'il lui fallait, mais elle n'en était pas moins quelqu'un de spécial, une personne qui avait marqué sa vie. Il lui garderait toujours son affection et se soucierait de ce qu'elle devenait. Il savait que ce sentiment était réciproque.

— Les cinglés, je les ferai partir, dit-elle d'un ton ferme.

Il monta dans sa chambre, et Francesca imprima son annonce pour mieux la relire, puis la mettre sur Internet le jour suivant. Dieu seul savait ce qui se passerait alors. Elle avait du mal à s'imaginer vivant dans cette maison avec trois étrangers. Ce serait une expérience inédite et une gageure.

Elle avait l'intention de vérifier avec soin les références de ses pensionnaires, qui ne pourraient emménager tant que Todd n'aurait pas trouvé d'appartement. Il lui semblait néanmoins préférable de commencer à chercher dès maintenant. Lorsqu'elle alla se coucher ce soir-là, elle était en proie à un sentiment étrange. Elle avait hâte que Todd s'en aille, car l'attente était douloureuse. Mais ce qui la tourmentait encore plus, c'était de ne pas savoir qui allait se présenter pour louer les chambres. Le 44 Charles Street allait beaucoup changer.

De même que sa vie sans Todd.

4

Francesca reçut un courrier abondant en réponse à son offre de location. La plupart des lettres étaient déconcertantes. Elle fut stupéfaite de voir ce que les gens étaient disposés à révéler sur eux-mêmes. Certains sortaient de cure de désintoxication, ne se sentaient pas prêts à prendre un appartement et se disaient enchantés à la perspective de vivre chez elle. La description de la maison semblait plaire à tous. Plusieurs couples répondirent à l'annonce, et Francesca leur expliqua que les espaces à louer étaient trop petits pour les accueillir. En outre, elle n'avait pas envie de partager son foyer avec plus de trois personnes. Un des couples avait deux enfants, et proposait de louer deux espaces sur trois, ce qui ne lui convenait pas non plus. Les enfants étaient des garçons de trois et cinq ans, et elle craignait qu'ils ne détruisent tout dans la maison. Deux hommes lui dirent être récemment sortis de prison. L'un avait été condamné pour agression sexuelle, et l'autre pour une fraude financière qu'il prétendait ne pas avoir commise. Francesca ne leur demanda pas de détails.

Quatre couples de lesbiennes désiraient louer la maison ensemble, et voulurent savoir si elle était disposée à quitter les lieux. Elle répondit par la négative, car cela allait complètement à l'encontre de ce qu'elle essayait de faire, c'est-à-dire continuer à vivre chez elle. Enfin, un bon tiers des candidats possédaient des chiens, la plupart de grande taille. Des bergers allemands, des labradors, deux lévriers irlandais, un dogue allemand, un ridgeback rhodésien, un rottweiler, et un pit-bull. Elle n'était pas prête non plus à supporter ce genre de désagrément. Elle commençait à douter que quelqu'un de normal et de facile à vivre, sans conjoint, sans enfant, sans chien, sans addiction à une substance illicite, et sans casier judiciaire, se présente. Elle perdait espoir et commençait à se dire que Todd et sa mère pourraient avoir raison. Peut-être étaient-ils tous fous. Ou alors, c'était elle qui était folle de croire qu'elle allait trouver trois locataires sains et sans problèmes. Cela n'existait sans doute pas dans une ville comme New York.

Enfin, deux jours avant Thanksgiving, elle reçut l'appel d'une jeune femme nommée Eileen Flanders. Celle-ci avait obtenu son diplôme de la Loyola Marymount University, à Los Angeles, en mai dernier et venait tout juste d'arriver à New York, où elle avait trouvé du travail, comme éducatrice spécialisée pour les enfants autistes. Elle ne parla pas de cure de désintoxication, ni de sortie de prison, dit simplement qu'elle était célibataire et n'avait ni chien ni enfant. C'était un début encourageant. Francesca craignait tout de même qu'elle ne soit couverte de tatouages et de piercings, et coiffée à l'iroquoise. La jeune femme espérait emménager rapidement. Pour l'instant, elle était logée dans une auberge YMCA, et pensait pouvoir y rester quelques semaines de plus. Todd venait de trouver un appartement dans East 81st Street, près du fleuve. Il projetait de faire ses cartons entre Noël et le nouvel an, et serait parti dès le premier janvier. Francesca ne voulait pas que quelqu'un emménage avant cette date. Ce serait trop pénible d'avoir un étranger dans la maison, alors qu'ils vivraient le bouleversement que serait son départ. Eileen déclara que cela lui convenait ; elle retournait de toute façon chez elle à San Diego pendant les fêtes. Francesca prit rendez-vous avec elle pour le lendemain après-midi, afin de lui faire visiter les lieux.

Le jour suivant, quand elle ouvrit la porte et vit Eileen, elle éprouva un immense soulagement. La jeune fille portait un jean et des Nike, une veste rouge à brandebourgs, des moufles blanches et un bandeau cache-oreilles. On aurait dit un lutin de carte de Noël. Elle avait des cheveux roux, des taches de rousseur, des yeux bleus, et laissait voir une très jolie rangée de dents blanches quand elle souriait. Elle ne portait pas de maquillage, ne semblait pas avoir plus de quinze ans, et attendit d'un air un peu nerveux qu'on l'invite à entrer.

Francesca s'effaça pour la laisser passer, et les deux jeunes femmes se mirent à bavarder dans le hall. Après avoir regardé autour d'elle, Eileen déclara que la maison était très jolie. Il y avait un vitrail coloré au-dessus de la porte d'entrée, et un escalier en colimaçon étroit mais élégant menait à l'étage. Elle remarqua aussi la cheminée de marbre du salon par la porte entrouverte ; et Francesca lui expliqua qu'elle gardait cette pièce pour son usage personnel et que certains meubles, qui appartenaient à son actuel compagnon, allaient disparaître, mais qu'elle les remplacerait aussi vite que possible. La chambre du dernier étage était cependant meublée avec des objets dont Todd ne voulait pas.

Elle conduisit Eileen au dernier étage, où traînaient quelques vêtements de Todd. Eileen admira la vue sur le jardin du voisin. Puis elle jeta un coup d'œil dans la salle de bains et dans les placards, et ce qu'elle vit parut lui plaire. Elle-même plaisait à Francesca. Elle avait tout de la jeune fille de province sans problème débarquant dans la grande ville. Elle raconta à Francesca qu'elle était l'aînée de six enfants, et lui demanda s'il y avait une église catholique dans le quartier. Elle collait à l'image de la pensionnaire idéale que Francesca s'était forgée. La quintessence de la gentille petite voisine que tout le monde apprécie. Il n'y avait rien chez elle d'inquiétant ni de repoussant. Les deux jeunes femmes semblaient également soulagées de s'être trouvées.

Francesca lui fit visiter l'étage au-dessous du sien, lui expliqua que la salle à manger allait devenir un salon et le bureau-bibliothèque, une chambre. C'était plus vaste mais moins lumineux qu'au dernier. Todd et elle avaient peint les murs en vert sapin, ce qui était adapté pour une salle à manger mais semblait un peu trop sombre et trop masculin pour le salon d'une jeune fille. Le logement du rez-de-chaussée ne plut pas à Eileen. Elle craignait que quelqu'un n'entre par les fenêtres coulissantes, et se sentait plus en sécurité à l'étage. Elle fut emballée par la jolie cuisine à l'aspect douillet et campagnard que Todd et Francesca avaient aménagée. En réalité, c'était Todd qui avait œuvré, Francesca se contentant de le regarder, de lui passer ses outils, et de lui servir du café. C'était leur pièce préférée, et ce fut aussi celle d'Eileen.

— On a l'impression qu'il y a eu beaucoup d'amour dans cette maison.

Francesca acquiesça sans un mot. Elle ne voulait pas que Eileen s'aperçoive qu'elle avait les larmes aux yeux. Oui, il y avait eu beaucoup d'amour, et aussi beaucoup d'espoir, au 44 Charles Street. A présent, tous ces espoirs étaient anéantis et elle se retrouvait là, avec ce lutin de San Diego, au lieu d'être avec Todd. Ce n'était pas juste, mais c'était la vie.

Et la jeune fille était de loin la pensionnaire la plus convenable qu'elle ait vue jusque-là. Si ses références bancaires étaient à la hauteur, Francesca ne demandait pas mieux que de lui louer le dernier étage. Elle lui annonça le prix, et Eileen n'eut pas l'air choquée. Le montant du loyer n'était pas énorme, il suffisait néanmoins à couvrir le quart des remboursements mensuels.

— Je crois que ça ira. Je voulais prendre un appartement, et peut-être le partager avec une autre fille, mais tout ce que j'ai vu jusqu'ici était inabordable. Votre loyer reste élevé, mais il est dans mes moyens, et j'aime bien l'idée de vivre avec d'autres gens. Je me sentirai plus en sécurité, et je souffrirai moins de la solitude. Connaissez-vous déjà les autres locataires ?

— Pour l'instant, vous êtes la seule personne que j'ai vue qui me paraît convenir, répondit Francesca avec franchise.

Puis elle lui expliqua qu'elle venait de se séparer de son compagnon, que celui-ci était en train de déménager, et que c'était la première fois qu'elle allait vivre dans cette maison avec des locataires.

— Je suis désolée, dit Eileen, l'air absolument sincère. Je viens moi-même de vivre une rupture à Los Angeles. C'est la raison pour laquelle je suis partie. Nous sommes sortis ensemble juste après mon diplôme, mais il s'est mis à perdre les pédales. Il a commencé à me suivre partout quand je lui ai dit que j'avais besoin d'un peu de liberté. Une nuit, il est entré par la fenêtre et a essayé de m'étrangler. J'ai quitté mon travail le lendemain, et je suis venue à New York. Cela s'est passé le mois dernier. J'ai eu vraiment de la chance de trouver un job tout de suite.

Elle avait l'air si soulagée d'avoir mis toute cette distance entre elle et son assaillant que Francesca eut de la peine. Avec son air doux et innocent, son allure proprette, on avait du mal à imaginer que quelqu'un veuille l'étrangler ou lui faire peur.

— Vous avez bien fait de partir, dit-elle alors qu'elles regagnaient le hall principal. Il y a pas mal de gens qui ont l'esprit dérangé.

Elle en avait rencontré un certain nombre, parmi ceux qui s'étaient portés candidats à la location.

— Il faudra que vous soyez prudente dans une ville comme New York. Néanmoins, ce quartier est très sûr. Je vais au travail à pied, et je n'ai jamais eu de problème. Je dirige une galerie d'art à quelques rues d'ici.

— Ce doit être passionnant ! s'exclama Eileen, enthousiaste. J'adore visiter les galeries de peinture le week-end.

Elle donna ses références bancaires à Francesca pour le prélèvement du loyer, et le numéro de téléphone de son ancien propriétaire à Los Angeles. Francesca lui promit de la rappeler dès qu'elle aurait procédé aux formalités et vérifié ses références. Comme Thanksgiving approchait, elle ne pourrait le faire avant le lundi.

Eileen de son côté espérait vraiment que Francesca l'accepterait comme locataire. Sa future logeuse lui plaisait, et aussi la maison, qui ressemblait à celle où elle avait grandi. Elle s'y sentait déjà chez elle. De fait, l'arrangement serait parfait pour les deux jeunes femmes. Eileen était exactement le genre de locataire que Francesca avait espéré trouver : quelqu'un qui ne lui causerait aucun souci. Il était rare de rencontrer une jeune femme aussi impeccable. Francesca se dit qu'elle avait beaucoup de chance et elle se sentait réconfortée. Elle appréhendait la fête de Thanksgiving, car c'était la première fois depuis cinq ans qu'elle la passerait sans Todd. Celui-ci rejoignait sa famille à Baltimore, et elle-même se rendait chez son père dans le Connecticut. Sa mère était déjà partie à Palm Beach chez des amis.

Le matin du départ, Francesca croisa Todd dans le hall. Ils échangèrent un regard empreint de chagrin, et il la serra dans ses bras.

— Passe un bon Thanksgiving, dit-elle à voix basse.

— Toi aussi.

Il l'embrassa sur la joue, et sortit précipitamment. Elle soupira, en proie à un sentiment de malaise. Cette séparation n'en finissait plus. Elle se demandait si ce serait pire ou mieux après le déménagement de Todd.

Sur la route, ses pensées s'orientèrent de nouveau vers Eileen. Elle était tellement contente d'avoir trouvé sa première locataire. Cette fille était parfaite. Elle espéra que tout irait bien du côté de la banque.

A midi, quand Francesca arriva chez son père, une dizaine de personnes buvaient déjà du champagne autour de la cheminée, pendant qu'Avery s'affairait dans la cuisine avec le traiteur. La dinde, d'un brun doré et croustillant, avait l'air délicieuse. Francesca avait l'intention de rester pour la nuit, ce qui lui éviterait de reprendre le volant après le dîner. La plupart des invités étaient des gens du coin, ou bien des artistes. Elle reconnut les proches voisins, qui possédaient une ferme magnifique, et le marchand de tableaux new-yorkais de Henry.

Tous ces gens formaient un petit groupe intéressant d'artistes et d'intellectuels. Francesca connaissait la plupart d'entre eux, et elle se sentait bien en leur compagnie. Henry n'avait jamais été vraiment un père pour elle, et il la traitait plus comme une amie pour qui il avait de l'affection. Cela n'ennuyait plus Francesca à présent. Elle lui était profondément reconnaissante de l'aide qu'il était prêt à lui apporter.

Au cours du déjeuner, il annonça à tout le monde qu'il était désormais l'associé de sa fille. Un peu plus tard, son agent confia discrètement à Francesca qu'il venait de vendre pour elle une autre de ses toiles, à un prix faramineux. Grâce à la vente de ces quatre tableaux, elle allait pouvoir rembourser presque la totalité de sa dette à Todd. Encore un, et le tour serait joué. Le dernier, elle le garderait pour elle. Tout s'était très bien passé, en un temps record. Il ne lui restait plus qu'à trouver deux autres locataires pour partager les traites mensuelles.

Francesca retourna en ville le vendredi après-midi. Elle avait fermé la galerie deux jours pour Thanksgiving, mais elle avait l'intention de rouvrir le samedi. Beaucoup de visiteurs passaient en fin de semaine et parmi eux se trouvaient parfois des acheteurs.

A la grande joie de Francesca, la journée fut très animée. Plusieurs jeunes couples entrèrent dans la galerie ; un peu hésitants d'abord, craignant que les prix ne soient rédhibitoires, ravis ensuite de constater que les toiles présentées étaient tout à fait dans leur budget. C'était dans cet esprit que Francesca travaillait : elle voulait attirer des collectionneurs débutants et leur faire découvrir des artistes dont la carrière commençait à peine. Elle vendit trois très belles toiles qui pouvaient constituer les bases de la décoration d'une maison. Ces ventes étaient loin de représenter un gain financier important pour elle, mais cela la mit d'excellente humeur. En outre, elle savait que ses artistes seraient aussi excités que les amateurs qui venaient d'acheter leurs œuvres. Ceux-ci étaient si enchantés de leurs acquisitions qu'elle en fut profondément touchée. Elle était impatiente d'en informer ses protégés, qui avaient tous désespérément besoin de vendre. Elle couvait chacun d'eux un peu comme une mère poule. La veille, elle avait bavardé avec les amis de son père, dont certains étaient des artistes reconnus, et ces discussions lui avaient remonté le moral. Elle se sentait à l'aise dans le monde artistique, et elle aimait le rôle qu'elle y jouait. Elle était le lien entre les créateurs, doués parfois d'un immense talent, et les collectionneurs. Elle avait un talent inné pour dénicher de nouveaux artistes, elle savait les conseiller, et elle devinait à l'avance ce qui se vendrait. C'est pourquoi elle avait la conviction qu'avec un peu de temps sa galerie finirait par être reconnue. Francesca passait des heures dans les ateliers de ses artistes, à parler avec eux de leurs techniques. Ou bien elle les guidait dans une nouvelle direction, quand ils arrivaient à un moment clé de leur création. Son soutien à toute épreuve lui valait un profond respect de leur part.

Francesca passa son dimanche à vider des placards et à préparer le dernier étage pour sa future locataire. Le lundi matin, elle appela le propriétaire d'Eileen à Los Angeles. Celui-ci déclara que c'était une jeune femme adorable, qui ne lui avait jamais causé le moindre souci, et qui payait son loyer rubis sur l'ongle. Trois jours plus tard, elle eut le retour de la banque, qui lui apprit que sa situation financière était saine. Elle n'avait jamais eu de découvert bancaire, ni de chèques en bois, ni de poursuites judiciaires pour impayés. Francesca appela donc Eileen pour lui annoncer qu'elle pourrait emménager dès le 2 janvier, c'est-à-dire le lendemain du départ de Todd. Eileen fut aux anges.

Il lui restait encore à trouver deux autres locataires. Et vu ce qu'elle avait pu constater au cours du mois écoulé, cela n'allait pas être facile. Eileen était une perle rare. Pourtant il devait bien exister quelque part à New York deux autres personnes comme elle, ou du même genre. Elle continua de faire paraître ses annonces, mais ne reçut que des appels de gens bizarres. Parfois, elle avait affaire à de tels phénomènes qu'elle ne pouvait s'empêcher de rire en raccrochant.

Le week-end suivant Thanksgiving, elle dîna avec sa mère dans un petit bistrot français qu'elles appréciaient toutes les deux. D'un ton victorieux, Francesca lui raconta comment elle avait découvert la merveilleuse Eileen. Thalia continuait de penser qu'elle était folle. Mais, après tout, c'était aussi l'opinion que Francesca avait de sa mère depuis des années. Pour rien au monde, elle n'aurait accepté de la prendre comme locataire !

Thalia lui décrivit toutes les réceptions mondaines auxquelles elle avait assisté à Palm Beach. Elle avait toujours eu une vie sociale extrêmement active, avec une nette préférence pour les stations balnéaires l'été, où qu'elles se trouvent dans le monde : Palm Beach, New Port, Saint-Tropez, la Sardaigne. L'hiver était consacré à la montagne : Saint-Moritz, Gstaad, avec une exception pour St. Bart. Thalia ne se refusait rien, et Francesca l'avait toujours considérée comme une enfant gâtée égocentrique.

Elle avait été invitée à un fabuleux bal de débutantes le week-end précédent à Palm Beach, et elle se crut obligée de décrire avec minutie à sa fille la tenue qu'elle portait pour l'occasion. Sa robe était sûrement très belle, mais Francesca s'en moquait, même si elle feignait le plus grand intérêt. Elle se demandait souvent comment ses parents avaient pu être attirés l'un par l'autre. La seule explication, c'est qu'à l'époque son père était jeune et sexy, et que Thalia n'était pas encore snob et capricieuse.

C'était une femme saisissante, encore très belle. Grande et blonde comme sa fille, elle avait beaucoup d'allure, de grands yeux verts, et une peau douce et crémeuse. Grâce à son coach personnel et un régime alimentaire très strict, elle restait dans une forme éblouissante. Pour leur déjeuner, elle portait un manteau de fourrure, des boucles d'oreilles en saphir, et une robe en lainage bleu marine très chic de chez Dior. Les hommes tournaient autour d'elle comme des abeilles autour du nectar, mais aucun ne s'attardait bien longtemps auprès d'elle. Elle était un peu trop excessive, un poil trop excentrique, elle avait l'allure d'une femme trop chic et trop choyée. Lorsque Francesca qualifiait sa mère d'originale, c'était pour ne pas dire qu'elle avait un grain. Thalia irait prochainement faire un séjour dans un centre de remise en forme, et elle avait pris rendez-vous pour une plastie abdominale avant l'été. Malgré son âge, elle était superbe en maillot deux pièces. Francesca aussi, même si elle n'avait que rarement le temps d'en porter un.

Elle ne put s'empêcher de sourire quand, se baissant sous la table pour ramasser sa serviette qui avait glissé, elle vit que sa mère portait les escarpins les plus sexy qu'elle ait jamais vus, en cuir verni noir avec des talons d'une hauteur vertigineuse. Francesca quant à elle, qui avait livré deux tableaux à des clients juste avant le déjeuner, portait un jean et des baskets. Les deux femmes n'auraient pu être plus différentes.

— Que vas-tu faire pour Noël ? demanda Thalia avec un grand sourire.

A l'entendre, Francesca aurait pu être la fille d'une de ses amies, ou bien une nièce qu'elle voyait une fois par an. Il était clair que Thalia n'avait pas l'intention de passer les fêtes avec elle. D'ailleurs, elle ne le faisait jamais. En général elle partait skier en Suisse, ou s'envolait pour St. Bart, dans les Caraïbes, surtout si quelqu'un l'invitait sur son yacht, ce qui arrivait très souvent. Sa vie ressemblait à de longues vacances.

— J'irai peut-être passer Noël chez papa.

— Je croyais qu'il partait skier à Aspen, fit remarquer sa mère en fronçant les sourcils. Il me semble que c'est ce qu'Avery m'a dit. Il y a déjà quelque temps que nous n'avons pas parlé ensemble.

— Dans ce cas, je resterai à la maison. De toute façon, la galerie sera ouverte cette semaine-là, j'aurai donc du travail. Et Todd doit déménager.

— Quel dommage ! Vous auriez dû vous marier. Vous seriez peut-être restés ensemble.

— Le mariage ne t'a jamais poussée à rester avec quelqu'un quand ça n'allait plus entre vous, répliqua Francesca d'un ton uni.

— C'est vrai, avoua sa mère avec un sourire. Je finis toujours par tomber amoureuse de quelqu'un d'autre.

Francesca se garda de souligner que cela faisait déjà un certain temps qu'elle n'avait pas été amoureuse.

— Je rencontrerai peut-être quelqu'un à St. Bart, ajouta Thalia rêveusement.

Pour Thalia, la vie sans mari était un désert, et elle était sans cesse à l'affût de la perle rare.

Francesca changea de sujet, et orienta la conversation sur sa pensionnaire. Sa mère prit alors une expression désapprobatrice.

— Je me moque qu'elle ait l'air d'une girl scout, et qu'elle ressemble à une petite fille sortie d'un dessin animé. Tu es folle de faire entrer des inconnus chez toi. Tu ne sais pas qui sont ces gens, et qui ils risquent d'attirer sous ton toit.

— Si je veux garder la maison, je n'ai pas le choix, maman.

— Tu serais bien mieux seule dans un appartement.

— Je ne veux pas vivre dans un appartement. J'aime cette maison.

— On ne peut pas vivre dans une maison sans un homme. Ce n'est pas prudent.

— Peut-être qu'un de mes locataires sera masculin, rétorqua Francesca.

Elle repensa à tous les gens qui avaient répondu à son annonce et n'avaient pas du tout le profil qu'elle recherchait... Elle s'abstint d'en parler à sa mère.

— Il te faut un mari, Francesca, déclara Thalia, de même qu'à moi.

Francesca préféra garder le silence. Sa mère lançait toujours ce genre de remarque, mais elle ne mordait plus à l'hameçon.

— Quand pars-tu pour St. Bart ? demanda-t-elle, afin de ramener sa mère en terrain neutre.

— Deux jours avant Noël. Il me tarde de prendre l'avion, j'en ai assez du froid et de l'hiver. J'irai tout de même skier en Suisse juste après. Tu devrais essayer de prendre des vacances, toi aussi.

Sa mère vivait sur une autre planète. Elle ne s'était jamais rendu compte que sa fille travaillait dur. Tout ce que Francesca possédait, elle l'avait acquis et construit elle-même, à la force du poignet. Son père lui avait payé ses études, après quoi elle avait toujours subvenu seule à ses besoins.

Francesca quitta sa mère avec l'impression d'être vaguement restée sur sa faim, sur un plan émotionnel du moins. C'était toujours ainsi avec elle. Il n'y avait rien de satisfaisant dans leurs échanges, rien de profond ni de significatif. Son père au moins était drôle.

Il passa à la galerie au cours de la semaine et acheta un petit tableau pour l'offrir à Avery. Francesca lui fit la remise due à un associé, ce qui ramenait le tableau à un prix ridicule. Henry adorait ce qu'elle vendait. Presque tout ce qu'elle avait choisi lui semblait de très bon niveau. Il était persuadé qu'au moins un ou deux des artistes exposés feraient une grande carrière. Francesca informa son père que celui dont il venait d'acheter une toile se vendait bien. Plusieurs de ses œuvres de grand format étaient parties depuis Thanksgiving. Henry en tira argument pour lui dire que les prix qu'elle pratiquait étaient trop bas.

Francesca fit remarquer que les gens semblaient plus enclins à dépenser avant les vacances. Son père avait lui-même eu la satisfaction de vendre un tableau assez important récemment, et il avait l'intention d'utiliser une partie de la somme gagnée pour offrir une Range Rover à Avery, voiture dont elle avait envie depuis longtemps. Malgré sa réussite, elle se déplaçait toujours dans sa vieille Toyota, et Henry trouvait cela dangereux. Il projetait de lui faire la surprise pour Noël, avant de partir pour Aspen.

Le 24 décembre au soir, lorsque Francesca ferma la galerie, elle fut frappée par le fait qu'aucun de ses parents ne l'avait incluse dans leurs projets de réveillon. Chacun avait toujours eu son propre programme, ce qui avait conféré une importance d'autant plus grande à ses vacances avec Todd. Mais cette année Todd avait organisé quelque chose de son côté. Francesca, elle, avait refusé deux invitations. D'humeur mélancolique, elle préférait rester seule. En rentrant chez elle, elle vit les cartons de Todd entassés dans le hall, et la tristesse l'envahit. Comment aurait-il pu en être autrement ?

Ce soir-là, elle regarda des films à la télévision en mangeant ce qu'elle avait rapporté du traiteur chinois. Elle n'avait pas acheté de sapin, et cela ne lui manquait pas. Ce qu'elle souhaitait, c'était que les vacances passent le plus vite possible. Après le nouvel an, elle pourrait enfin prendre un nouveau départ. Seule.

Ses parents l'appelèrent tous les deux le lendemain, et elle croisa Todd au moment où il sortait. Il lui fit un petit signe de la main et lui sourit, l'oreille collée à son portable. Il portait un costume, et Francesca se demanda où il allait et avec qui. Elle avait à présent du mal à imaginer qu'ils aient pu vivre ensemble.

L'après-midi, elle fit une longue balade dans West Village, et sourit en croisant des couples qui se promenaient avec des enfants. Certains se rendaient chez des amis, des piles de cadeaux dans les bras. Elle vit un Père Noël en costume de velours rouge descendre d'une voiture, mettre son chapeau et une fausse barbe à toute vitesse avant d'entrer dans une maison. C'était un peu étrange de se trouver seule un tel jour, mais curieusement cela ne la dérangeait pas. Cela valait mieux que de faire semblant d'être heureuse.

Elle pensa à sa mère qui se prélassait sur un yacht dans les Caraïbes. Elle imagina ensuite Avery et son père à Aspen. Elle se coucha tôt, heureuse de voir la journée se terminer enfin.

Puis le moment qu'elle redoutait depuis des mois finit par arriver. Le soir du nouvel an, elle se mit au lit à neuf heures. Le lendemain matin, elle entendit Todd monter et descendre l'escalier avec ses cartons. Il avait loué une camionnette, et deux amis étaient venus l'aider. Francesca entra dans le salon juste au moment où ils enlevaient le canapé. Quand ils avaient opéré le partage des affaires, ils avaient décidé d'un commun accord qu'il l'emporterait. C'était un joli meuble de cuir brun qui se mariait bien avec le décor de la maison. Francesca devrait le remplacer. Todd avait accepté de lui laisser le lit et les meubles de la chambre, bien qu'il les ait payés eux aussi. En revanche, il prenait les deux fauteuils assortis au canapé. Francesca avait le cœur serré. C'était un peu comme si son corps venait d'être coupé en morceaux, chacun d'eux emballé dans un carton. Et quelque part, entre le papier bulle et les débris de polystyrène, bien calé entre les verres à vin en cristal, se trouvait son cœur.

Dans l'après-midi, quand la camionnette fut pleine à craquer, Todd la rejoignit dans la cuisine. Anéantie, elle contemplait le jardin par la fenêtre.

— Je m'en vais, dit-il doucement.

Il vit des larmes rouler sur ses joues, et il la prit dans ses bras, se mettant à pleurer aussi.

— Je sais que cela va paraître ridicule, maintenant, mais je t'aime. Je suis désolé que tout se soit fini de cette façon.

— Moi aussi, je t'aime.

Mais quel que soit leur chagrin, la séparation était préférable et même inévitable.

— Appelle si tu as besoin de moi. Je viendrai t'aider.

Elle hocha la tête, incapable d'articuler un mot. Todd l'embrassa sur le front, puis tourna le dos et remonta l'escalier. Francesca demeura dans la cuisine. Quelques minutes plus tard, la porte d'entrée claqua. Il était parti.

Le cœur de Francesca était en lambeaux. Il ne lui restait plus qu'à reprendre sa vie en main. Todd, lui, semblait déjà avoir tourné la page.

5

Le lendemain, Francesca disposa des fleurs dans presque toutes les pièces. Elle nettoya la cuisine, passa l'aspirateur dans les couloirs, et fit le tour du dernier étage pour s'assurer que tout était en ordre. A midi, lorsque Eileen arriva, la maison était reluisante de propreté. La jeune femme entra et sourit, l'air enchanté. Elle avait quatre valises, plusieurs cartons et trois sacs en plastique remplis de chaussures. Francesca l'aida à porter ses bagages, et Eileen désigna les sacs d'un air un peu gêné.

— Désolée. J'ai pété les plombs à Noël. J'étais tellement déprimée que j'ai craqué sur toutes les chaussures que je voyais. Il n'y avait plus de place pour elles dans ma valise.

— Ne vous inquiétez pas, répondit Francesca avec un sourire indulgent. J'ai l'habitude. Ma mère aussi est une collectionneuse de chaussures. Elle porte des talons si hauts que je me casserais une jambe si j'essayais de l'imiter. Moi, j'ai un faible pour les Nike.

— J'aime les escarpins, avoua Eileen, tandis qu'elles déposaient ses affaires dans la chambre.

Elle redescendit aussitôt prendre un autre chargement.

L'atmosphère de la maison parut radicalement différente à Francesca, cet après-midi-là. La veille, elle avait eu l'impression d'être en deuil. Aujourd'hui, elle se réveillait avec un sentiment de liberté. Le pas était enfin franchi, Todd était parti. Le pire était derrière elle. Le fait qu'il ne soit pas là ne ferait pas une grande différence, puisqu'ils menaient des vies séparées depuis des mois. Simplement, elle ne le verrait plus aller et venir.

Un peu plus tard dans l'après-midi, quand elle se retrouva avec Eileen dans la cuisine, elle se dit que c'était sympa d'avoir une fille dans la maison.

Eileen eut un large sourire en la voyant. On aurait dit un petit enfant excité par un nouveau jouet.

— J'adore mon appartement. Il est ravissant. Et je vous remercie pour les fleurs.

Francesca avait déposé un vase d'œillets et de roses dans sa chambre.

— J'ai l'impression d'être enfin chez moi. Depuis que je suis arrivée à New York, je vis dans mes valises. C'est super, d'avoir enfin un endroit où se poser.

Quand elle vit l'ordinateur sur la table, son visage s'éclaira.

— Cela ne vous ennuie pas que je consulte mes mails ? Je n'ai pas encore d'ordinateur portable.

— Pas de problème.

Todd et elle s'en servaient rarement, mais c'était pratique de l'avoir sous la main. Elle en avait un autre dans son bureau.

— Je n'en ai que pour une minute.

Eileen se connecta, et lut ses mails en souriant. L'un d'eux la fit même rire. Francesca retourna dans sa chambre. C'était agréable d'avoir une présence. La maison paraissait déjà plus vivante et plus joyeuse qu'au cours des mois précédents. Elle regrettait presque de devoir encore trouver deux locataires. Partager la maison uniquement avec Eileen aurait sans doute été idéal, malheureusement elle n'en avait pas les moyens. Il fallait deux autres pensionnaires, mais personne de correct ne s'était présenté depuis la jeune femme. Les détraqués avaient fait un retour en force quand elle avait publié une nouvelle annonce juste avant Noël. Une seule femme avait paru convenir. Tout juste arrivée d'Atlanta, elle avait malheureusement trouvé un autre arrangement avant même d'avoir visité le 44 Charles Street. Francesca avait intérêt à trouver quelqu'un d'autre rapidement. Elle ne pourrait pas rembourser ses mensualités sinon.

Francesca fit une sieste dans l'après-midi, ce qui était rare, mais le départ de Todd l'avait bouleversée et fatiguée. Ce dernier lui avait promis de l'appeler, mais elle n'était pas sûre qu'il tienne parole, et elle ne savait même pas si elle avait vraiment envie d'avoir de ses nouvelles. Elle ne voulait pas le perdre de vue, mais elle ne tenait pas non plus à être trop souvent en contact avec lui. Il fallait qu'ils avancent chacun de leur côté à présent, s'ils voulaient refaire leur vie.

Francesca redescendit dans la cuisine à l'heure du dîner. Eileen était là, les yeux fixés sur l'écran de l'ordinateur ; elle mangeait un bol de soupe. Elle s'excusa, dès que Francesca entra. Mais la soupe qu'elle avait fait chauffer était à elle, et elle n'avait rien touché de ce qui appartenait à Francesca. Celle-ci pensa que c'était bon signe, et que Eileen serait sans doute une colocataire respectueuse des autres.

Lorsqu'elle s'assit à table, elle s'aperçut que Eileen s'était connectée à un site de rencontres en ligne, et qu'elle regardait des photos d'hommes.

— Vous n'avez jamais essayé ? demanda-t-elle à Francesca avec un rire malicieux. J'adore ça. C'est un peu comme si vous commandiez quelque chose chez le traiteur, sauf que ce sont des hommes, et pas des plats ! Je me suis inscrite quand j'étais à l'université. J'ai rencontré des types super à Los Angeles et à San Diego. Je suis sortie avec l'un d'entre eux pendant presque un an. Un jour il a trop bu, et il s'est engagé dans les Marines.

— Je ne savais pas qu'on faisait encore ce genre de chose. Je veux dire s'engager dans les Marines après avoir trop bu ! Et non, je n'ai jamais rencontré quelqu'un par Internet. Je pense que c'est trop dangereux, on ne peut pas vraiment savoir à qui on a affaire.

L'idée de rencontrer des hommes de cette façon lui déplaisait. Le procédé lui paraissait tellement désespéré. Il était beaucoup plus sûr de faire la connaissance des gens par l'intermédiaire d'amis, même si elle connaissait plusieurs femmes qui avaient rencontré leur mari grâce à Internet.

— En fait, on développe un sixième sens qui permet de savoir qui on a en face de soi, affirma Eileen. Je n'en ai rencontré qu'un ou deux qui avaient l'air bizarre.

— Vous vous connectez souvent sur des sites de rencontres ? s'enquit Francesca, étonnée.

Elle trouvait étrange qu'une jeune femme à l'allure aussi saine et charmante que Eileen ait besoin de ce biais pour faire des rencontres. Elle pouvait sûrement sortir avec tous les hommes qu'elle voulait, même s'il n'était pas si facile que ça de rencontrer un célibataire.

— Pas vraiment. C'est juste une distraction agréable quand je n'ai rien d'autre à faire.

Francesca se demanda si elle allait devoir établir des règles, concernant les visites que recevraient ses locataires. Puis elle se dit qu'elle n'en avait pas le droit. Elle était la propriétaire du logement, pas la gardienne d'un dortoir de jeunes filles, et encore moins leur mère. Eileen pouvait ramener qui elle voulait chez elle, cela ne la regardait pas. Elle remonta dans sa chambre en mâchonnant sa pomme, laissant Eileen à ses recherches. Si la jeune femme rencontrait quelqu'un sur Internet, c'était à elle de décider ce qu'elle devait faire. Que Francesca trouve cela raisonnable ou non.

Eileen était une jeune fille pleine de vie, qui voulait se faire des amis dans une nouvelle ville. Francesca était plus âgée et plus circonspecte. Elle ne se sentait pas prête à faire des rencontres. Ou alors d'une façon plus traditionnelle. Par des connaissances, ou bien à la galerie, ou encore dans une soirée. Elle n'avait pas envie de provoquer une rencontre. De toute façon, elle n'en avait pas le temps. Tout ce qu'elle espérait trouver grâce à Internet, c'était un ou deux locataires supplémentaires ! Ce qui finit par se produire deux semaines plus tard, à la mi-janvier. Elle reçut une réponse d'un homme, un designer graphique qui travaillait la plupart du temps chez lui. Il se déplaçait de temps à autre pour ses affaires et cherchait un logement exactement dans le genre de celui qu'elle proposait. Comme il venait de divorcer, il n'avait pas de mobilier, et il avait besoin d'une chambre et d'un petit bureau où installer sa table de travail et son ordinateur. L'appartement du deuxième étage, où se trouvait naguère la salle à manger, correspondait en tous points à ce qu'il cherchait. Francesca prit rendez-vous pour une visite. Lorsqu'il se présenta, il lui précisa qu'il avait trente-huit ans, et un fils de sept ans qui passait un week-end sur deux avec lui, depuis son divorce.

— Est-ce que cela vous pose un problème ? demanda-t-il d'un air inquiet.

Francesca hésita un long moment avant de répondre, et finit par hocher la tête. Deux week-ends par mois, ce n'était pas beaucoup.

— Je pense que ça ira, puisqu'il ne sera pas là tout le temps.

Chris Harley eut l'air soulagé. Grand et mince, avec des cheveux blond cendré et des yeux gris, il arborait une expression grave. Il était si pâle que Francesca songea que sa peau n'avait pas dû être exposée au soleil depuis des années. Il aurait été beau, s'il n'avait eu l'air aussi triste.

Chris parla peu. Il jeta un coup d'œil à l'appartement et parut satisfait.

— Je le prends, dit-il à voix basse.

Il ne poussa pas d'exclamation admirative, ne lança pas de « Oh », ni de « Ah », comme Eileen. Francesca le trouva extrêmement réservé, mais cela ne la dérangeait pas. Cet homme n'était pas un petit copain potentiel, ils n'étaient pas obligés de se plaire, ou de devenir amis. Tout ce qu'elle avait besoin de savoir, c'était s'il était sérieux et s'il paierait son loyer tous les mois. Après lui avoir montré l'appartement, Francesca le conduisit en bas et lui montra la cuisine et le studio en rez-de-jardin. Il proposa à Francesca d'acheter lui-même le mobilier pour la chambre, et elle accepta.

Eileen se trouvait encore devant l'ordinateur. Depuis son arrivée, elle passait beaucoup de temps devant l'écran, non seulement pour chercher des petits amis, mais aussi pour envoyer son courrier. Elle leva la tête et sourit en voyant Chris. Comme elle le confia plus tard à Francesca, elle le trouvait « mignon ». Francesca commençait à croire qu'elle était un peu obsédée par les hommes. Elle sortait souvent le soir, mais aucun de ses soupirants n'était encore venu à la maison.

Francesca demanda à Chris Harley les mêmes garanties qu'à Eileen, et il lui communiqua ses coordonnées bancaires. En le regardant mieux, elle trouva que son air ne lui était pas totalement inconnu. Etait-ce une impression ou l'avait-elle déjà vu quelque part ? Elle lui assura que lorsqu'elle aurait effectué les vérifications nécessaires auprès de la banque il pourrait emménager quand il voudrait – le plus tôt serait le mieux.

Chris Harley dessinait des emballages industriels, et il lui donna sa carte professionnelle. Ils se séparèrent sur une poignée de main franche, et Francesca eut une bonne impression. Elle se fiait généralement à son instinct, et cet homme, à l'allure un peu conventionnelle, apparemment sain et bien élevé, semblait posséder les qualités requises pour faire un colocataire agréable.

C'est ce qu'elle dit à Eileen, quand elles se retrouvèrent toutes les deux à ranger la cuisine.

— Et il est bien physiquement, ce qui ne gâche rien, commenta Francesca.

Eileen haussa les épaules.

— Oui, mais il a l'air conformiste et rasoir. Ce n'est pas mon genre.

Francesca fut tentée de lui demander quel était son genre, en dehors des hommes dont elle scrutait les photos sur Internet.

— Et puis ce serait idiot d'avoir une histoire avec quelqu'un qui vit dans la même maison, ajouta Eileen. Cela poserait trop de problèmes.

Sur ce point-là, elles tombèrent d'accord.

— Si ça n'allait plus, l'un de nous deux serait obligé de partir. Je préfère sortir avec des hommes que je rencontre à l'extérieur, ou bien en ligne.

Eileen avait une demi-douzaine de contacts avec qui ça marchait très fort en ce moment. Francesca ignorait lesquels elle avait déjà rencontrés.

A la grande joie de Francesca, la banque répondit que Chris Harley avait un excellent indice de solvabilité. Elle décida qu'il serait son deuxième locataire, bien qu'elle n'ait pas encore fait la connaissance de son fils. Ce n'était pas indispensable : l'enfant n'avait que sept ans et il ne serait là que quatre jours par mois. Elle appela donc Chris et lui annonça qu'il pouvait emménager quand il voulait.

— Formidable ! s'exclama-t-il, ravi. Je vais m'installer dès ce week-end. Je n'ai pas beaucoup d'affaires à transporter. J'irai acheter ce qu'il faut pour la chambre demain.

Francesca était curieuse de savoir pourquoi il n'avait pas plutôt cherché un appartement indépendant, mais elle ne lui posa pas de question. Il lui dit au cours de la conversation qu'il avait donné tout ce qu'il avait à son ex-femme. Il ne possédait plus que ses vêtements, une pile de livres, et deux tableaux. Il avait laissé tout le reste dans l'appartement occupé par sa femme et son fils, et pour l'instant il logeait à l'hôtel. Cela durait depuis deux mois. L'idée de vivre dans une maison plutôt que dans un appartement le séduisait beaucoup.

Quand il emménagea, l'atmosphère de la maison connut un nouveau changement. Il amena avec lui une impression de solidité. Il était si calme et si sérieux que Francesca fut sûre qu'il ne lui poserait jamais de problème, et qu'il serait facile à vivre. Il correspondait exactement à ce qu'elle attendait d'un colocataire. Quand elle en fit la remarque à Eileen, celle-ci ne parut pas très convaincue.

— Il est trop tranquille, répondit-elle, avec indifférence.

De toute façon, il était trop âgé pour elle. Elle aimait les garçons de son âge qui sortaient tout juste de l'université. A trente-huit ans, Chris paraissait très mûr, et par certains côtés il faisait même plus vieux que Todd. Peut-être était-ce son divorce ou le fait d'avoir eu un enfant qui l'avait fait mûrir.

Il apporta sa table à dessin et tout son matériel de travail. Il les disposa soigneusement dans la chambre, ainsi que ses haltères, un écran plat, une chaîne hi-fi, et ses vêtements. Le mobilier avait été livré la veille, et Francesca fut étonnée de voir qu'il avait commandé des lits superposés. Cela lui sembla un peu étrange, et elle supposa que c'était pour son fils.

Puis il se retira dans son appartement et Francesca se rendit à la galerie. Lorsqu'elle rentra à la maison, il avait déjà dîné et était retourné dans sa chambre. Quant à Eileen, elle était partie pour le week-end.

La maison était silencieuse, et bien rangée. Francesca ne revit pas Chris jusqu'au dimanche. Elle le trouva au matin dans la cuisine, en train de faire du café. Elle lui demanda si tout lui convenait, et il répondit par l'affirmative. Assis tranquillement à la table de la cuisine, il but son café, lut le journal, se resservit une deuxième tasse, puis remonta chez lui. Il n'essaya pas d'engager la conversation, et elle remarqua une ombre de tristesse dans ses yeux. Quoi qu'il ait vécu, il n'avait visiblement pas envie d'en parler. Il restait agréable, poli, et détaché, comme lors de leur première rencontre. Tout cela convenait parfaitement à Francesca.

Quand Avery l'appela ce soir-là, elle lui parla du nouveau venu.

— Ce locataire semble parfait, dit sa belle-mère. Il sait garder ses distances, il a de bonnes manières, et un bon compte en banque. Tu as rencontré son fils ?

— Pas encore. Je suppose qu'il viendra le week-end prochain.

— Espérons que ce ne sera pas un vilain garnement.

— Chris n'a pas l'air d'être le genre à tolérer ça. Il y a quelque chose de triste chez lui, et il ne parle pas beaucoup.

— Il a peut-être traversé des épreuves difficiles. Ou bien c'est son caractère. Tout le monde n'est pas aussi charmant et bavard que ton père.

Les deux femmes éclatèrent de rire.

Avery était impressionnée par la facilité avec laquelle les choses s'étaient mises en place. Apparemment, Francesca avait eu la chance de dénicher deux colocataires idéaux. L'une était douce et agréable, l'autre sérieux et discret. Difficile de faire mieux.

— Des nouvelles de Todd ?

— Il m'a appelée à la galerie il y a quelques jours, mais j'étais sortie chercher des toiles chez un artiste.

Afin d'économiser de l'argent et de réduire les frais généraux, Francesca accomplissait elle-même toutes les tâches subalternes.

— Il m'a laissé un message en disant qu'il espérait que j'allais bien. Je suis obligée de reconnaître qu'il me manque. Mais c'est le Todd que j'ai connu au début qui me manque, pas celui qu'il était devenu la dernière année. A présent, je mène une vie très tranquille. Je travaille, je rentre le soir, je mange, je regarde la télé et je vais me coucher. C'est tout.

— Ça ne durera pas. Il faut que tu ailles dans des vernissages, des réceptions.

Mais Francesca n'était pas d'humeur à sortir. Elle parla à Avery d'un nouvel artiste qu'elle avait découvert par l'intermédiaire d'un autre peintre, à Brooklyn. Puis elle s'enquit de son père. Celui-ci travaillait dur en vue de sa prochaine exposition, et Avery ajouta que ses tout derniers tableaux étaient fabuleux. Elle était sa plus grande admiratrice. Leur conversation achevée, Francesca éteignit la lumière et resta allongée sur son lit, dans l'obscurité. Elle entendait la télévision dans la chambre d'Eileen, et Chris aller et venir à l'étage au-dessous. C'était rassurant de savoir qu'elle n'était pas seule dans la maison, même si elle ne les connaissait pas très bien, ni l'un ni l'autre. Elle laissa ses pensées divaguer, et ne tarda pas à s'endormir.

La semaine suivante, Francesca organisa une nouvelle exposition à la galerie. Les vernissages constituaient toujours une source de stress. Elle devait s'assurer qu'elle recevrait les tableaux à temps, ce qui signifiait qu'elle harcelait les artistes sans relâche jusqu'à la dernière minute, pour qu'ils soient prêts au jour J. Elle devait envoyer les cartons d'invitation aux clients, faire venir les critiques d'art pour obtenir des articles, s'occuper elle-même de l'accrochage des tableaux et de l'éclairage. Lorsque la galerie fut enfin prête pour le vernissage, Francesca était exténuée.

L'artiste qu'elle présentait cette fois-ci était quelqu'un de difficile, qui l'obligea sans cesse à changer les tableaux de place. Ils vendirent quatre toiles le premier soir. Ensuite, pendant plusieurs semaines, elle fut trop occupée pour consulter les réponses qu'elle avait reçues à son annonce. Elle avait pourtant besoin de ce troisième locataire. Elle ne voyait presque jamais Chris et Eileen.

Trois semaines après l'emménagement de Chris, elle fit la connaissance de son fils. Assise dans la cuisine, en train de consulter ses mails, elle entendit du bruit et leva la tête : un petit garçon vêtu d'un jean et d'un sweater rouge l'observait avec intérêt.

— J'aime bien ta maison, déclara-t-il en souriant.

Il avait les cheveux bruns, de grands yeux bleus, et ne ressemblait pas du tout à son papa.

— Je m'appelle Ian, dit-il poliment, en lui tendant la main.

C'était un enfant très mignon, qui aurait pu tourner dans des films publicitaires.

— Et moi, je m'appelle Francesca. Tu veux manger quelque chose ?

Il était huit heures du matin, et Chris demeurait invisible. Apparemment Ian avait décidé de descendre tout seul.

— Oui, je veux bien. Tu as des bananes ?

Francesca en prit une dans un saladier sur le réfrigérateur. Il la remercia.

— Veux-tu aussi des céréales ?

Il acquiesça, et elle versa des corn-flakes dans un bol, dans lequel elle ajouta du lait.

— Je prépare moi-même mon petit déjeuner tous les matins, annonça-t-il fièrement. Maman aime dormir tard. Elle sort souvent le soir, ajouta-t-il en guise d'explication.

Francesca ne fit aucun commentaire. En fait, elle ne savait pas quoi dire. Elle n'avait pas l'habitude de parler avec des enfants de cet âge.

— Dans quelle classe es-tu ?

L'enfant venait d'engloutir deux morceaux de banane qui gonflaient ses joues. Il ne pouvait parler la bouche pleine. Elle attendit en souriant. Il lui fallut une minute avant de pouvoir répondre.

— En CE1. J'ai changé d'école cette année. Je préférais l'ancienne, mais maman dit que c'est trop loin.

Chris entra dans la cuisine pendant que Ian parlait. Il sourit à son fils, puis à Francesca. Elle ne lui avait encore jamais vu un air aussi heureux. Il était détendu, amical, chaleureux. Manifestement, il était fou de son fils, et il en était aussi très fier.

— Merci de lui avoir donné à manger. Il a dû descendre pendant que j'étais sous la douche.

— Nous avons passé un très bon moment, le rassura Francesca.

Ian eut l'air content de son commentaire. Lui aussi avait passé un bon moment. C'était un enfant très autonome, et parfaitement à l'aise avec les adultes.

— Nous allons au zoo, expliqua-t-il à Francesca. Il y a un nouvel ours blanc et un kangourou.

— Cela me paraît très intéressant, lança-t-elle spontanément, tandis que Chris faisait frire des œufs.

— Tu veux venir ? proposa Ian, tout heureux.

— J'aimerais bien, mais j'ai du travail.

— C'est quoi ton travail ?

— Je possède une galerie d'art, à quelques rues d'ici. Je vends des tableaux. Tu pourras venir les voir, si tu veux.

— Nous le ferons peut-être, dit Chris en posant un œuf au plat devant Ian.

Il s'assit à côté de son fils avec son assiette. Francesca reprit la lecture de ses mails pendant qu'ils mangeaient. Elle avait reçu une réponse d'une femme du Vermont qui cherchait un pied-à-terre à New York. Elle donnait son numéro de téléphone, écrivait qu'elle espérait que la chambre était encore libre et que Francesca l'appellerait.

Francesca nota le numéro, à côté de celui d'une autre candidate. La femme du Vermont semblait la plus intéressante des deux. Elle ne serait peut-être pas là tout le temps, ce qui présentait des avantages. Leur vie à trois dans la maison était très agréable comme ça. Ian était un petit plus charmant, de toute évidence c'était un gentil gamin.

Elle bavarda encore quelques minutes avec eux, puis leur souhaita une bonne journée au zoo avant de remonter chez elle. Lorsqu'elle sortit, Chris et Ian étaient déjà partis.

Elle eut une journée bien remplie à la galerie, où elle vendit encore un tableau. Toutes les toiles se vendaient bien, et ce depuis des mois. Mais les prix n'étaient pas assez élevés, et elle envisageait de les augmenter. Avery insistait beaucoup pour qu'elle le fasse.

Ce ne fut qu'en milieu d'après-midi que Francesca repensa à la candidate du Vermont et l'appela. La personne qui répondit semblait être à peu près du même âge qu'elle. Sa voix était gaie et agréable. Francesca lui dit que le studio était encore disponible, et elle le lui décrivit aussi précisément que possible, sans en exagérer les qualités. Elle expliqua que la chambre était petite, avec une salle de bain attenante, une jolie vue sur le jardin, et qu'elle se trouvait à côté de la cuisine.

La jeune femme, qui s'appelait Marya Davis, déclara que cela lui semblait parfait. Elle n'avait pas besoin d'un très grand espace, mais elle utilisait beaucoup la cuisine. Est-ce que cela posait un problème ?

— Non, car je travaille tous les soirs jusqu'à sept heures, six jours par semaine. Je ne suis pas souvent là, et les autres locataires non plus. L'un d'eux travaille une partie du temps à la maison, mais il est très discret et sort peu de son appartement. L'autre colocataire vient de quitter l'université, elle est éducatrice spécialisée, et sort presque tous les soirs. La maison est très tranquille et personne ne se sert beaucoup de la cuisine. Je suis généralement trop fatiguée pour cuisiner, et je me contente d'une salade ou d'un plat que j'achète chez le traiteur le soir, en rentrant. Les autres font comme moi. Vous pourrez donc disposer de la cuisine à votre guise.

— Ce serait merveilleux. Je viens à New York la semaine prochaine. Pourrez-vous attendre jusque-là ? ajouta Marya avec un soupçon d'inquiétude.

Francesca se mit à rire.

— Je dois appeler quelqu'un d'autre dans la journée, mais comme je vous ai eue la première au téléphone, je vous donnerai la priorité. Quand aimeriez-vous venir ?

— Mercredi vous conviendrait-il ?

— Parfait.

Elles convinrent d'une heure et raccrochèrent. L'autre candidate que Francesca avait en vue avait déjà trouvé son bonheur. On était début février, et Francesca ne s'était pas attendue à ce que ce soit si long pour trouver trois locataires. Mais elle s'était montrée très prudente, et n'avait pas voulu faire visiter sa maison à n'importe qui. Personne ne lui avait semblé convenir en dehors d'Eileen et de Chris, et peut-être maintenant cette Marya Davis qui lui avait confié qu'elle souhaitait faire des séjours fréquents à New York car les hivers dans le Vermont étaient très rigoureux.

Le soir, Francesca revit brièvement le fils de Chris. Elle lui avait rapporté une sucette de la galerie, où elle avait toujours un pot plein de friandises pour les enfants. Elle demanda à Chris sa permission avant de la lui offrir. Apparemment la visite à l'ours blanc avait été un grand succès, et il y avait aussi un bébé tigre au zoo. Ian fut ravi de la sucette, et fit de grands signes de la main à Francesca quand il partit le lendemain. Francesca n'avait pas spécialement envie d'avoir un enfant à elle, mais elle aimait bien voir ceux des autres. Elle avait quinze artistes sur les bras, qui remplaçaient largement les enfants qu'elle n'avait pas. Elle s'en satisfaisait, du moins pour le moment, et peut-être pour toujours, vu qu'elle n'avait pas d'homme dans sa vie. Croiser le chemin de petits garçons comme Ian suffisait à lui fournir sa dose de maternité.

Le mercredi suivant, Marya, la femme du Vermont, sonna à la porte du 44 Charles Street cinq minutes avant l'heure du rendez-vous. Elle portait un pantalon de ski, des après-ski, et une parka avec un capuchon. C'était l'hiver, et il faisait très froid à New York aussi. Elle avait des cheveux gris coupés au carré et ne ressemblait pas du tout à l'idée que Francesca s'était faite d'elle. Elle était bien plus âgée que sa voix ne l'avait laissé supposer au téléphone. Francesca apprit qu'elle venait de perdre son mari à la suite d'une longue maladie. Toutefois, c'était une personne gaie. Elle avait une silhouette déliée, et une allure très jeune. Elle précisa qu'elle avait cinquante-neuf ans. Un peu déconcertée, Francesca se rendit compte qu'elle avait presque l'âge de sa mère. C'était apparemment leur seul point commun.

Marya s'intéressa beaucoup plus à la cuisine qu'au studio qu'elle allait occuper, se contentant de jeter un rapide coup d'œil à la chambre avant d'annoncer que cela lui convenait.

— Si je comprends bien, vous aimez cuisiner ? demanda Francesca en souriant.

— Oui. C'est une passion, depuis l'enfance. J'ai la chance inouïe de pouvoir faire ce que j'aime. Je n'ai jamais l'impression de travailler.

Soudain, Francesca comprit à qui elle avait affaire. Il fallait qu'elle ait été bien distraite pour ne pas avoir compris tout de suite qu'il s'agissait de Marya Davis, la célèbre cuisinière. Elle avait écrit au moins une demi-douzaine de livres culinaires, et Francesca en avait même deux exemplaires sur ses étagères. C'était un des chefs les plus en vue du moment, et elle s'était spécialisée dans la cuisine française. Elle concevait des recettes simplifiées pour le grand public et pour les gens qui n'avaient pas le temps de passer des heures dans leur cuisine à mijoter des petits plats. Elle avait su démystifier plusieurs grands plats français, écrivant notamment un livre entier sur les soufflés.

Et c'était cette célébrité qui était là, au 44 Charles Street, assise dans sa cuisine !

— Je travaille à un nouveau livre, expliqua Marya avec simplicité. Je me suis dit que ce serait plus drôle de passer un peu de temps à New York, pour écrire. L'atmosphère est trop calme là où je vis, surtout maintenant que je suis seule.

Elle prononça ces mots sans tristesse apparente, plutôt avec mélancolie.

— Votre mari aussi était chef ? s'enquit Francesca avec curiosité.

Avec ses yeux pétillants et son grand sourire, Marya était la personne la plus chaleureuse que Francesca ait jamais rencontrée. Elle était aussi d'une grande modestie, et semblait totalement à l'aise dans la cuisine de

Francesca. Celle-ci songea que si Marya emménageait chez elle, il y aurait de merveilleux plats à goûter.

La question de Francesca fit rire son interlocutrice.

— Non, mon mari était banquier. Mais il adorait manger, surtout la cuisine française. Nous allions tous les ans passer un mois en Provence, et j'en profitais pour essayer de nouvelles recettes. Nous nous amusions beaucoup ensemble, il me manque. Aussi, je me suis dit qu'il serait bon que je me lance dans quelque chose de nouveau et dans un nouvel environnement. La campagne est très belle au printemps dans le Vermont, mais, comme je ne skie plus, j'aime autant passer les mois d'hiver ici.

Francesca éprouva un vrai plaisir à discuter avec elle, ravie à l'idée que cette femme adorable vienne vivre à Charles Street. Marya Davis avait du talent, de la personnalité, de l'humour, et une indéniable profondeur. Décidément, elle était vernie, avec ses trois locataires !

Elles abordèrent ensuite les détails matériels de la location. Marya trouva le prix tout à fait correct. Le studio correspondait à ce qu'elle désirait, et elle était enchantée d'être à côté de la cuisine.

— J'espère que vous m'autoriserez à vous faire goûter mes recettes, dit-elle timidement.

— Ce sera un honneur, madame Davis, répondit Francesca, enchantée.

Cette femme était si douce, si agréable, qu'elle l'aurait volontiers serrée dans ses bras.

— Je vous en prie, appelez-moi Marya. « Madame » me donne un sacré coup de vieux. Mais je suis vieille, je suppose, puisque j'aurai soixante ans l'année prochaine.

Elle en paraissait dix de moins. Sa simplicité et sa modestie la rendaient immédiatement attachante. Francesca était impatiente de la voir s'installer ici.

Avant de partir, Marya l'embrassa sur les deux joues. Dans l'escalier, Francesca croisa Eileen.

— Tu as l'air heureuse, dit celle-ci.

Les deux jeunes femmes étaient rapidement passées au tutoiement.

— Je le suis. Marya Davis, la célèbre cuisinière, vient juste de louer le studio du rez-de-jardin. Elle m'a dit qu'elle nous préparerait des repas. Nous allons être ses cobayes.

— Génial ! s'exclama Eileen, avec un sourire béat. Moi qui déteste cuisiner !

— Moi aussi, répondit Francesca.

La cuisine n'avait jamais été son fort. Todd s'y entendait bien mieux qu'elle.

— Eh voilà. La maison est pleine, à présent, conclut Francesca, soulagée.

Les trois loyers couvriraient largement les remboursements de l'emprunt. Contrairement à ce que sa mère lui avait prédit, et contrairement aussi à ce qu'elle craignait, elle avait trouvé trois locataires impeccables.

C'était parfait. La maison de Charles Street était occupée et pleine de vie. Et quand Marya aurait emménagé, ils auraient en plus de merveilleux repas à déguster.

Que demander de plus ?

6

Marya emménagea le jour de la Saint-Valentin. Avant même de défaire ses valises, elle leur prépara des cookies au gingembre à la pâte fine et délicate, en forme de cœur. Ce jour-là, Chris était resté à la maison pour travailler sur un nouveau projet destiné à un client particulièrement exigeant. Le genre de travail qui demande beaucoup de concentration. L'odeur appétissante des biscuits cuisant dans le four monta jusqu'à lui, l'empêcha de fixer son attention, et le poussa à descendre à la cuisine, où il découvrit Marya affublée d'un petit tablier à carreaux, qui fredonnait tout en s'affairant aux fourneaux. Bien qu'il ait été prévenu de son arrivée, il n'avait pas encore eu l'occasion de la rencontrer. Elle l'accueillit avec un grand sourire, posa un plateau de cookies sur la table, et lui serra la main.

— Je n'avais jamais senti d'odeur aussi délicieuse ! s'exclama-t-il en lançant un coup d'œil vers le four.

Marya lui tendit une assiette, et il engloutit aussitôt cinq cœurs à la texture fondante et au goût irrésistible.

— C'est une vieille recette que j'ai un peu dépoussiérée, dit-elle avec la modestie qui la caractérisait.

Une fois assis, Chris prit conscience d'une multitude d'effluves délicieux. Marya avait prévu de concocter un repas pour la Saint-Valentin, laissant chacun libre de venir se servir s'il avait prévu de rester à la maison. C'était le cas de Chris, aussi l'invita-t-elle à revenir un peu plus tard.

— C'est formidable de pouvoir cuisiner pour vous tous !

Marya se sentait très seule depuis la mort de son mari. Cette colocation était idéale pour elle. Dès sa première visite, elle était tombée sous le charme de la cuisine.

— On m'a dit que vous aviez un ravissant petit garçon, dit-elle tandis qu'il se servait un verre de lait.

Chris sourit.

— Oui, il est adorable. Il vit chez sa maman, mais je l'ai un week-end sur deux, et je le prends généralement le mercredi soir, après l'école.

— Il me tarde de faire sa connaissance.

Marya n'avait pas pu avoir d'enfant. Et elle appartenait à une époque où les différentes méthodes de lutte contre la stérilité n'existaient pas encore. Son mari et elle avaient accepté leur sort, et avaient vécu l'un pour l'autre. Marya était donc vraiment seule depuis qu'il était parti. La maison de Charles Street, avec ses trois autres habitants, était beaucoup plus gaie et agréable pour elle que son foyer du Vermont auquel elle était pourtant très attachée. Elle était enchantée à la perspective de sa nouvelle vie à New York et avait hâte de visiter les musées, de fréquenter les restaurants et de voir des amis. De nature joyeuse et optimiste, elle trouvait tout cela très excitant.

Chris remonta chez lui se remettre à la tâche. Quelques moments plus tard, Eileen rentra du travail et se dirigea vers la cuisine pour consulter ses mails.

Elle avait senti les délicieuses odeurs culinaires dès qu'elle avait ouvert la porte d'entrée.

— Waouh ! fit-elle en se retrouvant nez à nez avec Marya, dont elle admira la silhouette mince et sportive que le tablier ne parvenait pas à dissimuler : Qu'est-ce qui sent si bon ?

Eileen n'aurait su dire si c'était salé ou sucré. Marya avait mis un poulet à dorer dans le four, elle faisait cuire des asperges, et projetait de préparer un soufflé au fromage une fois tout le monde à la maison. Elle avait aussi fait un gâteau au chocolat en forme de cœur pour le dessert. Un vrai festin.

— Je ne savais pas si tout le monde dînait à la maison ce soir, mais j'ai quand même pris le risque. J'adore la Saint-Valentin.

C'était un excellent prétexte pour un bon repas.

Eileen sourit, regarda ses mails, et vit qu'elle avait un rendez-vous ce soir-là. C'était sa première rencontre avec un homme qui correspondait avec elle depuis quelques jours. Jusqu'ici, elle avait rencontré des gars vraiment sympas, et quelques gros nuls, dont elle s'était débarrassée très vite, ne ramenant que deux hommes à la maison. Cela avait mis Francesca un peu mal à l'aise, mais elle n'en avait touché mot à Eileen. Elle ne s'en sentait pas le droit. La jeune femme était adulte, elle était chez elle, et sa propriétaire n'avait pas à filtrer ses fréquentations. Il semblait toutefois un peu risqué à Francesca de laisser de parfaits inconnus passer la nuit à Charles Street. Comme Eileen rencontrait ces hommes par le biais d'Internet, on pouvait en déduire qu'elle ne les connaissait pas bien. C'était d'ailleurs la raison pour laquelle Francesca n'avait jamais été tentée par de tels sites. De toute façon, elle n'avait pas envie de faire des rencontres. Il n'y avait que six semaines que Todd était parti. Il lui manquait, et elle ne s'était pas encore habituée à l'idée qu'il était sorti de sa vie pour toujours. Parfois, c'était très dur. Elle avait perdu l'homme qu'elle aimait, mais aussi son meilleur ami et son associé. Ses seules autres relations à présent étaient les artistes qu'elle représentait.

Elle arriva bonne dernière à la maison ce soir-là, après avoir fermé la galerie à sept heures. Elle avait vendu deux petites toiles pour la Saint-Valentin et s'était sentie déprimée tout l'après-midi. Elle avait oublié que Marya devait emménager aujourd'hui, et fut bien surprise de trouver ses trois colocataires bavardant dans la cuisine, autour d'une bouteille que Marya venait de déboucher. Elle avait rapporté du Vermont quelques caisses de vins français, chilien, et espagnol. Celui qu'ils étaient en train de déguster semblait les ravir.

— Bienvenue à la maison ! s'exclama joyeusement Marya.

Le moral de Francesca remonta d'un cran. Elle avait redouté de se retrouver dans la maison vide en ce jour de Saint-Valentin. Todd accordait beaucoup d'importance à cette fête, et chaque année il l'emmenait dîner dans un grand restaurant. Elle n'avait pas eu de nouvelles de lui aujourd'hui, et c'était aussi bien comme ça. Néanmoins, cela lui avait donné le cafard.

Elle eut un sourire radieux quand Marya lui offrit un verre de vin. Le dîner était prêt. Elle n'avait pas prévu de manger, mais s'assit tout de même avec Eileen et Chris à la table de la cuisine, et dévora le délicieux dîner que Marya leur servit. Les asperges et la sauce hollandaise étaient irrésistibles, le soufflé incroyablement réussi, et le poulet farci aux champignons, cuit à point. Ils mangèrent aussi de la salade, des fromages français, et firent un sort au gâteau au chocolat en discutant avec animation de nourriture, de voyages, de leurs expériences, et de leurs amis. Marya venait à peine d'arriver, et déjà la maison était pleine de vie. Francesca n'avait pas vu Chris aussi amical et bavard depuis son installation. A croire que Marya était dotée d'un pouvoir magique, qu'elle exerçait sur les gens comme sur la nourriture. Francesca n'arrivait pas à croire à sa chance. Marya, elle, était aux anges.

Ils rirent tellement que Eileen faillit oublier son rendez-vous galant, et sortit sans prendre le temps de se changer. Elle enfila ses chaussures à talons, vaporisa un peu de parfum sur ses vêtements, et disparut dans le couloir en leur faisant un petit signe d'adieu. Francesca, Chris et Marya restèrent assis autour de la table. Marya leur servit le café avec les cookies en forme de cœur et des truffes au chocolat. Chris déclara qu'il n'avait jamais aussi bien mangé de sa vie, et Francesca renchérit. En dépit de l'absence de Todd, c'était la meilleure soirée de Saint-Valentin qu'elle ait passée depuis longtemps.

Chris et elle aidèrent Marya à ranger la cuisine, mais celle-ci avait tout nettoyé au fur et à mesure, si bien que tout fut net en quelques minutes. Ensuite, Marya alla défaire ses bagages, tandis que Chris et Francesca remontaient lentement l'escalier.

— Je redoutais cette journée, avoua Francesca. C'est la première fois que je passe la Saint-Valentin sans Todd. Grâce à Marya, nous nous sommes bien amusés ce soir.

Chris hocha la tête, un peu plus distant mainte- nant qu'il se retrouvait seul avec elle. Il était toujours très réservé quand il parlait à Eileen et à Francesca, sauf lorsque Ian était là. Marya avait vraiment réussi à le faire sortir de sa coquille. Qu'avait-il bien pu lui arriver dans le passé pour qu'il se montre aussi renfermé ? Francesca commençait à croire que c'était moins son caractère que le résultat d'un traumatisme.

— Cette journée a dû être difficile pour Marya aussi, car elle a perdu son mari, remarqua Francesca. C'est une femme adorable. Je suis contente qu'elle se soit installée ici. Elle cuisine remarquablement bien. Nous allons tous devenir obèses si elle nous fait manger comme ça tous les jours.

Sa remarque fit sourire Chris.

— Oui, ce soir était exceptionnel. Cela fait des années que je ne célèbre pas la Saint-Valentin. Je n'y pense même pas. C'est une fête pour les gamins et pour les amoureux.

Il n'était ni l'un ni l'autre. Il avait appelé Ian dans l'après-midi, et lui avait envoyé une carte de Saint-Valentin. Ian avait le béguin pour sa maîtresse d'école et pour une petite fille de sa classe, et il avait confié à son papa qu'il leur avait donné une carte à chacune.

Ils se souhaitèrent bonne nuit devant l'appartement de Chris. Francesca se demanda comment il avait aménagé sa salle à manger et son ancienne bibliothèque. Elle monta lentement l'escalier jusqu'à sa chambre, de nouveau en proie à un sentiment de solitude. C'était inévitable. On faisait tellement de battage autour de la Saint-Valentin que si on n'avait pas d'amoureux c'était un jour redoutable.

Francesca entendit Eileen rentrer, tard dans la nuit. Il y avait un homme avec elle, et elle espéra que c'était quelqu'un de correct. La confiance de la jeune femme dans ses rencontres par Internet et son inno-

cence l'inquiétaient considérablement. Elle les entendit chuchoter et rire quand ils passèrent sur la pointe
des pieds devant sa porte. Elle fit la connaissance de
l'inconnu le lendemain matin, au petit déjeuner. Marya
leur avait laissé des petits pains et des croissants,
avant de partir en balade. La conquête d'Eileen était
en train d'engloutir les croissants, et la salua à peine
quand elle entra. L'homme avait l'air un peu fruste,
mais Eileen gloussait en bavardant avec lui, visiblement contente de sa présence. Francesca fut un peu
contrariée de devoir le supporter pendant le petit
déjeuner. Chris ne paraissait pas très enthousiaste non
plus quand il se servit une tasse de café.

— Comment vous vous êtes rencontrés, tous ? Vous
vivez ensemble, tous les deux ? demanda le petit ami
d'Eileen.

Chris lui lança un regard noir, versa des corn-flakes
dans un bol, et ne prit même pas la peine de répondre.
Francesca expliqua simplement qu'ils étaient colocataires, et ne s'attarda pas davantage sur le sujet.
L'homme avait les cheveux longs, et il avait remonté les
manches de sa chemise, comme pour exhiber ses
tatouages multicolores. Il leur dit qu'il travaillait à la
télévision comme machiniste, et il tapota les fesses
d'Eileen quand celle-ci vint s'asseoir. Chris faillit écla-
ter de rire en voyant l'expression horrifiée de Francesca. C'était un peu trop pour elle, si tôt le matin.
Eileen, loin de se formaliser, embrassa passionnément
Doug, qui se montra tout aussi fougueux.

Francesca avait quelques coups de fil à donner de
sa chambre, et Chris annonça qu'il avait rendez-vous
avec un client à dix heures : il devait lui présenter le
projet sur lequel il travaillait depuis des semaines, des
emballages pour une marque très connue. Quelques

minutes plus tard, il quitta la maison avec son carton à dessins, et Eileen partit peu de temps après lui. Francesca fut la dernière à sortir de la maison. Revenue de sa promenade, Marya avait nettoyé la cuisine, et était ressortie.

La maison était devenue un lieu très animé.

Francesca avait demandé à une société de services de passer faire le ménage deux fois par semaine. Les locataires partageaient la dépense. Tout en marchant dans la rue en direction de la galerie, sous une fine bruine de février, Francesca se demanda s'ils reverraient Doug à Charles Street. Elle espéra que non. C'était un personnage grossier, et Eileen méritait mieux, même si elle paraissait plus intéressée par la quantité que par la qualité. Elle ferait bien de réduire le champ de ses recherches, et de se limiter à des hommes plus dignes d'elle. Eileen était jeune et naïve. Francesca aurait été très inquiète pour elle s'il s'était agi de sa petite sœur. Mais elle n'était que sa locataire. Elle souhaitait néanmoins que Eileen ralentisse le rythme de ses conquêtes.

Francesca avait des tableaux à accrocher cet après-midi-là. L'exposition qu'elle préparait depuis des mois regroupait trois artistes. Deux peintres abstraits et un sculpteur, dont les œuvres se mettaient mutuellement en valeur. La disposition était importante pour que leur travail ne se fasse pas d'ombre. L'un des artistes peignait des toiles immenses, et elle avait besoin d'aide pour les suspendre. Maintenant que Todd n'était plus là, elle avait dû demander à l'un de ses artistes de venir lui donner un coup de main. Celui-ci gagnait un peu d'argent en installant les œuvres dans diverses galeries. Il était gentil et serviable, mais jamais très précis en ce qui concernait ses horaires de travail. Bob était un des premiers peintres avec lesquels elle avait signé un contrat, et ses tableaux se vendaient bien. Il travaillait dur, avait fait de bonnes études, et prenait son art très au sérieux. Pour une fois il arriva à l'heure, et Francesca lui expliqua précisément où elle voulait positionner les tableaux. Une fois que cela fut fait, il demeura de longues heures perché sur l'échelle afin d'ajuster l'éclairage. Il était plus de six heures lorsqu'ils eurent fini, fatigués mais contents du résultat. Bob avait dix ans de moins que Francesca, et il était très mignon.

— Alors, que devient Todd ? demanda-t-il, d'un ton dégagé.

Francesca avait prévenu verbalement la plupart des artistes qu'elle devenait seule propriétaire de la galerie, mais elle ne leur avait pas encore envoyé de courrier officiel. Elle n'en avait pas eu le courage. Quelques-uns l'avaient questionnée, mais presque tous avaient deviné qu'il était parti.

— J'ai racheté sa part, répondit-elle sur le même ton. C'est mon père qui est mon associé, à présent. Todd a repris son métier d'avocat.

Le garçon hocha la tête.

— Toujours ensemble ? demanda-t-il par-dessus son épaule, en rangeant l'échelle.

— Non, c'est fini.

Francesca se détourna, à la fois gênée et peinée par la question. Elle n'aurait su dire pourquoi, cette sépara-tion lui faisait l'effet d'un échec personnel. Comme si elle avait été incapable de garder Todd, ou d'avoir avec lui une relation harmonieuse. Ce sentiment était détes-table, et elle se demanda si Todd éprouvait la même chose.

— Je me posais la question, poursuivit Bob. Cela fait longtemps que je ne l'ai pas vu. Vous avez vendu la maison ?

— Non, je l'ai gardée et j'ai pris trois locataires pour partager les frais.

— Je suis content, répondit le jeune homme avec un large sourire. Cela fait des années que j'attends que Todd s'en aille. On dîne ensemble, un de ces soirs ?

Il la regarda, plein d'espoir. Il admirait Francesca pour le travail considérable qu'elle accomplissait. Quand la jeune femme prenait un artiste sous son aile, elle faisait tout son possible pour promouvoir sa carrière.

Elle hésita un court instant avant de répondre.

— Je ne pense pas, Bob. J'ai tendance à ne pas mélanger le travail et le plaisir. Je ne suis jamais sortie avec un de mes artistes, et je ne crois pas que je vais commencer maintenant.

Elle avait pris un air froid et professionnel, mais Bob ne s'avoua pas vaincu.

— Il y a toujours une première fois, suggéra-t-il.

— Peut-être, mais pas pour moi. Merci tout de même. Je ne me sens pas prête à sortir avec quelqu'un d'autre pour le moment. Après cinq ans de vie de couple, ce n'est pas facile.

— Oui… Je suis désolé…

Il partit quelques minutes plus tard, l'air déçu. Francesca ferma la galerie et regagna la maison à pied. La pluie était plus drue que dans la matinée, et le temps était assorti à son moral. L'idée de sortir avec un autre homme que Todd la déprimait. Pourtant, ils avaient cessé de faire l'amour bien avant leur rupture. Elle savait qu'elle aurait du mal à s'habituer à quelqu'un de nouveau, et pour le moment elle n'avait vraiment pas envie d'essayer. Le cœur lourd, trempée jusqu'aux os, elle gravit les marches du perron du 44 Charles Street.

Elle monta directement dans sa chambre, se passa de dîner et s'endormit en pleurant. De toute évidence, elle n'avait pas encore fait son deuil de sa relation avec Todd. Combien de temps cela prendrait-il ? Lui faudrait-il la vie entière ?

Le lendemain matin, Francesca se sentait mieux. Elle sourit en entrant dans la cuisine. Il était tôt, et elle s'attendait à être seule, mais Marya préparait des pancakes pour Ian. Ils avaient la forme d'une tête de Mickey, avec une cerise confite en guise de nez, et des raisins secs pour les yeux. Ian et Marya venaient juste de faire connaissance. On était samedi, et le petit garçon était là pour le week-end.

— Salut, Ian ! lança Francesca, comme si elle s'adressait à un vieil ami. Ils sont super ces pancakes, pas vrai ?

L'enfant hocha la tête, et Francesca sourit à Marya. Il était irrésistible, avec son grand sourire et son regard solennel.

— Marya a dit qu'elle me ferait aussi des cookies aux pépites de chocolat. Maman en faisait avec moi, avant, expliqua-t-il en hésitant. Maintenant, elle ne cuisine plus. Elle est souvent mal, et elle dort tout le temps. Parfois, quand je rentre de l'école, elle est encore dans son lit.

Les deux femmes échangèrent un coup d'œil, mais ne dirent rien. Francesca se demanda si la mère de Ian avait une maladie.

— Moi aussi, j'aime les cookies au chocolat, dit-elle pour détendre l'atmosphère.

— Tu pourras nous aider, si tu veux, proposa généreusement Ian, alors que Chris entrait dans la cuisine. Mais si tu dois aller travailler, je t'en garderai un peu.

— C'est très gentil.

Francesca lui sourit. Eileen entra à ce moment avec Doug, qui demanda des pancakes. Francesca intervint aussitôt. Marya n'était pas leur cuisinière. C'était un chef de réputation mondiale, qui leur faisait une immense faveur en préparant des petits plats.

— Cette cuisine appartient à tous et chacun prépare ses repas, expliqua-t-elle simplement. A l'exception de Ian, qui bénéficie d'un régime de faveur.

Doug haussa les épaules, agacé, et se servit une tasse de café. Marya remercia Francesca d'un coup d'œil. Chris avait observé la scène en silence. Doug ne lui plaisait pas. Il était grossier, mal élevé, et tenait à ce que nul n'ignore qu'il couchait avec Eileen. Ian sortit quelques minutes de la cuisine, et Doug en profita aussitôt pour laisser entendre qu'ils venaient de passer une nuit torride. Si Eileen ne se formalisa pas de ce comportement, les autres furent gênés pour elle. C'était un manque de respect évident, mais la jeune femme ne semblait pas vouloir le remarquer.

Inconscient de ce qui se passait, Ian revint finir ses pancakes, et remercia poliment Marya. Puis il rinça soigneusement son assiette, avant de la ranger dans le lave-vaisselle. Francesca le regarda faire, et pensa qu'il devait avoir l'habitude d'agir ainsi chez sa mère. Il était exceptionnellement dégourdi pour un enfant de sept ans.

Ils étaient tous encore dans la cuisine, quand la sonnette de la porte d'entrée retentit. Francesca monta ouvrir et fut consternée de découvrir sa mère sur le seuil. Elle portait un jogging de chez Chanel et des baskets Dior. Ses cheveux étaient attachés en queue-de-cheval et elle était superbe, même sans maquillage. C'était la dernière personne que Francesca avait envie de voir ce matin. Elle ne voulait ni la présenter à ses locataires, ni être obligée d'écouter ensuite les commentaires qu'elle ferait sur eux.

— Bonjour, maman, dit-elle en hésitant un instant sur la conduite à tenir. Que fais-tu là ?

Elle espérait vaguement que sa mère repartirait sans entrer, mais Thalia était trop curieuse et trop obstinée.

— Je vais consulter une dermatologue à SoHo. Il paraît qu'elle est fabuleuse ; j'ai pensé que je pouvais passer te voir avant d'aller à mon rendez-vous. Je peux entrer ?

Le ton était impérieux, et Francesca n'eut d'autre choix que de s'effacer pour la laisser passer. Elle se sentait comme une enfant prise en faute. Thalia n'allait pas du tout aimer ce qu'elle allait voir dans la cuisine. Doug et ses tatouages n'avaient aucune chance de lui plaire.

Son cœur se serra.

— Bien sûr, maman.

— Quelle odeur délicieuse ! s'exclama Thalia.

Francesca, perplexe, hésitait à l'emmener dans sa chambre, où le lit n'était pas fait, dans le salon, où il n'y avait nulle part où s'asseoir – elle n'avait pas encore remplacé le canapé et les fauteuils que Todd avait emportés –, ou dans la cuisine, un peu trop peuplée. Elle détestait l'idée de devoir présenter ses colocataires à sa mère.

— Marya est un chef très connu, expliqua-t-elle, alors que sa mère empruntait déjà l'escalier qui descendait à la cuisine.

Francesca lui emboîta le pas à contrecœur.

Chris était assis à table, avec son fils qui faisait un dessin. Marya, avec son petit tablier de cuisine à carreaux, tenait à deux mains un plateau de croissants. Et Doug, dont les tatouages multicolores étaient bien visibles, s'était collé à Eileen comme un boa. La jeune femme, vêtue d'une nuisette légèrement indécente sous son peignoir ouvert, gloussait de ravissement. Ce n'était pas exactement la scène que Francesca avait envie de montrer à sa mère. Elle fit néanmoins les présentations. Thalia avait les lèvres pincées et un certain découragement se lisait sur son visage. L'idée que sa fille vivait au milieu de tous ces gens la rendait malade. Elle trouva Doug affreux. Elle daigna accorder un regard à Marya, qui lui sembla probablement la seule personne civilisée dans la pièce.

— Je suppose que c'est vous, le célèbre chef de cuisine ?

— C'est moi. Aimeriez-vous prendre le petit déjeuner avec nous, madame Thayer ? demanda gentiment Marya, un peu surprise par l'allure de la mère de Francesca.

Même en tenue de sport, Thalia était aussi altière que si elle portait une robe de bal.

— Je ne suis *pas* Mme Thayer, je suis la comtesse di San Giovane, rectifia Thalia, avec l'accent que lui avait inculqué son dernier mari.

Elle ne prononçait son nom à l'italienne que dans les circonstances officielles. Ce matin, c'était sa manière de laisser entendre aux autres qu'elle était quelqu'un de plus important qu'eux. Le message fut reçu cinq sur cinq. Chris lui lança un coup d'œil, ne dit rien, et se remit à parler à voix basse avec son fils. Doug embrassa

Eileen dans le cou, et celle-ci ne put s'empêcher de glousser. Ce n'était pas l'accueil dont Thalia rêvait. Francesca eut envie de disparaître sous terre.

— Bien sûr, madame la comtesse, répondit Marya sans sourciller. Puis-je vous offrir des croissants et une tasse de café ?

— Très volontiers.

Thalia s'assit à côté de Ian. Celui-ci la dévisagea un moment avec intérêt, puis reporta son attention sur son dessin. Marya posa devant Thalia une assiette pleine de croissants chauds et une tasse de café fumant, un délicieux mélange qu'elle avait rapporté du Vermont. La mort dans l'âme, Francesca s'installa à la seule place de libre, face à sa mère.

Les autres se levèrent pour aller vaquer à leurs occupations. Marya se mit à nettoyer la cuisine, Chris remonta avec Ian, Doug s'eclipsa avec Eileen en leur faisant savoir qu'ils allaient se recoucher. Le halo de sainteté qui avait un temps entouré Eileen se dissipait de seconde en seconde. Seules Francesca et sa mère demeurèrent assises à table. Cette dernière semblait prête à fondre en larmes.

— Je n'arrive pas à croire que tu vis avec tous ces gens ! dit-elle, horrifiée, comme si Marya n'était pas là. Tu es devenue folle !

— Il faut que je rembourse mon prêt, et ils sont tous très gentils, répliqua Francesca d'un ton plat.

Marya continuait de ranger la vaisselle, comme si de rien n'était.

— Et cet homme, avec les tatouages ?

— Il n'habite pas ici. Il sort avec la locataire du dernier étage. Eileen est une éducatrice spécialisée pour enfants autistes.

— A la voir, on ne s'en douterait pas une seconde, répondit sa mère d'un air désapprobateur.

Elle n'avait pas tort. Au fil des jours, l'attitude d'Eileen s'était relâchée, et ses jupes avaient raccourci.

— Elle est jeune, dit Francesca, prenant spontanément sa défense.

Cependant, elle ne supportait pas Doug, et elle était contrariée que Eileen soit descendue déjeuner en nuisette et en peignoir. C'était une faute de goût. Pour autant ce n'était pas un crime.

— Tout le monde s'entend très bien, déclara Marya d'un ton rassurant. Ils sont tous très convenables.

Thalia lui lança un regard morne, réconfortée cependant d'avoir trouvé une alliée dans le groupe.

— Vous n'êtes pas aussi inquiète que moi ?

— Pas du tout, répondit Marya. Je suis heureuse de loger ici, avec ces gentils jeunes gens. J'ai perdu mon mari il y a quelques mois, et je suis bien contente de vivre avec eux plutôt que toute seule dans le Vermont.

— De quoi est-il mort ? s'enquit Thalia, soudain intéressée.

— D'une tumeur au cerveau. Il était malade depuis longtemps et les derniers moments ont été assez difficiles. C'est un soulagement pour moi de pouvoir m'évader. Les séjours à New York me font du bien.

— Ce n'est pas le meilleur endroit pour trouver un homme, rétorqua de but en blanc Thalia.

Francesca éclata de rire pour cacher sa gêne. Sa mère ne changerait jamais : elle était incapable de penser à autre chose qu'à la chasse au mari. Et à elle-même, bien entendu.

— Surtout à notre âge, ajouta-t-elle, faisant rire, cette fois-ci, Marya.

Le franc-parler de Thalia ne la mettait pas mal à l'aise. Elle avait eu affaire à des gens bien plus déplaisants dans sa vie. Beaucoup de chefs avec lesquels elle avait travaillé étaient connus pour leurs caprices de divas, et pouvaient être franchement odieux. La plupart du temps par jalousie.

— Je ne cherche aucun homme, précisa-t-elle. J'ai eu le meilleur qui ait jamais existé, pendant trente-six ans. Personne ne pourra lui arriver à la cheville. Tout ce que je veux, c'est prendre un peu de bon temps, faire mon travail, et rencontrer de nouveaux amis.

Thalia la dévisagea comme si elle parlait une langue inconnue. Marya était une femme séduisante. Elle devait mentir. Toute femme seule cherchait forcément un mari.

— Vous changerez sans doute d'avis dans quelques mois, répondit-elle d'un ton entendu.

— Non, je ne crois pas. Je n'ai pas besoin d'un homme pour être heureuse.

Elle avait l'air sûre d'elle ; Thalia la considéra avec stupeur, comme si elle avait perdu la tête.

Francesca consulta sa montre. Elle avait rendez-vous avec un client à dix heures à la galerie, avant l'ouverture, afin d'examiner les tableaux qu'elle avait en stock.

— Je suis désolée maman, mais je dois m'en aller.

— Ça ne fait rien, ma chérie, dit sa mère qui n'avait visiblement pas l'intention de bouger. Je vais rester bavarder avec Marya. J'ai encore un peu de temps devant moi avant mon rendez-vous.

Francesca fut envahie par la panique, mais Marya la rassura d'un signe de tête, avant de se tourner vers Thalia.

— Voulez-vous une autre tasse de café, madame la comtesse ? demanda-t-elle d'un ton aussi respectueux que si elle s'adressait à une reine.

Thalia sourit.

— Je veux bien, il est excellent. Et appelez-moi Thalia, je vous en prie. Je n'aimerais pas que les autres en fassent autant, mais il n'y a pas de raison que vous, vous me donniez mon titre.

Apparemment, elle avait décidé que Marya et elle se trouvaient sur un plan d'égalité, aussi bien par l'âge que par leur statut social.

— Vous savez, j'ai acheté deux de vos livres. J'aime beaucoup votre recette de la sauce mousseline. Elle est si facile que même moi, je la réussis.

— Merci, Thalia.

Radieuse, Marya lui tendit une autre assiette de croissants.

— Je suis désolée de devoir te quitter, maman, balbutia Francesca, mal à l'aise.

En réalité, elle n'avait pas confiance en sa mère. Elle n'avait aucune idée de ce qu'elle allait dire, ou de la façon dont elle se comporterait. Et elle ne voulait surtout pas qu'elle offense Marya de quelque façon.

— Ne sois pas idiote, ma chérie. Je t'appellerai un peu plus tard.

Après un dernier coup d'œil anxieux à Marya, Francesca se décida à s'en aller, et monta en hâte chercher son sac. Quelques minutes plus tard, elle marchait d'un pas pressé dans la rue, tout en pensant à sa mère. Tôt ou tard elle l'entendrait dire pis que pendre de ses locataires. Sauf peut-être de Marya, pour laquelle elle semblait s'être prise d'affection.

Pendant ce temps, les deux femmes continuaient à faire connaissance dans la cuisine. Marya trouvait Thalia divertissante, même si elle ne le montrait pas.

— Vous ne pouvez pas savoir comme je m'inquiète pour ma fille, surtout depuis qu'elle a eu cette idée complètement folle, lui confia Thalia. Elle aurait dû épouser Todd, au lieu d'acheter de l'immobilier avec lui. Il aurait été obligé de lui verser une pension alimentaire, et la maison serait à elle. C'est de la folie pure et simple, de vivre parmi tous ces gens.

Elle avait l'air effondré. Marya se fit rassurante.

— Manifestement, tout se passe bien. Chris est un homme respectable, il a une bonne éducation et son fils est un amour. Quant à la jeune fille du dernier étage, elle est juste un peu jeune et un peu sotte. Elle sort à peine de l'école, et elle est très excitée de se trouver dans une grande ville. Elle finira par s'assagir.

— Cet homme a l'air de sortir de prison, insista Thalia, au bord des larmes.

Marya passa une bonne heure à la calmer, et quand Thalia prit congé, elle se sentait un peu mieux. Après son départ, Marya demeura un moment assise dans la cuisine, songeuse. La comtesse di San Giovane n'était pas de tout repos ! Comment Francesca était-elle parvenue à être si normale et à garder les pieds sur terre avec une mère pareille ? Thalia lui faisait l'effet d'une écervelée. Elles n'avaient parlé que de son désir de trouver un époux. Thalia n'avait pas eu honte d'avouer que, sans mari, elle ne se sentait pas vraiment femme et qu'elle avait la sensation de ne pas exister. Son identité dépendait de l'homme avec qui elle était mariée. Elle était à l'opposé de Marya, qui n'avait besoin de personne pour être elle-même. Elle comprenait mieux la remarque de Francesca : l'obsession de sa mère de trouver à tout prix un nouveau mari faisait fuir hommes.

A la galerie, Francesca avait sorti pratiquement toutes ses toiles en stock. Son client, un dentiste d'une cinquantaine d'années qui venait du New Jersey, voulait acheter une grande toile. Il disait apprécier les jeunes artistes débutants, mais n'était pas très sûr de ses goûts. Quelle que soit la direction dans laquelle Francesca l'orientait, cela ne semblait jamais lui convenir. Il lui expliqua qu'il était divorcé, et qu'auparavant c'était sa femme qui choisissait les objets d'art. A présent, il voulait faire sa propre sélection mais il ne savait pas comment s'y prendre. Francesca se lassa de ses hésitations, et, à midi, elle crut qu'elle ne pourrait le supporter une minute de plus. Il promit finalement de réfléchir, et de l'appeler la semaine suivante, s'il se décidait. Les clients dans son genre étaient particulièrement frustrants et agaçants.

Francesca lui donna des photos, ainsi qu'une documentation sur les artistes qui l'intéressaient ; cela sembla le plonger dans une encore plus grande confusion.

— Et si nous en discutions ce soir au restaurant ? demanda-t-il, en l'enveloppant d'un regard éloquent.

Il était apparemment plus intéressé par Francesca que par les œuvres qu'elle vendait. De son côté, la jeune femme trouvait qu'il n'avait vraiment rien pour lui plaire.

— Désolée, répondit-elle en souriant gentiment. Je ne sors jamais avec mes clients.

— Je ne suis pas un client, puisque je ne vous ai encore rien acheté, répliqua-t-il du tac au tac.

De fait, elle aurait préféré de loin lui vendre un tableau, plutôt que de sortir avec lui. Elle se demanda si tout son comportement jusqu'ici n'avait pas été qu'une ruse pour l'approcher. Dans ce cas, c'était une perte de temps pour tous les deux.

Elle secoua la tête, en signe de refus.

— Désolée, je ne peux pas.

— Vous avez un petit ami ?

Francesca hésita, puis décida qu'un pieux mensonge était sans doute préférable à la vérité.

— Oui, répondit-elle d'un air innocent.

— C'est dommage.

Il finit par prendre congé. Soulagée, Francesca se laissa tomber dans son fauteuil. Elle était épuisée, et la journée était loin d'être terminée ! Le petit déjeuner avec sa mère, puis deux heures en tête à tête avec un client indécis, qui finissait par l'inviter à dîner... c'était trop !

Elle appela Marya pour savoir comment elle avait survécu à l'entrevue avec sa mère, et sa nouvelle locataire la rassura : tout allait bien.

— J'ai passé un très bon moment avec elle. Elle ne vous ressemble pas du tout, déclara Marya avec un petit rire amusé.

— C'est le plus grand compliment que vous puissiez me faire. Toute ma vie, j'ai eu une peur panique de devenir comme elle.

— Ça ne risque pas ! Je vous souhaite une bonne journée, à ce soir.

Francesca raccrocha et se mit au travail avec la sensation réconfortante de s'être fait une nouvelle amie.

7

La semaine suivante, Francesca fut débordée. Elle visita trois ateliers, réorganisa le rangement des toiles qu'elle gardait en stock, et rendit aux artistes celles qui ne s'étaient pas vendues depuis un certain temps afin de faire de la place pour de nouvelles œuvres. Elle dressa également une liste des expositions groupées qu'elle désirait programmer pour l'année suivante. Cela n'était pas une mince affaire de décider quels artistes exposer ensemble de façon que leurs œuvres se mettent naturellement en valeur.

Au beau milieu de ce tourbillon d'activités, quatre de ses artistes passèrent la voir, juste pour lui rendre visite. Francesca s'efforça de leur réserver le même accueil qu'à ses clients, mais elle avait beaucoup à faire, et elle était pressée par le temps. Elle vendit malgré tout plusieurs toiles. A sa grande stupéfaction, le dentiste du week-end précédent la rappela et lui acheta trois tableaux. De nouveaux clients firent leur apparition, envoyés par d'autres. Deux consultants en art contemporain l'appelèrent pour de gros contrats, et une architecte d'intérieur connue passa à la galerie et apprécia les œuvres exposées. Francesca était ravie.

Elle rentrait tard chaque soir, et ne vit presque pas ses locataires. Marya lui laissait des petits mots dans la cuisine, lui expliquant ce qu'elle trouverait dans le réfrigérateur. Ces attentions touchaient Francesca. Ce n'est que le vendredi soir qu'elle trouva enfin le temps de souffler. Sa mère l'avait appelée à plusieurs reprises dans la semaine, mais Francesca n'avait pas le temps de discuter. Le vendredi soir, allongée sur son lit, elle songea avec soulagement qu'elle n'avait plus qu'une journée de travail. Elle avait envie de passer le dimanche au lit avec un bon livre. Rien d'autre ne la tentait. Ce week-end, ses locataires allaient tous s'absenter, chose tout à fait exceptionnelle. Chris lui avait dit qu'il partait, sans donner plus de détails. Eileen avait annoncé qu'elle allait skier avec un nouveau copain, et Marya retournait dans le Vermont pour voir si tout allait bien chez elle. Le samedi soir en rentrant, Francesca se retrouva seule. Cela lui parut merveilleux au premier abord. Mais le dimanche matin elle s'aperçut, un brin étonnée, qu'elle se sentait déprimée.

La présence quotidienne des autres habitants la protégeait des fantômes du passé, dont le plus important était naturellement Todd. Elle n'avait plus de nouvelles de lui depuis plus d'un mois, ce qui signifiait probablement qu'il s'était mieux adapté qu'elle à leur rupture. Dans les moments de calme et de solitude, il lui manquait. Elle commençait à se demander si ce sentiment allait perdurer.

Le dimanche après-midi, sérieusement démoralisée, elle regretta l'absence de ses pensionnaires. Elle se demandait si Chris avait passé le week-end avec une copine. D'une très grande discrétion, il ne ramenait jamais de femme à la maison.

A sept heures du soir, personne encore n'était rentré. Elle se rendit compte alors à quel point leur présence lui était indispensable. Elle aurait été malheureuse

101

comme les pierres si elle était restée seule dans cette maison, sans personne à qui parler.

Elle se préparait des œufs brouillés dans la cuisine en pensant aux plats délicieux de Marya, quand elle prit conscience tout à coup d'un bruit d'eau tombant goutte à goutte. Elle fit le tour de la cuisine pour le localiser. La fuite provenait du plafond, et gagnait en importance de minute en minute. Cela provenait sûrement des toilettes à l'étage. Francesca s'y rendit et vit qu'un torrent s'écoulait de l'étage supérieur à l'emplacement de la salle de bains de Chris. Il y avait déjà eu des fuites au même endroit par le passé. Elle monta l'escalier en courant. Il y avait de l'eau partout, qui traversait le mur, s'écoulant sans doute d'un tuyau percé. Paniquée, Francesca redescendit à toute vitesse chercher la caisse à outils de Todd. Au passage, elle agrippa son portable et l'appela. Il répondit à la deuxième sonnerie.

— Que dois-je faire ? s'exclama-t-elle dans le téléphone.

Todd tenta de lui expliquer comment arrêter la fuite. Elle posa l'appareil, suivit ses instructions, en vain. L'eau s'échappait de plus en plus fort.

— Ferme le robinet d'arrivée ! cria Todd à l'autre bout de la ligne.

Il lui indiqua l'endroit, mais elle fut arrosée de la tête aux pieds avant de l'avoir trouvé. C'est ce moment que choisit Chris pour faire son entrée. Il fut sidéré en voyant la scène qui se déroulait dans sa salle de bains. De l'eau jusqu'aux chevilles, Francesca lui lança un regard affolé. Il la repoussa gentiment, s'empara de la clé anglaise qu'elle tenait à la main, et coupa l'eau. Le geyser se tarit net.

— Je suis désolée. Merci, dit Francesca en repoussant les cheveux plaqués devant ses yeux.

Chris sourit, amusé.

— Tu as passé tout le week-end comme ça ? demanda-t-il d'un ton taquin.

Elle secoua la tête.

— Non, je viens juste de découvrir la fuite. L'eau s'écoulait par le plafond de la cuisine.

Elle s'interrompit, et poussa un cri aigu.

— Oh, mon Dieu ! J'ai oublié la poêle sur le feu !

Elle se précipita au rez-de-chaussée. Marya, qui était rentrée entre-temps, s'était mise à frotter consciencieusement la poêle, aux restes calcinés.

— Oh, je suis désolée, dit Francesca.

C'est alors qu'elle se rappela qu'elle avait laissé Todd en plan au téléphone. Son appareil était resté posé sur le lavabo de Chris. Todd avait raccroché, mais il répondit immédiatement lorsqu'elle le rappela.

— Veux-tu que je vienne ? proposa-t-il.

— Non, c'est inutile. Mon locataire a coupé l'eau, et je préviendrai le plombier demain matin.

— D'où venait le problème ?

— Toujours pareil. La baignoire à côté de la bibliothèque.

— Un de ces jours il faudra que tu refasses toute la plomberie. Ça te coûtera une fortune. Tu devrais vendre avant d'en arriver là.

La remarque de Todd la contraria. Il n'aimait peut-être plus cette maison, mais ce n'était pas son cas. Elle le remercia néanmoins d'avoir répondu aussi promptement à son appel, et coupa la communication. Chris l'aida à sécher le sol. Le désordre et la saleté causés par l'inondation n'avaient pas altéré son humeur. Contrairement à Todd, qui se plaignait toujours, surtout la dernière année, du travail que lui donnaient ces fuites à répétition. Chris avait de toute évidence une nature plus calme.

— C'est toujours comme ça, dans les vieilles maisons. J'en ai eu une il y a longtemps, à la naissance de Ian. Je l'adorais, même si c'était casse-pieds d'avoir sans arrêt une réparation à effectuer. Mais au fond ça m'amusait, j'ai fait la plupart des travaux moi-même.

Chris n'en avait jamais autant dit sur sa vie, et il ne parlait jamais de la mère de Ian. C'était un homme d'une incroyable discrétion, et Francesca aimait bien ce trait de caractère, même si cela le faisait parfois paraître taciturne.

— Nous avons fait pareil ici, expliqua-t-elle. La maison était dans un état atroce quand nous l'avons achetée. Nous en étions tombés amoureux, avec Todd.

— Oui, elle a beaucoup de charme. Quand j'étais plus jeune, je gagnais ma vie en restaurant des vieilles maisons. C'était un job extraordinaire, mais les prix de l'immobilier ont trop augmenté. Ça me manque.

— Eh bien, tu peux t'amuser dans cette maison autant que tu voudras, déclara-t-elle.

Ils pataugeaient, pieds nus, dans deux centimètres d'eau. Chris éclata de rire.

— J'essayerai de ne pas l'oublier.

Elle allait lui demander s'il avait passé un bon week-end, mais elle se ravisa. Il aurait pu croire qu'elle le surveillait. Ce qu'il faisait de son temps libre ne la regardait pas. Il était son locataire, pas son ami. Elle se répéta la même chose lorsqu'elle entendit Eileen rentrer. La jeune fille passa la tête dans l'embrasure de la porte de sa chambre et lui annonça qu'elle avait passé un week-end fantastique, avec un type génial, et que Doug était de l'histoire ancienne. Francesca songea que c'était un peu tôt pour partir en week-end avec un inconnu, mais qui était-elle, pour émettre ce genre de jugement ? Eileen était jeune, elle avait douze ans de moins qu'elle, et appartenait à une autre génération. Dans l'ensemble, c'était une gentille fille, même si elle était très libre dans sa vie sentimentale. Todd avait été le premier grand amour de Francesca et elle ne l'avait connu qu'à trente ans, même si elle avait eu d'autres relations avant lui.

Quoi qu'il en soit, Francesca fut heureuse d'apprendre que Doug ne reviendrait pas. Elle se demanda aussi à quoi ressemblait le nouveau, mais elle n'eut pas à attendre longtemps pour le savoir. Elle fit sa connaissance à la table du petit déjeuner le lendemain matin. Il avait bon genre, semblait un peu vieux jeu et légèrement gêné d'être là. Francesca le trouva très bien. Puis elle se moqua d'elle-même intérieurement : elle commençait à ressembler à sa mère !

Sa semaine fut encore très chargée. Elle visita deux galeries et assista à un vernissage très important au MoMA. A cette occasion, on lui présenta un photographe du nom de Clay Washington. Elle accepta aussitôt son invitation à dîner, un peu surprise par sa propre réaction. Mais Avery avait raison, elle ne pouvait pas passer le restant de son existence enfermée à Charles Street. Clay l'emmena dans un restaurant chinois de Mott Street. Sa conversation était intéressante. Il avait voyagé dans toute l'Asie, et vécu plusieurs années en Inde et au Pakistan. Il était beau, intelligent, et très différent de Todd, ce qui la troublait. Todd l'aurait qualifié de bohème. Il avait en tout cas une personnalité qui ne laissait pas indifférent. Il la ramena chez elle en taxi après dîner, et elle ne lui proposa pas d'entrer. Il promit de la rappeler. Ce n'était pas le coup de foudre, mais elle avait passé une bonne soirée et cela lui suffisait pour le moment.

Clay la rappela trois jours plus tard, et l'invita à déjeuner chez Bread. Il passa la prendre à la galerie, admira l'exposition en cours, et fut très impressionné en apprenant que son père était Henry Thayer. Clay était bien en tous points, sauf qu'elle ne se sentait pas attirée par lui. Lorsque Clay l'embrassa sur les lèvres à la sortie du restaurant, elle le laissa faire, mais ne ressentit rien. Comme si quelque chose était mort en elle, ou simplement engourdi. Todd aurait-il emporté son cœur en partant ?

Elle fit part à Marya de ses sentiments ce soir-là, pendant un moment de calme.

— C'était vraiment bizarre, dit-elle. J'ai eu l'impression de tromper Todd.

— Il faut du temps pour se libérer de quelqu'un. Il m'est arrivé quelque chose de similaire, il y a très longtemps. J'étais fiancée, avant de rencontrer mon mari. Mon fiancé s'est tué dans un accident de bateau. Pendant deux ans, je n'ai pas regardé un autre homme. Je ne pouvais pas. J'ai même envisagé d'entrer au couvent, ajouta-t-elle en souriant. J'étais très jeune. Et puis j'ai rencontré John, et je suis tombée follement amoureuse de lui. Je me suis remise à vivre, avec plus d'énergie que jamais. Nous nous sommes mariés l'année suivante. Laisse faire le temps. Ce n'est pas parce qu'une personne est bien, qu'elle est forcément bien pour toi. Ce photographe peut sans doute devenir un ami. Quand tu rencontreras la bonne personne, tu le sauras.

Francesca fut reconnaissante à Marya pour la sagesse de ses conseils. Elle avait sûrement raison.

Lorsque Clay la rappela, elle lui dit qu'elle n'avait pas le temps de sortir. Elle envisageait d'aller à une vente aux enchères chez Christie's, et elle avait pensé lui proposer de l'accompagner. Mais au fond, elle n'en avait pas vraiment envie. Elle s'y rendit donc seule. C'était plus facile que d'y aller avec un homme qui n'était pas le bon. Après la vente, très animée, elle passa un long moment à discuter avec diverses connaissances ; elle s'apprêtait à partir quand elle aperçut une silhouette familière. Elle le reconnut à sa démarche et à ses gestes. Son cœur fit un bond : c'était Todd, en train de discuter avec une jolie jeune femme. Celle-ci passa son bras sous le sien et il sourit tout en parlant. Exactement comme il faisait avec elle, au début. Francesca aurait voulu disparaître sous terre ou dans un trou de souris. Elle était hypnotisée, son cœur sombrait. Alors qu'elle était incapable d'éprouver le moindre sentiment pour un autre, lui paradait au bras d'une jolie femme, l'air subjugué.

Les larmes aux yeux, Francesca quitta la salle des ventes à la hâte, s'engouffra dans un taxi, et donna au chauffeur l'adresse de Charles Street. Elle sanglota tout le long de la course, et se faufila dans la maison en rasant les murs. Elle ne voulait voir personne. Tout ce qu'elle voulait, c'était se mettre au lit et mourir.

Ce fut pour elle une piqûre de rappel. Elle pleurait un homme avec lequel elle avait pourtant été profondément malheureuse pendant un an, un homme qu'elle avait aimé mais qui n'était pas le bon. Ils avaient rompu, et Todd avait continué son chemin, alors qu'elle se raccrochait toujours à leur histoire... A des souvenirs, au fantôme de sa présence, à la relation qu'ils auraient voulu avoir mais n'avaient pas su construire. La réaction de Todd était plus saine que la sienne. Il vivait sa vie, elle non. Elle eut soudain l'impression d'avoir reçu une douche glacée. Elle aurait voulu savoir s'il était amoureux de la jeune femme vue chez Christie's, sauf qu'il ne lui appartenait plus, ne lui appartiendrait plus jamais. Le message qu'elle avait reçu ce soir était clair. C'était fini avec Todd. Il fallait qu'elle refasse sa vie. Mais pas avec Clay Washington, le photographe du MoMA. Il devait bien y avoir quelque part dans le monde un homme fait pour elle, et elle avait le droit de le rencontrer. Mais peut-être avait-il déjà trouvé la partenaire idéale, lui ? Quoi qu'il en soit, il fallait qu'elle se remette à exister, et pas seulement à la galerie ou à Charles Street. Elle avait besoin d'une nouvelle vie, de s'ouvrir à un monde plus vaste.

N'empêche, le fait d'avoir vu Todd avec une autre avait été extrêmement douloureux. Elle y pensa longuement ce soir-là dans son lit. Elle était encore bouleversée le lendemain matin quand elle descendit à la cuisine et s'assit, les yeux dans le vague. Au point qu'elle n'entendit même pas Chris entrer.

— Ça va si mal que ça ? demanda-t-il d'un ton taquin, en préparant le café.

— Hum ? Quoi ? Désolée…

Défaite, épuisée, elle avait mal dormi ; ses traits tirés et ses yeux cernés la trahissaient.

— Tu n'as pas l'air dans ton assiette, dit-il sans ambages.

Quelques minutes plus tard, il posa gentiment devant elle une tasse de café. Ils entretenaient des rapports amicaux, à force d'habiter ensemble.

— Je suis juste poursuivie par un fantôme du passé. J'ai vu mon ancien copain, hier soir, avec une autre femme. Ça m'a remuée plus que ça n'aurait dû.

— Il n'y a pas de droits et de devoirs dans ce domaine, déclara Chris en s'asseyant en face d'elle. Qui décide que tu ne dois pas être dans tous tes états ? Tu as reçu un choc ? C'est comme ça. Tu as le droit d'éprouver du chagrin. D'ailleurs, c'est une épreuve bouleversante.

On aurait pu croire qu'il était lui-même passé par là. Francesca ne se hasarda pas à lui poser la question. Elle le remercia seulement pour sa gentillesse. Marya entra, gaie et souriante. Elle semblait toujours de bonne humeur et offrait ce matin un contraste saisissant avec Francesca.

Celle-ci alluma son ordinateur et une scène incroyable apparut sur l'écran : deux femmes en train de faire l'amour avec trois hommes dans des positions acrobatiques ! Francesca comprit soudain que Eileen avait dû regarder des films pornos avec son nouveau petit ami. Sortant finalement de sa transe, elle éteignit l'ordinateur et continua de contempler l'écran avec stupeur. Chris riait de bon cœur, et Marya aussi. Ils étaient tous adultes, et Francesca savait qu'il n'y avait pas de quoi être horrifié, mais elle n'aurait jamais imaginé une telle « inventivité ». Chris, qui n'avait pourtant pas l'air d'être du genre à regarder du porno, semblait trouver extrêmement cocasse l'incongruité d'un tel film, de bon matin, à la table du petit déjeuner.

— J'ai l'impression que la petite bergère n'est pas aussi innocente qu'elle en a l'air, remarqua-t-il.

Pour lui c'était sans grande importance. Toutefois il n'aurait pas trouvé cela aussi drôle si Ian avait été là.

— Je lui demanderai de ne plus se servir mon portable pour ce genre de choses, déclara calmement Francesca, en pensant à Ian.

L'enfant aimait bien jouer à l'ordinateur, et savait remarquablement s'en servir. Francesca ne voulait pas qu'il puisse tomber sur ce genre de scène, et elle ne voulait pas les voir non plus. Elle aimait bien Eileen, mais elle avait souvent l'impression d'être une surveillante dans un dortoir de jeunes filles. Sa locataire était comme une petite campagnarde dans la grande ville, étourdie par tout ce qu'elle voyait, butinant d'un garçon à l'autre avec insouciance.

Le soir, Francesca demanda discrètement à Eileen de ne plus visionner ce genre de film sur l'ordinateur de la cuisine, à cause de Ian.

— Oh, je ne le ferai plus ! s'exclama Eileen, horrifiée. Nous avons regardé parce que nous trouvions ça drôle. J'ai dû oublier d'éteindre avant d'aller me coucher. J'avais un peu trop bu hier soir. Je suis vraiment désolée, Francesca.

Elle prononça ces mots avec l'expression d'un bambin pris la main dans un pot de confiture, l'air tellement contrit que Francesca la plaignit presque. Soudain, elle se sentit heureuse de ne pas avoir d'enfant. Elle détestait dire aux autres ce qu'ils devaient faire, ou les réprimander pour leur comportement. Ce n'était pas à elle d'expliquer à Eileen comment elle devait se conduire. Mais elle ne voulait pas trouver d'images pornographiques chez elle. Après s'être excusée, Eileen la prit dans ses bras. Francesca soupira, le cœur lourd. Elle avait l'impression d'être sa grande sœur.

Chris riait encore de l'incident le lendemain soir, en dînant avec Francesca et Marya. Cette dernière leur avait préparé un rosbif succulent, avec des légumes et des Yorkshire puddings. Eileen était sortie avec son petit ami.

110

— Nous devrions peut-être leur acheter des DVD pornos, au lieu de les laisser se servir de l'ordinateur, suggéra-t-il.

Il était de bonne humeur, et parlait plus que d'ordinaire. Marya avait ouvert une de ses meilleures bouteilles de vin.

Elle était en train de flamber une omelette norvégienne quand le téléphone de Chris se mit à sonner. Il le sortit de sa poche et répondit en contemplant le fabuleux dessert. Avec Marya dans la maison, ils avaient l'impression de vivre dans un restaurant quatre étoiles. Elle adorait cuisiner pour eux, et alternait les recettes anciennes et les innovations.

Les deux femmes discutaient entre elles quand elles virent Chris se lever, le visage grave. Il se dirigea vers le hall d'entrée, son téléphone collé à l'oreille, et Francesca l'entendit poser plusieurs questions d'une voix sèche. Un instant plus tard, il se rua dans la cuisine, l'air paniqué.

— Tout va bien ? demanda Francesca, inquiète.

— Non, ça ne va pas, répondit-il en enfilant nerveusement sa veste, avant de se précipiter dans l'escalier.

— C'est Ian ? écria Francesca, en courant derrière lui.

— Non. Oui... je n'ai pas le temps de t'expliquer. C'était la police. Il faut que j'aille le chercher.

— Oh, mon Dieu...

Elle ne voulut pas le retarder en posant des questions, et pria intérieurement pour qu'il ne soit rien arrivé à Ian. Marya et elle se rassirent à table, consternées, et personne ne toucha au magnifique dessert. Elles ne pouvaient penser qu'au petit garçon si attachant.

Marya nettoya la cuisine, et Francesca lui donna un coup de main. Désemparées, elles ne savaient ni quoi dire ni quoi faire. Chris était livide en quittant la maison. Qu'avait-il bien pu se passer ? Francesca se doutait depuis longtemps que la vie de Ian n'était pas ordinaire, et que Chris n'était pas tranquille. Cela avait probablement un rapport avec la maladie de son ex-femme. A moins que ce ne soit encore pire…

Elles se retirèrent toutes les deux dans leur chambre. Elles ne pouvaient rien faire d'autre qu'attendre. A minuit, Chris n'était toujours pas rentré et ne les avait pas appelées. Francesca songea qu'il ne lui devait aucune explication : il ne lui devait rien, si ce n'est l'argent du loyer. Sa vie personnelle ne la regardait pas.

Elle finit par s'endormir à deux heures du matin, laissant sa porte entrouverte au cas où Chris aurait besoin d'un soutien, ou d'une aide quelconque, à son retour. Mais elle n'entendit rien. Le lendemain, elle vit que sa porte était fermée. Et il n'était pas encore descendu quand elle partit pour la galerie à dix heures et demie.

Les événements de la veille demeuraient un mystère. Ils avaient tous leurs chagrins secrets, leurs traumatismes à surmonter. Seuls.

8

Quand Francesca rentra de la galerie ce soir-là, elle trouva Ian assis sagement à la table de la cuisine, en train de manger un bol de soupe. Marya lui lisait une histoire. Francesca songea aussitôt qu'on était jeudi, et que Chris ne voyait habituellement pas son fils ce jour-là. De toute évidence, quelque chose n'allait pas.

Francesca posa son sac, s'assit à côté de lui avec un grand sourire. Elle avait envie de le serrer dans ses bras, mais ne voulait pas l'embarrasser.

— Je suis contente de te voir, Ian, dit-elle doucement en lui passant la main dans les cheveux.

Il posa sur elle des yeux si tristes qu'elle sentit son cœur se serrer douloureusement.

— Maman a été malade hier soir, expliqua-t-il calmement. Elle s'est endormie, et elle ne voulait plus se lever. J'ai essayé de la réveiller, mais je n'y suis pas arrivé. Il y avait beaucoup de sang. J'ai cru qu'elle était morte, et j'ai appelé le 911.

S'efforçant de dissimuler le choc causé par le récit du petit garçon, Francesca hocha la tête.

— Tu as dû avoir très peur.

Il acquiesça, et elle n'eut pas le courage de lui demander si sa maman était encore en vie. Il avait l'air d'un petit orphelin, et elle eut envie de l'entourer de ses bras pour le protéger, mais elle retint son geste.

— Elle est à l'hôpital, mais elle est très malade. Je vais devoir rester ici avec papa.

— Je suis contente que tu habites avec nous, dit doucement Francesca.

— Moi aussi, ajouta Marya. Tu vas m'aider à préparer mes cookies. Tu pourras en emporter à l'école, si tu veux.

L'enfant fit un signe de tête. Son père entra dans la cuisine, l'air aussi traumatisé que son fils. De larges cernes sombres soulignaient ses yeux. Il semblait exténué.

Chris s'assit à table et sourit à Ian, comme s'ils venaient de livrer ensemble une lutte contre la mort. Ce qui était sans doute le cas, à en juger par ce que Francesca venait d'entendre.

— Comment te sens-tu, petit champion ?

— Bien, répondit Ian, qui avait mangé très peu de soupe.

— Nous avons tous les deux besoin de nous coucher tôt et de dormir. Qu'en penses-tu ?

— D'accord, répondit Ian.

L'enfant heureux et plein de vie que Marya et Francesca connaissaient avait disparu. L'horreur de ce qui s'était passé se lisait sur son visage.

Marya lui pressa gentiment l'épaule. Chris lui lança un regard de gratitude ; elle s'était occupée de l'enfant toute l'après-midi. Un peu plus tard ce soir-là, Chris monta voir Francesca. L'air profondément malheureux, il prit place dans le fauteuil qu'elle lui désignait.

— Désolé pour tous ces drames. Pour nous, cela n'a rien de nouveau, mais c'est à chaque fois un choc. La mère de Ian est accro à l'héroïne. Hier soir, elle a fait une overdose. Elle m'avait dit qu'elle avait décroché, mais en réalité elle ne s'est jamais arrêtée. Je ne sais pas au juste ce qui s'est passé, je crois qu'elle a rencontré un gars pas très recommandable, ces derniers temps. Elle s'est shootée, s'est ouvert les veines, et a failli se vider de son sang sous les yeux de Ian. Il lui a sauvé la vie en appelant le 911. Les secours l'ont trouvé en train d'appuyer les doigts de toutes ses forces sur ses veines pour empêcher le sang de couler. Il était couvert de sang. Quand elle sortira de l'hôpital, elle fera une nouvelle cure de désintoxication. Je suis désolé de te raconter tout ça, Francesca. C'est assez glauque, et c'est surtout très dur pour Ian. Lorsqu'elle ira mieux, il retournera sans doute vivre avec elle. Cela me déplaît fortement, mais je n'y peux rien. Comme les juges n'aiment pas enlever les enfants à leur mère, jusqu'ici ils lui ont toujours laissé une chance de se reprendre. Et Ian est très loyal envers elle. C'est sa mère, et il l'aime. Chaque fois qu'il assiste à ce genre de scène, ça le démolit. Et moi aussi par contrecoup. Il y a eu un temps où j'aurais voulu la tuer pour ça. Maintenant, j'espère juste que notre fils s'en sortira sans voir sa vie détruite. Elle a bien failli détruire la mienne. J'aimerais obtenir sa garde exclusive, mais quand mon ex-femme n'est pas sous l'emprise de la drogue, elle s'exprime très bien et sait jouer la comédie, une véritable Mère Teresa. Les juges se laissent prendre à son jeu.

Il était au bord des larmes. Francesca imaginait ce qu'avait dû être leur vie maritale. Chris était bien la dernière personne qu'elle aurait soupçonnée d'avoir des liens avec une droguée. Il était si droit et si raisonnable. On ne pouvait jamais connaître la vie des gens, en réalité, songea Francesca. Et dire que Ian vivait encore dans cette atmosphère de cauchemar.

— Je suis monté te voir, poursuivit-il, car je ne sais pas combien de temps Ian va rester avec moi. Quand sa mère sortira de l'hôpital, elle est censée aller en cure de désintoxication. Si elle accepte, bien entendu. Elle le fera, mais rien ne dit qu'elle ne changera pas d'avis. Ian ne retournera pas vivre avec elle tant qu'elle n'aura pas subi tous les examens prouvant qu'elle est *clean*. Mais dans trois mois, elle peut replonger. Et un de ces jours, elle risque d'en mourir. Je t'avais dit que Ian ne viendrait ici que deux week-ends par mois, mais ça ne va plus être le cas pendant un certain temps. Je suis venu te demander si tu préférais que je m'en aille. Je comprendrais très bien que tu ne veuilles plus de nous.

Francesca le dévisagea, horrifiée.

— Tu plaisantes ? Tu crois vraiment que je te demanderais de partir, avec tout ce qui arrive à Ian ? Ton fils est le bienvenu ici. Il n'est pas question que tu déménages ! Nous aimons toutes Ian, et je veux faire tout ce que je peux pour lui. Il traverse un moment terrible, les circonstances sont très dures pour vous deux. Je suis navrée que vous vous retrouviez dans une telle situation.

— Et moi donc, répondit-il, hanté par la vision de son fils couvert de sang. Aucun gamin ne mérite de vivre une chose pareille. Si sa mère avait un peu de cœur, ou de jugeote, elle renoncerait à son droit de garde. Mais elle ne le fera pas. Elle a peur de la réaction de sa famille, et craint qu'elle ne lui donne plus d'argent. C'est pour cette raison qu'elle s'accroche à Ian. Elle n'est pas capable de s'en occuper, mais ses parents ne veulent pas qu'elle l'abandonne. Je dois me présenter au tribunal demain pour obtenir un droit de garde temporaire. Je suis malade à l'idée de le renvoyer chez elle lorsqu'elle semblera à nouveau *clean*. C'est la troisième fois qu'un drame de ce genre survient, et chaque fois qu'elle ressort de désintoxication, Ian lui est rendu. Le père de mon ex est un personnage très influent : cela pèse dans la balance au moment du jugement.

— Et Ian, que préfère-t-il ?

— Il a peur que sa mère meure s'il n'est pas là. C'est la deuxième fois qu'il lui sauve la vie. Mais un de ces jours il ne pourra rien faire, et elle mourra sous ses yeux, une seringue plantée dans le bras.

Des larmes roulèrent sur ses joues. Francesca se leva pour le serrer dans ses bras.

— Veux-tu que je t'accompagne au tribunal demain ?

Chris refusa d'un signe de tête.

— Je suis déjà passé par là, et je ne veux pas t'imposer une chose pareille. C'est mon problème, pas le tien. Merci de ton offre néanmoins, ton amitié me touche. Cela devrait aller très vite, ce n'est qu'une décision provisoire et son avocat ne pourra pas dire grand-chose, après ce qui s'est passé hier soir.

Francesca comprenait mieux à présent pourquoi Chris passait tant de temps seul. Traumatisé par tout ce que son ex-femme lui avait fait vivre, tout ce qu'il voulait à présent, c'était être avec Ian et mener une vie calme. Mais il savait aussi que s'il essayait d'éloigner définitivement l'enfant de sa mère, ce dernier se reprocherait toujours de ne pas être auprès d'elle pour la protéger. C'était un cauchemar. Les rôles étaient inversés : Ian était le soignant, et sa mère, l'enfant.

Ils parlèrent encore quelques minutes, puis Chris retourna dans son appartement. Cette nuit-là, Ian fit de terribles cauchemars. De sa chambre, Francesca entendit ses cris, puis la voix grave de Chris tentant de le consoler.

Le lendemain matin, Marya garda Ian tandis que Chris partait pour l'audience au tribunal. Avec son costume sombre et sa cravate, il avait l'air plus sérieux que jamais. Le cœur serré, Francesca le regarda monter dans un taxi. Ian n'ignorait rien de ce qui allait se passer. Il expliqua tout à Marya et à Francesca, leur disant qu'une fois sa maman sortie de l'hôpital, il devrait retourner chez elle pour veiller sur elle, sinon elle risquait de mourir. Il avait le regard le plus triste que Francesca ait jamais vu. Chris lui avait confié la veille que Ian voyait un psychothérapeute deux fois par semaine. Francesca trouvait criminel de faire subir un tel traitement, doublé d'un odieux chantage, à un enfant.

Ian avait pu parler à sa mère tôt le matin, au téléphone. Il savait qu'une fois qu'elle aurait quitté l'hôpital pour la cure de désintoxication, elle ne pourrait plus l'appeler jusqu'à ce qu'elle soit guérie et autorisée à sortir. Il pouvait se passer des mois avant qu'il l'ait de nouveau au téléphone, et cela représentait pour lui un chagrin de tous les instants. Assis sur les genoux de Marya qui l'entourait de ses bras, il semblait porter le deuil d'un être aimé. Il finit toutefois par se pelotonner contre Francesca et s'endormir. Il sommeillait toujours lorsque Chris rentra à la maison, à onze heures. Comme prévu, le juge lui avait accordé la garde temporaire. Il remercia Marya et Francesca à mi-voix, prit le garçonnet dans ses bras et monta dans sa chambre.

Francesca pensa à eux toute la journée. Elle aurait voulu faire quelque chose pour les aider de manière concrète, mais, à part être là pour les soutenir moralement, elle ne voyait pas comment. Le drame les avait rapprochés les uns des autres, et de véritables liens amicaux s'étaient noués. A présent, les habitants du 44 Charles Street formaient presque une famille.

9

Avec l'arrivée de Ian, l'atmosphère changea totalement, au 44 Charles Street. La maison devint un vrai foyer, abritant une famille et un enfant. Marya préparait les repas de Ian et le gardait quand Chris avait trop de travail pour s'occuper de lui après l'école. Francesca l'emmenait à la galerie, et organisait des sorties avec lui le week-end. Il adorait rencontrer les artistes et il était fasciné par les tableaux.

Eileen déployait ses talents d'éducatrice, jouait avec lui à des jeux extraordinaires, et lui apprenait à confectionner des origamis oiseaux. Sous la direction de la jeune femme, ils passèrent un week-end entier à fabriquer tous ensemble des marionnettes en papier mâché. La cuisine était sens dessus dessous, mais le résultat fut magnifique, et Ian était aux anges. Eileen savait étonnamment bien s'y prendre avec les enfants ; Ian la suivait partout, comme dans *Le Joueur de flûte de Hamelin*. Il allait dans sa chambre, et elle lui lisait ses histoires préférées. Du jour au lendemain, le garçon s'était découvert une nouvelle grand-mère et deux tantes. Chris était plein de gratitude.

Pour Pâques, ils peignirent tous ensemble des œufs, puis les rangèrent dans des petits paniers colorés et remplis de brins d'herbe en cellophane vert vif.

Avery et le père de Francesca vinrent dîner le dimanche de Pâques. Marya prépara, suivant la tradition, un somptueux jambon. La table était parsemée d'œufs multicolores au milieu desquels trônait un gigantesque œuf en chocolat, que Ian fut autorisé à manger en dessert.

L'enfant alla plusieurs fois rendre visite à sa grand-mère maternelle, mais c'était à Charles Street qu'il se sentait le plus aimé, et qu'il s'amusait le plus. Les trois femmes de la maison étaient folles de lui, et s'en occupaient chacune à sa manière.

Rayonnant de joie, Chris regardait son fils s'épanouir de jour en jour. Aussi fut-il extrêmement abattu le jour où il dut se rendre au tribunal, au cours du mois de mai. Son ex-femme venait de terminer sa cure de désintoxication. Quand Chris revint du tribunal, il était blême : une fois de plus, avec l'aide de son père, la mère de Ian avait réussi à convaincre le tribunal de lui rendre l'enfant. Elle était apparue devant le juge sous des traits angéliques, et rongée de remords. Chris était obligé de lui ramener leur fils dès le lendemain, et ils reprendraient le rythme des visites comme avant.

Ian leur dit tristement au revoir.

— On te voit le week-end prochain, dit Marya pour le consoler. Nous ferons des cookies aux amandes. A samedi, Ian.

La gorge nouée, Francesca le prit dans ses bras. Eileen lui offrit son ours en peluche. Chris et le petit garçon montèrent dans un taxi, et les trois femmes rentrèrent en pleurant dans la maison.

Lorsque Chris revint, il était ravagé par le chagrin. Il monta dans sa chambre, se mit au lit, et n'en bougea plus pendant deux jours. Marya lui monta des plateaux-repas pour le réconforter, mais il refusa de manger. Il vécut dans un état second jusqu'au week-end suivant. Ian revint alors passer deux jours à Charles Street, mais repartit le dimanche soir.

Les adultes reprirent leurs habitudes d'avant. Marya fit un saut dans le Vermont. Eileen se remit à sortir presque chaque soir, et Francesca se dit qu'il faudrait bien qu'elle voie du monde, elle aussi.

Mais durant les week-ends où le petit garçon venait à Charles Street, il concentrait toute l'attention. Chris était touché. Il avait trouvé une nouvelle famille, et trois amies sur qui il pouvait compter en cas de coup dur. Pour le moment, à en juger par les tests, son ex-femme était clean.

Juin fut un mois très chargé pour tout le monde. Marya travaillait à son livre, et ils avaient de nouveaux plats à déguster tous les soirs. Chris adorait la taquiner.

— Si je ne trouve pas chaque soir un menu cinq étoiles en rentrant à la maison, je suis frustré. J'ai dû prendre cinq kilos depuis que j'habite ici, déclara-t-il avec un petit sourire en coin.

— Tu en avais besoin, répliqua Marya, amusée.

Au fur et à mesure que le temps passait, Chris se détendait et semblait moins inquiet pour Ian, même s'il doutait toujours de la capacité de son ex-femme à rester *clean* très longtemps. Il savait que tôt ou tard, elle finirait par replonger. Il en avait eu l'expérience maintes fois en dix ans de vie commune. Ian n'était pas encore conçu quand il avait découvert que sa femme se droguait. Le seul moment où elle avait vraiment décroché, c'était pendant sa grossesse. Mais trois mois après la naissance, elle avait succombé à nouveau. Chris ne parvenait plus à croire qu'elle pouvait s'abstenir définitivement. Il avait la certitude que le pire pouvait arriver du jour au lendemain. Tout ce qu'il espérait, c'était que Ian ne serait pas là pour y assister.

Eileen leur amena un nouveau petit ami, de la catégorie des porteurs de piercings et de tatouages. La jeune femme balançait entre des jeunes gens BCBG travaillant dans la publicité, la banque, l'enseignement, ou d'autres secteurs conventionnels, et des excentriques qui gagnaient leur vie à la marge du monde artistique. Cette fois-ci toutefois, son nouveau copain était mécanicien spécialisé dans les motos. Francesca le trouvait d'une grossièreté insupportable. Certes, Brad était beau. Et sexy. Elle était consciente de l'attrait physique qu'il exerçait sur la jeune fille, mais il y avait chez lui quelque chose qui mettait tout le monde mal à l'aise. Il prétendait contrôler tous les faits et gestes d'Eileen, et celle-ci était flattée de cette tentative d'emprise qu'elle prenait pour une preuve d'amour. Pour Francesca, ce n'était que de la maltraitance. En outre, il n'hésitait pas à se moquer de la jeune femme devant eux, et à la rabaisser. Un matin, alors que Marya venait de préparer le petit déjeuner pour tout le monde, Brad avait parlé à Eileen sur un ton franchement désagréable. Francesca s'était hérissée, tandis que Eileen, mortifiée, contemplait son assiette sans piper mot. Elle n'aimait pas le contrarier.

— Pourquoi la traitez-vous ainsi ? lança Francesca d'un ton de défi.

— Qu'est-ce que ça peut vous faire ?

Il lui jeta un regard venimeux, cherchant visiblement à l'intimider. Sans succès. Il ne réussit qu'à la mettre encore plus en colère.

— C'est mesquin. Eileen est une fille formidable, et nous sommes ses amis. Pourquoi parlez-vous d'elle de cette façon ?

Brad avait traité Eileen à plusieurs reprises de gourde, ce qu'elle était loin d'être, sauf peut-être avec lui. Et le ton sur lequel il prononçait ce mot n'avait rien d'affectueux.

Un instant plus tard, Brad prit brutalement la cafetière des mains de Francesca. Il s'était senti humilié par son intervention. Une goutte de café brûlant tomba sur la main de Francesca. Visiblement, il l'avait fait exprès. La jeune femme poussa un cri perçant.

— Vous vous êtes brûlée ? demanda-t-il avec un sourire sarcastique. Désolé, ma chère.

Tout en parlant, il se servit, et retourna vers la table, sa tasse à la main. Il se heurta à Chris qui le défia du regard.

— Ne refaites plus jamais ce genre de chose, articula Chris. Nous formons une famille, ici. Nous nous serrons tous les coudes, et vous avez de la chance d'être là. Alors, vous feriez mieux d'être très aimable avec tout le monde, y compris Eileen. C'est compris ?

Francesca sentit l'animosité entre les deux hommes. Chris tremblait de colère. Brad lui lança un coup d'œil, jeta sa serviette sur la table, et sortit de la cuisine précipitamment. Eileen s'excusa, et courut après lui. Ils entendirent Brad l'insulter à la porte d'entrée, et un instant plus tard sa moto démarra dans un vrombissement sonore.

— Ce type est odieux, dit Chris, les mâchoires serrées. Il est dangereux. Je ne comprends pas ce que Eileen fait avec ce genre de mec.

Les autres habitants de Charles Street non plus. Sans doute Eileen était-elle victime du syndrome du mauvais garçon. Ou peut-être sortait-elle avec lui uniquement parce que l'occasion s'en était présentée, et qu'elle s'imaginait contrôler la situation. L'intervention de Chris suffirait peut-être à tenir Brad éloigné de la maison.

Ce mois-là, Francesca s'était mise, elle aussi, à fréquenter un garçon. Elle était sortie déjà trois fois avec lui, mais elle ne se sentait pas amoureuse.

C'était un artiste. Il avait des idées d'extrême gauche, et il tenait le père de Francesca pour un « traître », parce qu'il vendait ses toiles très cher. Selon lui, on ne devait travailler que pour l'art et le public, ce que Francesca trouvait exagéré. Néanmoins, il était drôle, intelligent, mais légèrement puéril, comme beaucoup d'artistes. D'une certaine façon, il lui rappelait un peu son père jeune : même allure, même charme, et aussi distrait.

Or elle n'avait pas la patience d'Avery et n'éprouvait aucun désir de le materner. Il lui suffisait de dîner en sa compagnie : elle se sentait de nouveau femme, ce qui était plutôt agréable.

Le lendemain de l'altercation entre Chris et Brad, Marya annonça le lancement d'une nouvelle recette. Ils promirent tous d'être là pour le dîner, enchantés de jouer les critiques gastronomiques. Cependant, au moment où ils prenaient place autour de la table, Eileen appela Francesca sur son téléphone mobile pour lui dire de ne pas l'attendre, car elle avait attrapé froid et qu'elle avait de la fièvre.

Elle n'avait pas quitté sa chambre de la journée, et Marya s'inquiéta.

— Pauvre petite. Je vais lui faire chauffer un bol de soupe.

Elle prépara un joli plateau, que Francesca monta jusqu'à sa chambre. La porte était fermée à clé. Eileen refusa d'ouvrir.

— Marya t'a préparé un repas, expliqua Francesca, de l'autre côté du battant.

Eileen répondit qu'elle était trop malade pour manger.

— Je n'ose pas redescendre le plateau à la cuisine, j'ai peur de la vexer.

— Pose-le devant la porte ! lança Eileen. Je ne veux pas te passer mes microbes.

— Pas de danger. J'ai une santé de fer.

Eileen persista dans son refus d'ouvrir la porte.

— Tu es sûre que tu te sens bien ? insista Francesca. Tu m'inquiètes. Laisse-moi entrer. Je t'ai aussi apporté du paracétamol.

— Mets-le sur le plateau. Je le prendrai plus tard.

Francesca l'entendit pleurer à travers la porte.

— Laisse-moi entrer, ordonna-t-elle.

Elle avait conscience de s'immiscer dans la vie privée de sa locataire, mais Eileen n'avait pas la voix de quelqu'un qui avait pris froid. Il y eut un long silence, chacune restant campée de part et d'autre de la porte. Francesca patienta. Elle entendit enfin le verrou tourner, et elle ouvrit elle-même la porte.

Eileen se tenait derrière, vêtue de sa chemise de nuit, pleurant en silence. Elle avait un œil au beurre noir et le visage tuméfié. Francesca aperçut aussi des bleus sur ses bras et sur sa poitrine. Elle avait été battue.

— C'est Brad qui t'a fait ça ?

Après un moment d'hésitation, Eileen hocha la tête et se mit à sangloter.

126

— Ne le dis à personne… je t'en prie, promets-moi que tu ne le diras pas… Il m'a reproché de l'avoir humilié devant tout le monde… et de ne pas avoir pris sa défense.

Francesca eut envie de pleurer, elle aussi, et serra Eileen dans ses bras tandis que celle-ci sanglotait de plus belle.

— Tu dois appeler la police.

— Il a dit qu'il me tuerait si j'allais voir la police, et je le crois. Jure-moi de ne rien faire, Francesca. Je ne le reverrai plus jamais, je te le promets.

— Je ne veux pas qu'il remette les pieds ici.

Francesca était grandement tentée d'appeler la police, mais elle ne voulait pas exposer Eileen davantage.

— Veux-tu que je t'emmène aux urgences ?

— Non, marmonna Eileen, d'un ton pitoyable. Ils seraient peut-être obligés de faire un rapport à la police. Je vais bien. J'ai déjà vécu ça, tu sais. Mon père est un alcoolique qui nous battait, ma mère et moi, quand j'étais petite. C'est à cause de lui que j'ai quitté la maison.

— Je suis désolée.

Francesca aurait voulu agir. Et d'abord, envoyer Brad là où était sa place : en prison.

— Eileen, tu ne peux pas continuer à fréquenter des types comme ça. Tu ne sais rien d'eux. C'est sans doute drôle et excitant de faire leur connaissance en ligne, mais regarde ce qui vient de t'arriver.

— Je ne le ferai plus, je te le jure, sanglota Eileen en se cramponnant à elle. Je t'en prie, ne m'oblige pas à partir. J'adore habiter ici. C'est le seul vrai foyer que j'aie eu jusqu'à maintenant.

Francesca eut le cœur serré en l'entendant parler ainsi.

— Alors, à partir de maintenant, tu dois être très prudente.

— Je te le promets... Je ferai attention...

Elle lui lança un regard coupable, et ajouta :

— Il m'a pris ma clé. J'ai essayé de l'en empêcher, mais il est parti en courant après m'avoir battue. Il m'a dit qu'il reviendrait et qu'il recommencerait si j'en parlais à quelqu'un.

— Je vais faire changer la serrure, déclara fermement Francesca.

Elle embrassa Eileen sur le front, lui promit de revenir après le dîner, et redescendit en hâte.

— Qu'est-ce qui se passe ? s'enquit Chris. Ça fait un bout de temps que tu es montée. Elle doit être drôlement malade.

— Malade comme un chien, confirma Francesca.

Elle ne voulait pas les alerter, et ne savait pas comment donner le change. Elle ne prononça pas un mot de tout le dîner, et Chris s'aperçut de son trouble. Quand Marya partit confectionner la chantilly et la crème anglaise pour accompagner le soufflé au chocolat, il lui demanda à voix basse.

— Que se passe-t-il ?

Francesca eut quelques secondes d'hésitation, puis se décida à tout lui raconter. Elle avait besoin de ses conseils.

— Brad l'a battue comme plâtre. Elle a le corps couvert d'hématomes, et un œil au beurre noir.

— Seigneur ! fit-il, furieux. Elle a appelé la police ?

Francesca secoua la tête.

— Il a dit qu'il la tuerait si elle en parlait à quelqu'un. Elle ne peut même pas aller travailler. Elle est dans un état pitoyable.

— Tu crois qu'elle devrait déménager ? demanda-t-il tandis que Marya, affairée avec le fouet électrique, ne pouvait entendre un mot de ce qu'ils disaient.

— Elle m'a suppliée de ne pas l'obliger à partir. Je lui ai dit qu'il n'était pas question qu'il remette les pieds ici. Il lui a pris sa clé, et je vais devoir faire changer la serrure dès demain. Pour ce soir, nous mettrons la chaîne de sécurité.

Chris soupira et se renversa contre le dossier de sa chaise.

— J'espère qu'elle n'est pas accro à ce type. La maltraitance physique est une des dépendances les plus dures à briser. Une des pires.

— A mon avis, c'est un hasard. Un mauvais garçon qu'elle a rencontré sur Internet. J'aimerais qu'elle renonce à cette habitude. C'est une gentille fille et elle ne pense pas à mal, mais elle nous met tous en danger autant qu'elle-même.

Marya arriva à ce moment avec le dessert. Francesca chipota, mais Chris engloutit à lui seul presque tout le soufflé. D'un commun accord, ils décidèrent de ne rien dire à Marya.

Puis Francesca remonta voir Eileen. La jeune fille était dans un état épouvantable, mais elle avait tout de même mangé un peu, et elle se sentait mieux. Elle fit mille promesses à Francesca.

Ce soir-là, Francesca mit la chaîne de sécurité. Chris appellerait le serrurier le lendemain. Ils ne pouvaient pas faire grand-chose de plus, à part se tenir sur leurs gardes, au cas où Brad tenterait de pénétrer dans la maison. Francesca avait prévenu Eileen qu'elle préviendrait la police s'il réapparaissait.

Elle eut du mal à trouver le sommeil cette nuit-là. Ses pensées revenaient sans cesse vers Eileen et son visage déformé par les hématomes. Qu'avait voulu dire Chris, au sujet de la dépendance à la maltraitance ? Qui pouvait bien aimer être battu ? Cela n'avait aucun sens.

Elle était sûre que cet épisode malheureux servirait de leçon à Eileen, et qu'elle resterait loin de Brad.

10

Chris fit changer la serrure, et Eileen prit une semaine de congé maladie. Elle expliqua à ses collègues qu'elle avait eu un accident de voiture, et finit par avouer à Marya ce qui lui était réellement arrivé. Choquée, celle-ci compatit aux malheurs d'Eileen qu'elle considérait comme une jeune fille douce et innocente. Même si elle se montrait imprudente en choisissant ses rencontres sur Internet, elle ne méritait pas pour autant d'être battue. Personne ne méritait cela. L'idée que les problèmes d'Eileen ne venaient pas seulement d'Internet effleura Francesca. Les sites étaient juste un espace de rencontre, comme un bar ou n'importe quel autre endroit public. Le vrai problème, c'était le manque de discernement d'Eileen sur les hommes, et l'attirance qu'elle éprouvait pour les plus mauvais d'entre eux.

Il leur fallut à tous un peu de temps pour se remettre de cet épisode.

Francesca continuait à sortir avec son artiste. C'était un homme agréable, mais Francesca se rendait compte qu'ils n'avaient strictement rien en commun. Elle ne tenait pas à refaire la même erreur qu'avec Todd, et elle décida de mettre un terme à leur relation. En fait, le célibat lui convenait, en dépit des remarques continuelles de sa mère.

Thalia lui conseilla d'aller consulter son psychiatre. Francesca répondit en riant qu'elle se sentait très bien. Elle n'était pas pressée de s'engager avec quelqu'un.

Peu de temps après, Todd l'appela à la galerie et lui annonça qu'il était fiancé. Cette nouvelle lui fit l'effet d'une douche froide.

— Déjà ? s'exclama-t-elle, stupéfaite. Il n'y a que cinq mois que tu es parti. Tu étais si pressé de te caser ?

— J'ai quarante et un ans. Je veux me marier et avoir des enfants.

— Est-ce la grande blonde avec qui je t'ai aperçu il y a quelques mois chez Christie's ?

Francesca se sentit brusquement très triste. C'était difficile d'admettre que Todd aimait une autre femme.

— Probablement. Nous nous fréquentons depuis le mois de février. Nous allons nous marier au début de l'année prochaine. J'ai préféré te l'annoncer avant la publication des bans. Tu es la première à l'apprendre.

— Merci, murmura-t-elle.

Elle aurait dû se réjouir pour lui, mais elle souffrait. Todd le savait. Elle lui souhaita bonne chance et passa le reste de la journée dans une sorte de brouillard cotonneux.

Elle était toujours aussi déprimée quand elle rentra à Charles Street. Elle croisa Chris, qui venait de déposer son projet chez un directeur artistique, un emballage pour lessive au design New Age.

Il parut content de la voir. C'était réconfortant pour tous les deux de se retrouver en rentrant le soir.

— La journée a été bonne ? lui demanda-t-il.

— Pas tellement. Todd m'a appelée pour m'annoncer ses fiançailles.

— Ah, c'est rude ! s'exclama Chris en la suivant dans l'entrée.

Ils n'avaient plus beaucoup de secrets l'un pour l'autre à présent, en dehors des rêves et des espoirs qu'ils gardaient pour eux. Depuis le drame provoqué par la mère de Ian, ils étaient devenus assez proches.

— La nouvelle t'a secouée ?

Francesca posa sur lui un regard un peu égaré. Elle ne s'attendait pas à ce que Todd s'engage avec une autre femme si tôt après leur séparation.

— Oui, un peu, avoua-t-elle sans détour. J'imagine que je devrais le prendre mieux et dire que je suis heureuse pour lui, mais je ne suis pas sûre que ce soit vrai. Je suis toujours triste que ça n'ait pas marché entre nous.

— Vous avez au moins eu la sagesse de l'admettre et de limiter les dégâts. Il m'a fallu dix ans pour faire la même chose. J'ai attendu que Kimberly ait presque détruit ma vie avec la sienne. Je voulais croire qu'elle finirait par surmonter son addiction et naïvement je croyais que je pourrais l'aider à guérir. Mais je me trompais : personne ne peut aider un drogué. Todd et toi, par contre, étiez des gens sains, seulement vous aviez des aspirations différentes. Il a trouvé quelqu'un qui lui correspond, et tu trouveras aussi. Vous ne vous êtes pas détruits mutuellement.

— Tu n'es pas trop vieux pour trouver quelqu'un d'autre, toi non plus, fit-elle remarquer gentiment.

— C'est vrai, je n'ai que trente-huit ans. Mais je suis trop meurtri par mon passé. Je ne crois pas que je serai capable à nouveau de faire confiance à quelqu'un. Kim couchait avec son dealer. Elle me mentait sans arrêt.

Les drogués peuvent être incroyablement convaincants, ce sont des affabulateurs extraordinaires. Ce qu'elle inflige à Ian me met hors de moi.

Francesca compatit d'un hochement de tête. Elle était sûre qu'ils finiraient l'un et l'autre par trouver l'âme sœur : ils étaient trop jeunes pour renoncer définitivement à l'amour.

— Allons voir ce que Marya nous a préparé ce soir, dit-il pour détendre l'atmosphère.

Ils offraient tous régulièrement de contribuer à la confection des repas, mais la plupart du temps Marya insistait pour s'en occuper. C'était un cadeau généreux de sa part, et ils l'appréciaient à sa juste valeur. Chaque fois qu'ils le pouvaient, ils la remerciaient par de petits présents. Et Chris apportait de très bons vins.

Francesca lui emboîta le pas et ils descendirent à la cuisine. Ils eurent la surprise d'y découvrir un grand et bel homme aux cheveux blancs et longs et aux yeux d'un bleu intense. Il les dévisagea un instant d'un air soupçonneux, puis son visage se fendit d'un large sourire.

— Vous devez être Chris et Francesca ? demanda-t-il avec un fort accent français.

Il se présenta sous le nom de Charles-Edouard Prunier, et Francesca se souvint qu'il était un chef français très connu. Marya apparut un instant plus tard et leur expliqua que Charles-Edouard, de passage à New York, préparait le repas ce soir ; ce serait à l'en croire une expérience inoubliable. Sur ce, il lui lança un coup d'œil malicieux.

Ils trinquèrent au champagne qu'il avait apporté. Eileen arriva quelques minutes plus tard avec des fleurs pour Marya et Francesca, et une bouteille de vin pour

Chris. Charles-Edouard leur apprit que Marya et lui se connaissaient depuis trente ans. De toute évidence, il avait le béguin, et il flirtait avec elle tout en cuisinant. Ce soir-là, Marya jouait les seconds. Elle découpait les légumes pendant qu'il jonglait avec une demi-douzaine de poêles et de saladiers. De temps à autre, elle lui adressait un sourire affectueux. Ils semblaient très à l'aise ensemble.

Le résultat fut stupéfiant. Les invités furent unanimes : c'était le dîner le plus extraordinaire de leur vie. Charles-Edouard était tout à la fois modeste, drôle, provocant, et il lançait sans cesse à Marya des regards langoureux qu'elle ignorait ostensiblement. Ils envisageaient d'écrire un livre ensemble sur les herbes de Provence et les différentes façons de les utiliser. Visiblement, le beau Français souhaitait collaborer avec elle dans bien d'autres domaines encore.

Après le repas, Chris et Charles-Edouard allèrent fumer un cigare dans le jardin, tandis que les trois femmes faisaient la vaisselle.

— Il est adorable, chuchota Francesca à Marya, et il est fou de toi. Alors, tu en penses quoi ?

Charles-Edouard et Marya semblaient à peu près du même âge, et elle trouvait qu'ils formaient un très beau couple.

— Ne sois pas idiote ! répliqua Marya avec un petit rire timide. Tu sais, il est marié ! Il a épousé une femme adorable, qui a été son second pendant des années. Il lui a toujours été infidèle.

A l'entendre, on aurait pu croire qu'elle parlait d'un de ses petits frères qui se conduisait mal.

— Tu crois qu'il divorcerait ?

— Bien sûr que non. Il est français et les Français ne divorcent pas. Ils trompent leur femme jusqu'à leur mort qui survient généralement dans le lit de leur maîtresse. Je ne pense pas que sa femme lui soit très fidèle non plus, et il prétend qu'ils n'ont jamais été heureux ensemble. Mais il couche avec toutes les femmes qu'il rencontre, dans toutes les cuisines où il met les pieds. Je ne tiens pas à entrer dans la danse. Je préfère le garder comme ami.

— C'est dommage. Il est adorable. Et très bel homme. Ne le présente surtout pas à ma mère, elle serait capable de lui mettre le grappin dessus et de le traîner chez l'avocat le plus proche pour le faire divorcer. Tu devrais peut-être envisager cette solution toi aussi.

Marya éclata de rire.

— Ta mère serait sans doute de taille à se mesurer à lui. Moi non. Je ne sais pas m'y prendre avec ce genre d'homme. John et moi sommes restés fidèles toute notre vie. Charles-Edouard est beau et attirant, mais c'est un très, très mauvais garçon !

— Il agit comme mon père avant son mariage avec Avery. Parfois, ces hommes-là finissent par changer, rétorqua Francesca.

— Oui, une fois sur un million. Je n'aime pas les paris. Je me contente de travailler avec lui, répondit fermement Marya. Comme cela, il est le problème d'une autre, pas le mien.

A ce moment, Chris et Charles-Edouard rentrèrent dans la cuisine, avec ce qui restait de leurs gros cigares cubains, que le fameux chef avait apportés en contrebande. Charles-Edouard remplit des verres de cognac et, tout en buvant, il déclara que cela faisait trente ans qu'il était amoureux de Marya. Il enveloppa celle-ci d'un regard d'adoration, et elle eut un petit rire moqueur. Elle prenait ses déclarations au second degré.

— Oui, tu es amoureux de moi et de dix mille autres femmes. Cela fait une longue liste, Charles-Edouard, le taquina-t-elle.

Il lui renvoya la balle avec un sourire malicieux :

— Peut-être, mais tu as toujours été en haut de la liste !

— C'est parce que tu sais que tu ne pourras jamais m'avoir. Et puis j'aime bien ta femme.

— Moi aussi, répliqua-t-il du tac au tac. Mais je ne suis pas amoureux d'elle. Je crois que je ne l'ai jamais été. Nous sommes bons amis, à présent. Une fois, elle m'a coursé avec un couteau de boucher.

Il désigna son entrejambe de la pointe de son cigare, et ils se mirent tous à rire.

— Depuis, je m'efforce d'être très gentil avec elle.

Il ajouta qu'il n'avait pas d'enfant, et qu'il n'avait jamais eu envie de devenir père.

— Je suis moi-même un enfant, avoua-t-il.

Il était absolument charmant. Grâce à lui, la soirée avait été magique, et il leur promit de cuisiner encore une fois pour eux avant de repartir pour Paris. Francesca regrettait qu'il ne soit pas libre pour Marya. Son amie semblait s'être épanouie au cours de la soirée, comme une fleur sous le soleil. C'était merveilleux de la voir ainsi, admirée par un homme. C'était une si jolie femme, si gentille et si talentueuse, que Francesca était triste de la savoir célibataire. Marya ne paraissait pas en souffrir, mais Francesca était sûre qu'elle devait parfois se sentir seule. A la différence de sa mère, elle ne claironnait pas sur tous les toits qu'elle cherchait un homme, et cela ne la rendait que plus attirante. Charles-Edouard était fou d'elle, mais il ne divorcerait sans doute jamais. Décidément, il était *très* français !

Francesca accompagna Chris devant son appartement après avoir souhaité une bonne nuit à Marya. Ils bavardèrent quelques minutes. Aucun des deux ne prononça le nom de Todd. Chris pour ne pas l'attrister, et Francesca parce qu'elle n'avait pas encore digéré la nouvelle du jour.

Quand chacun eut regagné sa chambre, il régna dans la maison un profond silence. Ils avaient tous beaucoup bu. Les vins étaient délicieux et issus de grands crus. Charles-Edouard leur avait servi un château-yquem avec le dessert, et le cognac les avait achevés. Ils étaient donc tous profondément endormis lorsque Eileen descendit l'escalier sur la pointe des pieds, ses stilettos à la main. Discrète comme une petite souris, elle ouvrit la porte d'entrée et la referma sans bruit derrière elle. Brad l'attendait dans la rue. Sa moto était garée devant le trottoir, et il avait l'air contrarié.

— Pourquoi as-tu mis si longtemps ? Ça fait une heure que je t'attends.

— Je suis désolée, dit-elle en lui lançant un regard craintif.

Elle arrivait à dissimuler les hématomes sous du maquillage à présent. Brad avait réussi à la persuader qu'elle avait bien mérité sa correction, car elle ne l'avait pas défendu comme elle l'aurait dû devant ses amis et ça lui avait « foutu les boules ». Son père aussi lui disait toujours que c'était sa faute s'il les poussait dans l'escalier, elle ou sa mère. Il lui avait cassé deux fois le bras.

— Il a fallu que j'attende que tout le monde soit couché, expliqua-t-elle.

Brad l'entraîna vers la moto, furieux.

— Quel âge tu as ? Douze ans ? Tu payes un loyer, non ? Cette pute n'a pas à te dire ce que tu dois faire.

— Cette maison lui appartient et elle peut me mettre à la porte quand elle veut.

— Putain !

Il lui tendit un casque. Une minute plus tard, la moto démarra en pétaradant. Eileen se cramponna à la taille de Brad. Comme elle avait catégoriquement refusé de le laisser monter chez elle, ils allaient chez lui. Eileen voulait se faire pardonner de l'avoir contrarié. Il avait raison, elle aurait dû prendre sa défenses. Il l'avait convaincue qu'elle était nulle. Ce soir, elle voulait lui prouver que ce n'était pas vrai.

11

Eileen rentra en catimini le lendemain matin, avant que les autres soient levés. Elle avait l'impression d'être une adolescente qui fait le mur. Brad ne l'avait pas ramenée à Charles Street, et de toute façon elle ne voulait pas qu'on entende sa moto dans la rue. Elle avait donc pris un taxi. Il était tôt, et elle avait amplement le temps de se doucher et de s'habiller avant de partir travailler.

Brad avait été incroyablement gentil, aimant, doux, et elle n'avait jamais eu autant de plaisir à faire l'amour. Elle trouvait dommage que les autres ne le connaissent pas mieux. C'était quelqu'un de bien. Ils avaient juste pris un mauvais départ. Mais, avec un peu de temps, elle espérait que Francesca s'adoucirait et qu'elle lui pardonnerait de l'avoir battue. Elle en tout cas lui avait déjà pardonné. Elle allait le revoir le soir même. Cette relation était grisante.

En début de soirée, tous les habitants de Charles Street vaquaient tranquillement à leurs occupations. Marya étudiait des recettes, Francesca faisait sa lessive, et Chris lisait dans son lit. Eileen annonça qu'elle sortait avec des collègues de travail. Ils avaient passé une soirée si tardive la veille avec Charles-Edouard qu'ils avaient décidé de se coucher tôt, et Marya, en prévision, avait laissé une marmite de soupe sur le feu à disposition. Francesca remontait avec un panier de linge propre quand Chris surgit de son appartement, paniqué et furieux à la fois.

— Kimberly a recommencé ! s'écria-t-il. Elle est dans le coma. Ian était présent. Sous le choc, il est devenu mutique. Il y avait aussi un gars avec elle, et il est mort. Les médecins disent qu'elle ne s'en sortira peut-être pas, cette fois.

Quelque part au fond de son cœur, Chris espérait cette issue funeste. Ce serait tellement plus simple pour Ian. Il dévala l'escalier et franchit la porte en courant.

Francesca les attendit une partie de la nuit. Ils finirent par arriver à quatre heures du matin. Chris tenait Ian, endormi, dans ses bras.

— Comment va-t-il ?

Chris était exténué.

— Il a prononcé quelques mots avant de s'endormir. Il a vu le gars mourir d'overdose, tu imagines le traumatisme ! Les médecins disent que Kimberly est responsable. Quand quelqu'un fait une overdose, les survivants sont accusés d'homicide. C'est pour cette raison que personne n'appelle les flics quand ça arrive. Elle va probablement être condamnée à une peine de prison, à moins que les avocats de son père ne parviennent une fois de plus à la sortir de ce mauvais pas.

— Comment est-elle ?

— Vivante, malheureusement, répliqua-t-il avec colère. Elle commençait à reprendre conscience quand je suis arrivé. Je ne peux pas laisser Ian vivre ce genre d'épreuve encore une fois.

Francesca le suivit dans sa chambre. Il déposa son fils toujours endormi sur le lit.

— Ils ont dû lui donner un sédatif, il était hystérique à l'hôpital. Il croyait que sa mère était morte. Cette fois, je vais me battre pour obtenir sa garde, et je gagnerai. Aucun juge sain d'esprit ne peut décider de lui donner la garde, après cela.

Francesca descendit dans la cuisine lui préparer une tasse de lait chaud. Elle remontait quand elle vit Eileen se faufiler discrètement dans la maison. Pour une soirée avec des collègues, cela se terminait bien tard ! Et à en juger par les vêtements qu'elle portait, il y avait fort à parier qu'elle était en réalité avec un homme. Francesca espéra qu'elle avait enfin trouvé quelqu'un de bien. L'air heureuse, Eileen monta rapidement dans sa chambre. Assis dans un fauteuil, Chris regardait Ian profondément endormi dans son lit lorsque Francesca le rejoignit.

— Si sa mère va en prison, ça va faire un drôle de grabuge, dit-il.

Mais si cela lui permettait d'avoir la garde de Ian, il ne s'en plaindrait pas. Son seul souci, c'était son fils. Il avait cessé depuis des années de s'inquiéter pour son ex-femme.

— Ne t'en fais pas, murmura Francesca dans la pénombre. Essaie de dormir, tu verras ça demain.

— Merci, dit-il à mi-voix.

Francesca regagna sa chambre.

Le mystère qui planait sur l'identité de la mère de Ian ne tarda pas à être levé. Le nom de celle-ci s'étala dès le jour suivant en première page des journaux. Kimberly Archibald appartenait à l'une des familles les plus en vue de la Côte Est. Son père était un important bailleur en capital-risque, qui avait réussi à amasser une immense fortune. L'article résumait à peu près ce que Chris avait déjà expliqué à Francesca. Son ex-femme était accusée d'homicide, à la suite de la mort chez elle d'un compagnon de défonce. D'après le journal, c'est elle qui avait acheté la drogue. Francesca fut sidérée quand elle lut le deuxième paragraphe, où apparaissait le nom de Chris. Il était écrit en toutes lettres que Kimberly avait divorcé de Christopher Harley, issu de la famille de politiciens du même nom, originaire de Boston. Plus important encore, la mère de Chris était une Calverson. Ceux-ci avaient des liens de parenté avec des sénateurs, des gouverneurs, et deux présidents. Le mariage de Chris et Kimberly avait uni deux des plus puissantes familles du pays, l'une dans la finance et l'autre dans la politique. Chris n'était pas un simple graphiste qui gagnait sa vie avec ses créations et louait un petit logement à Charles Street, comme Francesca l'avait cru. C'était l'héritier d'une grande famille, dont il semblait vouloir s'éloigner afin de mener une vie simple et tranquille. Il était d'une incroyable modestie.

Francesca cacha le journal dans un tiroir afin que Ian ne le voie pas quand il descendrait prendre son petit déjeuner. Marya ne savait pas ce qui s'était passé la veille. Elle fut surprise de voir l'enfant, mais ne fit aucune remarque sur sa pâleur inhabituelle et ses traits tirés. L'enfant ne prononça pas un mot pendant tout le petit déjeuner, même lorsqu'elle lui servit ses pancakes préférés en forme de Mickey Mouse. L'effet des calmants qu'on lui avait administrés la veille ne s'était pas totalement dissipé, il toucha à peine au contenu de son assiette.

— Que s'est-il passé ? chuchota Marya à Francesca quand Chris remonta dans la chambre avec son fils.

Francesca sortit le journal et le montra à Marya qui poussa une exclamation de stupeur en lisant l'article en une.

— Oh, mon Dieu ! J'espère que Chris va obtenir définitivement la garde de Ian, à présent !

— Ce serait logique, surtout si elle va en prison. Mais Chris pense que son beau-père va se démener pour que cela n'arrive pas.

— En tout cas Ian a une mine épouvantable.

— Il a vu un homme mourir et sa mère faire une overdose.

— C'est atroce.

Chris arriva sur ces entrefaites, sans son fils qu'il avait laissé dans la chambre, pour lire le journal. Quand il vit les titres, il pâlit et pinça les lèvres.

— Joli, hein ? dit-il d'un air sinistre.

Les événements étaient déjà assez dramatiques en eux-mêmes, mais il n'appréciait pas non plus que les journalistes aient étalé à la une son arbre généalogique. Il restait une chance pour que les gens qui le connaissaient au quotidien ne fassent pas la relation entre le nom d'une famille célèbre et lui. Et, fort heureusement, les journalistes avaient tenu compte des sept ans de Ian et s'étaient abstenus de dire qu'il se trouvait sur place au moment des faits.

— Brûle-le, tu veux bien ? demanda-t-il à Francesca avant de remonter chez lui.

Eileen était arrivée entre-temps ; Francesca lui expliqua rapidement la situation. Aucune des deux ne fit allusion à l'heure à laquelle la jeune femme était rentrée cette nuit-là, ni à son emploi du temps de la soirée. Francesca continuait de penser que cela ne la regardait pas, tant que Eileen ne les mettait pas en danger en ramenant n'importe qui à la maison.

Chris n'envoya pas Ian à l'école ce jour-là, et, quand Eileen et Francesca rentrèrent du travail, elles le trouvèrent encore très taciturne. Charles-Edouard avait passé la journée à Charles Street. Tout l'après-midi, Marya et lui avaient revu des recettes, et discuté du livre qu'ils allaient écrire à quatre mains. Il leur proposa de préparer un repas léger, il avait acheté des crabes bleus et quelques homards, et de la pâte à pizza pour Ian. Marya l'avait mis au courant pour le petit garçon.

Quand Ian descendit, Charles-Edouard lui demanda s'il voulait bien l'aider. Il lui mit un œuf dans sa main et lui ordonna de rester parfaitement immobile. Le regard dans le vague, Ian obéit. L'air extrêmement grave, Charles-Edouard fit soudain sortir l'œuf de l'oreille du petit garçon.

— Pourquoi tu as fait ça ? dit-il alors avec le plus grand sérieux. Je t'avais dit de tenir l'œuf dans ta main, pas de le mettre dans ton oreille !

Ian sourit malgré lui, oubliant un bref instant son chagrin.

— Allons, c'est très sérieux, reprit Charles-Edouard. Tiens bien cet œuf, s'il te plaît. Et cette fois, ne bouge pas. Ah, et prends une carotte dans l'autre main. Excellent. Ecoute bien mes instructions, je te prie, je suis le chef cuisinier.

Cette fois, l'œuf sembla sortir du nez de Ian, et la carotte du col de sa chemise. L'enfant éclata de rire. En l'espace de cinq minutes, Charles-Edouard l'avait complètement déridé avec ses tours de passe-passe. Bientôt, un autre œuf apparut sous son tee-shirt, et un citron dans la poche de son jean.

— Je ne peux vraiment pas te faire confiance ! s'exclama Charles-Edouard, avant de se mettre à jongler avec trois œufs, quelques légumes et deux cuillères.

Un des œufs finit par lui échapper et s'écraser sur le sol, ce qui fit hurler de rire le garçonnet. Charles-

Edouard fit mine d'être contrit, puis laissa tomber les deux autres œufs. Ian leva les yeux au ciel et le traita d'idiot. Tout le monde avait le sourire. Francesca les observait, les larmes aux yeux. Charles-Edouard était merveilleux ; était aussi doué dans son rôle de clown que derrière les fourneaux.

Marya nettoya le sol, et Charles-Edouard s'assit, en prenant Ian sur ses genoux.

— Tu veux bien m'aider à préparer le dîner ?

Ian acquiesça. Cinq minutes plus tard, après lui avoir calé une toque sur la tête, il lui expliqua comment faire cuire les crabes et le homard. Et quand il déposa les plats sur la table, il demanda des applaudissements pour son jeune second. Il lui avait aussi montré comment faire tourner la pâte de pizza en l'air, comme un vrai pizzaiolo. Une fois de plus, le dîner fut délicieux. Et surtout, Ian avait retrouvé sa langue.

Chris remercia chaleureusement Charles-Edouard lorsqu'ils sortirent fumer des cigares dans le jardin. Le chef de renommée mondiale avait fait plus pour son fils que tous les travailleurs sociaux et les psychiatres réunis.

Il proposa de revenir préparer un repas au cours du week-end, et Marya suggéra que Francesca invite sa mère, épreuve redoutable pour la jeune femme...

Comme elle s'en doutait, Thalia accepta l'invitation. Le lendemain, Chris dut se rendre à l'audience pour la garde de Ian et affronter le cirque médiatique. Les avocats de son ex-femme ne firent rien pour décourager les journalistes. Ils étaient trop occupés à essayer de faire tomber les charges d'homicide involontaire qui pesaient contre Kimberly. L'avocat de Chris les avait avertis qu'il exigeait la garde définitive de Ian. Le juge alla en ce sens.

Il fut question de l'affaire aux informations ce soir-là. La mère de Francesca l'appela dès la fin du journal télévisé.

— Sais-tu d'où il vient ? demanda-t-elle, impressionnée d'apprendre à quelle famille appartenait Chris.

Francesca, elle, était surtout impressionnée par sa modestie et sa discrétion.

— Oui, je sais.

— C'est l'une des familles les plus influentes du pays.

— Oui, il paraît. Il n'en parle jamais. Et cette affaire avec son ex-femme est très dure à vivre pour son fils et lui.

— Cette femme est dans un état déplorable. C'est désolant pour ses parents.

— C'est désolant pour son fils surtout. Il n'a que sept ans, et il a déjà vécu un nombre de traumatismes incroyables à cause d'elle.

Thalia ne fit pas de commentaire, et orienta la conversation vers des sujets plus agréables.

— Je n'en reviens pas que Charles-Edouard Prunier prépare le dîner chez toi demain soir. Il me tarde de faire sa connaissance. Comment as-tu fait ?

— C'est un ami de Marya.

— C'est vraiment bien d'avoir des locataires, répondit Thalia, comme si l'idée de louer des chambres était venue d'elle.

C'était ainsi que ça fonctionnait sa mère. Si les choses tournaient mal, elle n'était pas responsable. Mais si elles tournaient bien, elle s'arrogeait tout le mérite.

Francesca aurait aimé avoir également son père et Avery à sa table le lendemain, mais ses parents étaient plus agréables pris séparément. Parfois, Thalia cher-

chait à rivaliser avec Avery, ce qui mettait sa fille mal à
l'aise.

Sa mère arriva sur son trente et un. Elle portait une
robe noire courte et sexy, et des talons aiguilles.
Charles-Edouard ouvrit de grands yeux en la voyant, ce
qui amusa Marya. Cette dernière portait des mocassins,
un jean, et un sweater noir sous sa tunique de chef. Ian
avait remis sa toque et semblait enchanté.

Ils dégustèrent des capellini au caviar, et des cha-
teaubriands aux truffes noires et foie gras. Le repas fut
exquis. Thalia, un peu étourdie par le vin, flirta sans
retenue avec Charles-Edouard, comme sa fille le redoutait. Marya ne sembla pas en prendre ombrage.

— Il est merveilleux, n'est-ce pas ? dit Thalia à sa
fille, quand les hommes sortirent fumer, accompagnés
par Ian, bagues de cigare au doigt.

— Ne te mets pas dans tous tes états, maman, dit
Francesca d'un ton taquin. Il est marié. Et français. Ce
qui signifie qu'il ne divorcera pas.

— On ne sait jamais. On a déjà vu des choses plus
étranges se produire, répliqua Thalia sur le ton de la
confidence.

— Pas en France ! ripostèrent Marya et Francesca à
l'unisson.

Les deux femmes éclatèrent de rire. Eileen était sortie, prétextant un rendez-vous avec un nouveau copain.
Elle était très occupée et semblait heureuse. L'épisode
avec Brad était de l'histoire ancienne.

— C'est un très bel homme, vraiment charmant,
reprit Thalia, songeant à Charles-Edouard.

Francesca la fit brutalement retomber sur terre en
faisant remarquer qu'il était épris de Marya depuis des
années.

— Ce n'est pas juste ! fit Thalia en se tournant vers Marya. Vous ne voulez pas d'un homme, c'est vous-même qui me l'avez dit. Moi, j'en veux un, mais il est amoureux de vous.

— Il n'est amoureux de personne, répondit Marya d'un ton désinvolte. Il aime les femmes, en quantité. Nous sommes seulement de bons amis.

— Quel gaspillage, marmonna Thalia, maussade.

A ce moment, les hommes rentrèrent dans la cuisine, et elle fit de nouveau du charme au célèbre cuisinier. Malgré la gêne que sa mère lui causait parfois, Francesca devait admettre qu'elle était magnifique. Avec sa robe noire et ses hauts talons, elle faisait un effet sensationnel. Elle croisait et décroisait ostensiblement ses jambes à la grâce juvénile, mais Charles-Edouard n'avait d'yeux que pour Marya.

Thalia repartit, un peu dépitée. Pour une fois, son charme et sa beauté étaient restés sans effet. Charles-Edouard la trouvait très belle, mais ce n'était pas son genre. En tout cas, ils avaient passé une soirée merveilleuse, eu des conversations passionnantes autour d'un somptueux dîner. Charles-Edouard s'intéressait non seulement à la cuisine, mais aussi à l'histoire et à la littérature.

Le lendemain matin, personne ne travaillait. Charles-Edouard vint chercher Marya, car il voulait essayer avec elle un restaurant chinois. Il connaissait déjà le chef, qu'il avait eu l'occasion de rencontrer à Pékin. Chris et Ian avaient décidé d'aller jusqu'à l'étang pour voir les maquettes de bateaux. Francesca préférait rester à la maison, et Eileen n'était pas rentrée de sa soirée de la veille.

Francesca examinait les œuvres de nouveaux artistes sur des diapositives quand elle entendit la jeune femme

pénétrer dans l'entrée. Elle aperçut sa silhouette cour-
bée en deux sur la première marche de l'escalier et eut
un haut-le-corps. Eileen avait été battue de nouveau.

— Qui t'a mis dans cet état ? demanda-t-elle en lui
passant un bras autour de la taille pour la soutenir.

Pleurant à chaudes larmes, Eileen refusa de
répondre.

— Tu as revu Brad ?

Elle hocha lentement la tête.

— Il était tellement gentil, bredouilla-t-elle. Si affectueux. Et puis je l'ai contrarié, et il a cru que je me
moquais de lui. Il m'a dit que je l'avais humilié devant
ses amis.

— Eileen, jure-moi que tu vas te faire aider. Il ne
faut pas que tu le revoies.

— Je sais. De toute façon, il m'a dit qu'il ne voulait
plus jamais me revoir. Tout est fini entre nous, il ne
veut plus que je le rappelle. Il est parti.

Francesca savait que ce n'était pas vrai, qu'il ne partirait jamais. Il allait revenir. Pour la frapper de nouveau. Il fallait que ce soit Eileen qui le quitte. Et
Francesca craignait qu'elle n'en ait ni la force ni le
courage.

Elle l'aida à monter, et ne la quitta que lorsqu'elle
fut couchée. Puis elle redescendit, le cœur lourd. Les
craintes de Chris se révélaient exactes. Eileen était
accro à Brad.

12

Cette fois-ci, les occupants du 44 Charles Street témoignèrent moins de compassion envers Eileen, même si Marya lui monta pendant cinq jours de la soupe et des purées de légumes, et lui fit un sermon très maternel. Brad lui avait non seulement fait les yeux au beurre noir, mais il l'avait frappée tellement fort au visage que plusieurs dents étaient déchaussées. Elle dut se rendre deux fois chez le dentiste en l'espace de trois jours. Francesca lui parla aussi très fermement, et la supplia de se faire aider. Chris, lui, ne voulait plus rien avoir à faire avec elle.

— J'en ai par-dessus la tête des dingues, des drogués, et des gens qui s'autodétruisent, dit-il à Francesca. Elle est accro à ce type. Même si tu l'enchaînes au mur de sa chambre, elle trouvera le moyen de s'enfuir pour aller le voir, et il la battra de nouveau. C'est une malade. J'ai vécu le même problème avec Kim et la drogue. Tu ne peux pas guérir ces gens-là, et à la fin c'est toi qui auras le cœur brisé.

— Je ne peux pourtant pas rester assise là sans rien faire, protesta Francesca, un peu choquée par la froideur de Chris.

— Tu perds ton temps. Il faudrait d'abord qu'elle veuille de ton aide. Tant qu'elle n'en aura pas envie, rien de ce que tu pourras dire ou faire n'aura d'effet.

Eileen offrait une image pitoyable. C'était une fille trop gentille, qui n'avait aucune estime de soi ; son père la lui avait ôtée à coups de poing. La maltraitance lui semblait normale, elle pensait la mériter.

Ses employeurs perdirent patience. Elle fut obligée de prendre une nouvelle semaine de congé, avant de pouvoir dissimuler ses hématomes sous du maquillage. Mais quand elle retourna au travail, ce fut pour être licenciée.

Francesca commençait à se rendre compte que Chris avait raison. La maltraitance pouvait être une addiction. Eileen était en état de manque, bien que Brad l'ait battue. Et elle refusait de se faire aider. Francesca espéra que Brad se tiendrait à distance assez longtemps pour permettre à Eileen de se désintoxiquer. Celle-ci demandait sans cesse à Francesca si elle pensait qu'il allait la rappeler. C'était malsain.

— J'espère que non, lui répondait systématiquement Francesca.

La mère de Ian exigea qu'on lui amène son fils en prison. Chris refusa tout net. Deux psychiatres abondèrent dans son sens. L'enfant était heureux, et menait une vie normale avec son père. Chris et lui avaient des occupations saines, qui convenaient à un enfant de son âge.

Charles-Edouard passait beaucoup de temps à Charles Street, pour voir Marya et préparer leur livre. Chaque fois qu'il était là, Ian le suivait comme son ombre. Il apprenait au petit garçon à parler français, et à cuisiner des plats simples. Il savait merveilleusement s'y prendre avec les enfants, bien qu'il n'en ait lui-même jamais voulu.

Ian adorait ses tours de magie. Chaque fois qu'il faisait semblant de sortir un œuf de son oreille, Ian le suppliait de recommencer, et le grand chef de cuisine s'exécutait.

— Il est souvent là ces temps-ci, tu ne trouves pas ? dit Francesca avec désinvolture, un jour qu'elle se trouvait seule dans la cuisine avec Marya.

— Nous travaillons à notre livre, répondit celle-ci d'un ton innocent.

— Tu es sûre qu'il est aussi attaché à sa femme que tu le dis ?

Ils allaient si bien ensemble ! Francesca aurait été ravie que Charles-Edouard se mette en couple avec Marya. Mais celle-ci ne tenait pas du tout à avoir une aventure avec un homme marié, et Charles-Edouard le savait, même s'il la poursuivait de ses assiduités depuis trente ans. Marya se contentait de rire et de se moquer de lui, lui rappelant régulièrement l'existence de sa femme.

Charles-Edouard devait repartir à Paris à la fin du mois, pour gagner ensuite le sud de la France. Marya prévoyait de l'y rejoindre en juillet, afin de poursuivre avec lui l'élaboration de leur livre. Ensuite, elle comptait se rendre en Espagne et en Italie, pour rencontrer des chefs et visiter des restaurants dont elle souhaitait étudier la cuisine. Puis elle passerait le mois d'août dans le Vermont, et reviendrait à New York en septembre. Elle allait donc s'absenter pendant plus de deux mois, et Francesca savait déjà qu'elle allait lui manquer. Elle-même n'avait encore aucun projet pour l'été.

Marya lui avait suggéré de l'accompagner en Europe. Sa mère également. Mais elle avait plutôt envie d'aller faire du bateau dans le Maine avec des amis, comme elle et Todd l'avaient fait chaque été pendant quatre ans. C'étaient ses amis à lui, mais ils étaient devenus les siens. Todd projetait aussi de leur rendre visite avec sa fiancée, mais à un autre moment.

« Ce n'est pas sain, lui avait fait remarquer sa mère. Tu continues de faire les mêmes activités qu'avec lui. Tu dois passer à autre chose. »

Sa mère allait comme chaque année à Saint-Tropez et en Sardaigne. Elle était, elle aussi, une créature d'habitudes.

Chris ajouta son grain de sel.

— Tu es sûre de vouloir aller au même endroit que lui, même si vous choisissez des périodes différentes ? Je trouve cela un peu risqué.

Francesca s'entêta.

— J'adore faire du bateau.

— Tu pourrais venir nous rendre visite, à Ian et moi, à Martha's Vineyard. Cela nous ferait plaisir.

Chris comptait passer tout juillet et la plus grande partie du mois d'août là-bas avec son fils. Sa famille possédait une immense propriété, mais Francesca ne se serait pas sentie à sa place. Chris était seulement un ami. Et maintenant qu'elle en savait plus sur ses parents, elle les trouvait terriblement intimidants.

Elle aurait bien aimé se rendre dans un ranch du Montana ou du Wyoming, pour visiter le parc national de Grand Teton, mais elle n'avait pas envie de voyager seule.

Le plus facile, c'était donc de retourner dans le Maine, solution qui avait le mérite, en outre, de ne pas être trop onéreuse. Elle refusait de voir les implications psychologiques de son attachement à la routine estivale qu'elle avait eue avec Todd, et aussi le fait qu'elle vivait dans leur maison et continuait à tenir la galerie créée ensemble.

— Tu devrais peut-être lâcher un truc ou deux, suggéra gentiment Chris.

Elle était dans une impasse. Mais elle ne voulait pas l'admettre ni même se l'avouer en secret. Quelques jours de voile dans le Maine l'aideraient au moins à changer d'air et de paysage. Elle décida donc d'y passer les trois premières semaines d'août.

Eileen était la seule à ne pas avoir de projet pour l'été. Comme elle avait perdu son emploi, elle n'avait plus les moyens de prendre des vacances. Francesca lui suggéra d'aller voir sa famille à San Diego, mais elle n'en avait pas envie. Après tout ce que Eileen lui avait raconté sur son père, Francesca pouvait comprendre. La jeune femme avait envoyé des C.V. à plusieurs écoles spécialisées, et jusqu'ici aucune ne lui avait répondu. Les références de son employeur précédent n'étaient pas fameuses en raison de ses trop nombreux arrêts maladie. Tout cela, à cause de Brad. Non seulement il l'avait battue, mais il lui avait aussi fait perdre son gagne-pain. Eileen était toujours sans nouvelles de lui, au grand soulagement de Francesca. Peut-être avait-il définitivement disparu de la circulation.

Chris n'était pas aussi naïf.

— Un homme violent ne perd jamais de vue sa proie. Il reviendra.

— Il s'est peut-être trouvé une autre femme à maltraiter, répondit Francesca avec cynisme.

— Il reviendra quand même.

C'est à peine si Chris adressait la parole à Eileen désormais. Son comportement lui rappelait douloureusement son ex-femme. Il pensait que l'addiction d'Eileen à la maltraitance était pathologique. Maintenant qu'elle n'avait plus de travail, elle passait le plus clair de son temps au lit à pleurer et à penser à Brad. Francesca voyait bien qu'elle était en train de perdre pied, mais elle n'avait aucun moyen de la ramener à la raison.

Charles-Edouard fut le premier à quitter la petite famille de Charles Street, laissant un grand vide derrière lui. Le quotidien était bien plus drôle quand l'exubérant Français était là. Marya avoua qu'il lui manquait, mais elle savait qu'elle allait le retrouver quelques semaines plus tard en Provence.

— Peut-être quittera-t-il sa femme cet été, hasarda Francesca, pleine d'espoir.

Marya se contenta de rire.

— Il n'y a pas de place dans ma vie pour un conjoint. J'aime ma vie telle qu'elle est, et d'autre part, je suis trop vieille.

Francesca ne put s'empêcher de la comparer une fois de plus à sa mère. Comme elles étaient différentes ! Thalia ne vivait que dans l'espoir de rencontrer un homme à Saint-Tropez ou à Porto Cervo. Elle resterait absente au moins deux mois, comme chaque année, et elle avait prévu de retrouver des amis un peu partout. Elle avait même rendez-vous à Venise pour une immense réception. Ses étés étaient toujours beaucoup plus intéressants que ceux de sa fille.

Chris et Ian partirent à Martha's Vineyard pour le week-end du 4-Juillet, fête nationale. La famille de Chris avait prévu d'organiser des pique-niques, des barbecues et des matchs de football, et Ian passerait l'été avec ses cousins, loin des épreuves qu'il avait subies avec sa mère. Il y avait toujours des fêtes et des réceptions à Vineyard, et Chris y retrouverait ses vieux amis. Il évitait soigneusement ce genre de vie pendant l'année, mais les vacances venues, il se laissait aller. Ses parents seraient là, et bien qu'il ne soit pas très proche d'eux, ceux-ci avaient envie de voir leur petit-fils. Au retour, Ian rendrait visite à ses grands-parents maternels, à Newport. Chris détestait ce lieu, qu'il trouvait trop mondain, mais il avait promis à ses beaux-parents de leur laisser Ian tout un week-end. Il n'en ferait pas davantage. Ils continuaient à défendre résolument leur fille, reprochaient à Chris de l'avoir quittée, et niaient qu'elle ait des problèmes, bien que leur position devienne de plus en plus difficile à tenir à présent, avec les accusations d'homicide qui pesaient sur elle. Kimberly était toujours derrière les barreaux et, en dépit des manœuvres de son père, le juge avait refusé de lui accorder la liberté sous caution. Sa cure de désintoxication se faisait donc en prison.

Marya partit pour la France le 10 juillet, afin de fêter sur place l'anniversaire de la prise de la Bastille. Elle passerait quelques jours dans la capitale, et en profiterait pour rendre visite à ses copains cuisiniers, dont certains tenaient les meilleurs restaurants de Paris. Elle avait fait ses études là-bas dans sa jeunesse, et elle y avait encore des amis chers. Ensuite, elle s'acheminerait vers la Provence pour se mettre au travail avec Charles-Edouard.

Une fois qu'ils furent partis, un silence de mort envahit la maison de Charles Street. Francesca en profita pour faire effectuer quelques réparations, et se reposer. Elle rentrait de la galerie plus tôt, l'activité étant quasi nulle en été. Ils ne vendaient jamais rien en juillet, et elle décida de fermer la plus grande partie du mois d'août. Elle mit ce temps libre à profit pour classer ses dossiers et visionner les diapos de nouveaux artistes.

Mais la maison lui faisait l'effet d'un tombeau. Poussée par l'ennui, elle commit l'erreur de sortir un soir avec l'un de ses artistes. Ils burent plus que de raison, et le garçon fondit en larmes en évoquant la petite amie avec laquelle il venait de rompre. Francesca finit la soirée encore plus déprimée. Le peintre l'appela le lendemain pour s'excuser. Ce fiasco lui rappela qu'elle ne devait pas sortir avec les artistes qu'elle exposait.

Bien qu'elle n'eût toujours pas trouvé de nouveau job, Eileen paraissait un peu moins triste. Néanmoins, elle avait encore des sentiments pour Brad, et Francesca avait décidé de ne plus aborder ce sujet avec elle, refusant d'alimenter par sa conversation la névrose d'Eileen. Elles dînèrent quelquefois ensemble dans une ambiance tranquille. Francesca avait la sensation qu'il existait un lien profond entre elles. L'innocence naturelle d'Eileen et sa douceur lui déchiraient le cœur. Elle était si confiante, si affectueuse, si ouverte. Elle manquait des défenses nécessaires pour se protéger du monde extérieur. Francesca aurait voulu qu'elle se durcisse un peu, qu'elle soit moins vulnérable, mais alors elle n'aurait peut-être plus été la jeune femme qu'elle appréciait.

Comme elle se sentait coupable de la laisser seule pendant trois semaines, elle lui proposa de venir avec elle dans le Maine. Eileen refusa, affirmant qu'elle se débrouillerait très bien. Elle avait recommencé à se faire des amis *via* Internet, ce qui mettait Francesca très mal à l'aise, sans qu'elle se sente le droit d'intervenir. Internet était l'épicentre de l'existence d'Eileen, c'est là qu'elle trouvait tous ses amis. Elle était reliée constamment à l'ordinateur comme par un cordon ombilical. La génération d'Eileen ne savait communiquer que par e-mail ou texto, à la différence de celle de Francesca, qui préférait prendre son téléphone pour appeler les gens et entendre leur voix. Seul hic : Eileen semblait attirer comme un aimant les types louches.

Le dernier soir, Francesca l'invita à dîner au restaurant. Elles se rendirent à Waverly Inn et passèrent une bonne soirée. Il y avait encore beaucoup de monde à New York. Eileen était plus gaie, et d'humeur plus légère qu'elle ne l'avait été ces derniers temps. Francesca lui confia que la maison lui faisait l'effet d'un pensionnat que tout le monde quitte l'été pour rentrer chez soi, avant de se rappeler que Eileen, elle, n'avait nulle part où aller. Eileen lui expliqua qu'elle comptait aller à la plage quand sa recherche de travail lui en laisserait le temps. Tout irait bien. D'ailleurs, elle avait besoin d'être un peu seule.

Francesca eut malgré tout le cœur serré en prenant son taxi pour l'aéroport le lendemain. Debout sur le perron, Eileen agitait la main en souriant. Avec son short en coton et ses nattes, on aurait dit une petite fille.

Lorsque Eileen rentra dans la maison, son téléphone sonnait. Elle prit la communication. C'était Brad.

13

L'été passa à toute allure.

Ce fut Marya qui effectua le plus grand périple. Elle fit le trajet de Paris jusqu'en Provence en voiture, se rendit à Saint-Paul-de-Vence, et passa un week-end à Antibes avec des amis. Puis elle prit l'avion à Nice et gagna l'Espagne pour rendre visite à son ami Ferran Adrià au restaurant El Bulli, à Roses, où il proposait des créations innovantes. Il avait inventé la cuisine moléculaire, qui consistait à transformer la nourriture et à la reconstituer. Son restaurant était fermé depuis un certain temps, et il pensait le rouvrir après s'être livré à quelques recherches gastronomiques. Marya était fascinée depuis toujours par ses idées et son génie créateur. De là, elle se rendit à Florence, à Bologne, à Venise, à Padoue, à Rome, puis elle retourna passer quelques jours à Paris. Marya avait des amis partout, et ceux-ci furent comme d'habitude enchantés de la voir.

De retour dans le Vermont, elle fut heureuse de se retrouver chez elle, de dormir dans son lit, d'être dans sa cuisine, bien qu'elle ressentît profondément l'absence de son mari. Cela faisait un an qu'il avait disparu, et il lui manquait toujours autant, en dépit de ses journées bien remplies.

Néanmoins, elle avait passé un été très agréable.

Avec Charles-Edouard, elle avait sillonné la Provence, ce qui leur avait permis de découvrir de nouvelles recettes. Ils étaient prêts à soumettre le plan de leur livre à leur éditeur, et pensaient se mettre à écrire dès septembre. Marya ajouta deux nouveaux chapitres alors qu'elle était dans le Vermont, puis elle partit pour le New Hampshire. Les nuits étaient déjà fraîches et l'air sentait l'automne. Les feuilles tombaient en virevoltant sur les routes de campagne qu'elle parcourait en voiture. Elle resta un peu plus de temps que prévu chez ses amis à North Conway, avant de rentrer sans se presser. En arrivant chez elle, elle fut stupéfaite de découvrir Charles-Edouard qui l'attendait sur le perron. Ses cheveux étaient plus longs et plus décoiffés que jamais, et ses yeux d'un bleu aussi pur que le ciel du Vermont.

Il semblait à la fois impatient et soulagé de la voir arriver.

— Que fais-tu ici ? demanda-t-elle, sidérée. Je te croyais à Saint-Tropez.

Il possédait une maison à Ramatuelle, où il avait prévu de passer le mois d'août. Marya n'avait plus eu de ses nouvelles depuis leur séjour en Provence, et ne s'attendait pas à en avoir. Ils avaient prévu de se rappeler à son retour à New York.

A peine eut-elle mis le pied sur la première marche, qu'il se mit à lui raconter d'une voix précipitée :

— Elle m'a quitté pour un de mes seconds ! Tu le crois, ça ? Elle a fait ses valises et elle est partie en un clin d'œil.

— De qui parles-tu ?

Tout d'abord, Marya crut qu'il parlait de la chef de cuisine qui tenait son restaurant à Paris. Cela faisait des années qu'il avait avec elle une relation orageuse, et elle le menaçait à tout bout de champ de rendre son tablier.

— De ma femme. Arielle, répondit-il, l'air outragé.

— Ta femme t'a quitté pour ton sous-chef ? bredouilla-t-elle, abasourdie.

— Elle veut divorcer. J'ai reçu une lettre de son avocat il y a cinq jours. J'ai pris le premier avion, mais j'ai trouvé porte close en arrivant ici.

— Tu aurais pu me téléphoner pour me raconter tout ça...

— Je tenais à le faire de vive voix.

Marya fouilla dans son sac, en sortit ses clés et déverrouilla la porte.

— Pourquoi ? Notre éditeur n'est pas encore rentré de vacances. Au fait, j'ai ajouté deux chapitres la semaine dernière. Je pense qu'ils te plairont. L'un est dédié entièrement aux épices et à leur usage, et l'autre aux poissons.

— Je ne suis pas venu pour te parler de poisson, maugréa-t-il, à mi-voix.

— Alors, que fais-tu ici ?

Elle fit distraitement le tour du rez-de-chaussée, et alla s'asseoir dans le canapé. Charles-Edouard prit place à côté d'elle et la regarda dans les yeux.

— Je suis venu te dire en personne que je suis un homme libre. Pendant trente ans, tu as refusé de me prendre au sérieux sous prétexte que j'étais marié, et toi aussi. Maintenant je ne le suis plus, ou du moins je ne le serai plus dans peu de temps. Elle veut épouser cet idiot, et ça m'est égal. Cela fait des années que je ne l'aime plus. Marya, je suis tombé amoureux de toi au premier regard. Et je ne te laisserai plus repousser mes avances. Je t'aime. Tu es une femme merveilleuse, et un grand chef cuisinier. Tu es aussi la seule femme que je connaisse pour qui j'ai envie d'être fidèle. Je ne partirai pas d'ici tant que tu n'auras pas accepté de m'épouser. Voilà ce que je suis venu te dire.

Sur ces mots, il l'embrassa. Etourdie, le souffle coupé, elle ne sut que répondre. Puis elle se mit à rire.

— Charles-Edouard Prunier, tu es complètement fou. Fou à lier. Je t'adore, moi aussi, mais je ne veux pas me remarier. A notre âge, on ne se marie pas. Je serais la risée de tout le monde, et toi aussi.

Son cœur palpitait, elle était émue. Elle avait toujours éprouvé une grande tendresse pour Charles-Edouard, tout en s'interdisant de tomber amoureuse de lui. Et aujourd'hui, les obstacles avaient disparu.

— Je m'en moque, riposta-t-il avec un regard ardent. L'amour n'a pas d'âge. Tu pourrais avoir cent ans, ça me serait égal. Tu avais trente ans quand je t'ai rencontrée, et je n'ai jamais cessé de t'aimer. Mais je n'ai pas envie d'attendre trente ans de plus.

Il l'embrassa de nouveau. Malgré elle, elle lui rendit son baiser, et les sentiments qu'elle s'efforçait d'ignorer depuis si longtemps firent surface. Elle avait pourtant profondément aimé son mari de son vivant.

Elle posa sur Charles-Edouard un regard consterné.

— Mon Dieu, qu'allons-nous faire ?

— Ce qu'il convient de faire dans ce genre de situation. Nous marier.

Marya éclata de rire.

— Certainement pas.

— Oh que si, rétorqua-t-il. Je ne renoncerai pas.

— Tu es fou. Je persiste à dire que nous sommes trop vieux.

— Pas du tout. D'ailleurs, je veux avoir un bébé avec toi.

Elle rit de plus belle, et il ajouta :

— Ou bien écrire des livres. Ou faire ce que tu voudras. Pour ton information, j'ai décidé de laisser la maison de Ramatuelle à ma femme, ainsi que notre appartement parisien. Je n'ai jamais aimé le quartier. Je préfère aller ailleurs. J'achèterai un bel appartement pour toi.

— Attends une seconde. Calmons-nous. Tu parles sérieusement ?

Décontenancée, elle ne parvenait pas à voir s'il plaisantait ou non.

— Crois-tu que je serais venu faire le pied de grue tous les jours de la semaine sur le perron, sans raison ? J'ai attendu ce moment toute ma vie, Marya.

— Si tu parles sérieusement, alors j'ai besoin de temps pour réfléchir. Je ne suis pas sûre de vouloir me marier.

— Pourquoi pas ? Ne me réponds pas que tu es trop vieille. Je refuse d'entendre cette bêtise.

— Je ne crois pas que nous ayons besoin de nous marier. Tu es français, et les Français ont des aventures. Nous pourrions avoir une aventure pendant trente ans. Ce serait peut-être suffisant.

— Quoi ? Ce n'est pas du tout ton genre, répliqua-t-il, faisant mine d'être choqué.

— Je ne sais pas. J'ai atteint un moment de ma vie où cela me dit bien.

Elle qui n'avait jamais eu l'intention de vivre avec un autre homme que son mari se retrouvait à parler mariage et aventures !

— Nous pourrions essayer quelque temps, et voir comment ça marche ? suggéra-t-elle avec le plus grand sérieux. Je ne tiens pas à épouser un homme qui me trompera, et je sais bien que tu as vécu comme ça toute ta vie. Tu n'as jamais été fidèle à Arielle.

— Ce sont mes parents qui m'ont poussé à l'épouser. Elle ne m'aimait pas non plus. Et je te fais la promesse solennelle de rester fidèle.

Il paraissait sincère, mais elle n'était pas sûre qu'il soit capable de tenir parole.

— Prouve-le-moi. Si tu es fidèle, si tu ne triches pas, je t'épouserai... peut-être.

Elle jouait les coquettes, et trouvait cela absolument délicieux. A presque soixante ans, un très beau Français lui déclarait sa flamme et la demandait en mariage. Cette idée commençait à lui plaire.

— Qui fera la cuisine, si nous nous marions ? demanda-t-elle avec un sourire en coin.

La question le fit réfléchir.

— Tous les deux. Nous la ferons ensemble, finit-il par répondre.

— Mais qui sera second ? Toi ou moi ?

— Toi. Tu es une femme.

— Tu es terriblement macho ! s'exclama-t-elle, ravie.

Elle s'amusait beaucoup, et lui aussi. Elle se sentait très jeune, tout à coup.

Ce soir-là, il l'invita à dîner, et ils parlèrent de leurs projets. Allaient-ils vivre à Paris ou à New York ? Ils décidèrent qu'ils préféraient la capitale française. Marya avait eu toute sa vie envie de résider là-bas. Charles-Edouard déclara qu'ils achèteraient un appartement sur la rive gauche, dans le sixième ou le septième arrondissement.

Sur le chemin du retour, ils n'avaient toujours pas réglé la question du mariage. Marya tenait vraiment à tester sa fidélité, et Charles-Edouard n'avait aucune expérience dans ce domaine ! Il fallait à Marya quelques mois pour voir s'il pouvait changer de comportement. Si c'était le cas, elle laissa entendre qu'elle partirait à

Paris avec lui vers la fin de l'année, et ils décideraient ensuite s'ils se mariaient ou non. Charles-Edouard lui proposa de passer quelques mois à New York avec elle. Ils en profiteraient pour écrire leur livre.

Ensuite, tout se passa très naturellement. Ils allèrent jusque dans la chambre, leurs vêtements disparurent comme par enchantement, et ils se retrouvèrent dans les bras l'un de l'autre. Ils eurent l'impression d'avoir été ensemble toute leur vie, et de pouvoir le rester pendant les cent prochaines années.

Marya eut l'exquise sensation de redevenir une très jeune fille.

Des vacances en famille, c'était exactement ce dont Ian avait besoin cette année, et elles firent également un très grand bien à Chris. Son fils put redevenir un petit garçon comme les autres, qui jouait avec ses cousins et allait nager tous les jours. Il prit des leçons de ski nautique, et se fit plein d'amis. Sa vie était si normale et insouciante qu'il en oublia presque que sa maman était en prison. Kimberly l'appelait une fois par semaine. Chris redoutait ces coups de fil, car ils ramenaient Ian à la réalité, et lui rappelaient les épreuves pénibles qu'il avait traversées. Mais à Vineyard, ses blessures commencèrent à guérir. Cependant, les conversations entre Chris et sa famille au sujet de Kimberly étaient toujours très désagréables pour lui. Ses parents étaient d'avis qu'il fallait complètement retirer Ian à sa mère, même si cela signifiait le mettre en pension, ce que Chris refusait d'envisager une seule seconde. Ian était beaucoup trop jeune, et il entendait garder son fils auprès de lui. Ses parents n'étaient pas d'accord.

— Tu ne lui offres pas un vrai foyer, déclara sévèrement sa mère un jour, après le déjeuner. C'est un fait, même si je ne comprends pas pourquoi tu agis ainsi. Tu vis dans une maison avec des colocataires, comme un étudiant. Tu as un enfant, Chris, et si tu n'es pas capable de lui donner un foyer normal, tu dois l'envoyer en pension. Ou alors, prends un appartement et une gouvernante pour veiller sur lui. Plus il sera loin de sa mère, mieux cela vaudra. Il faudrait qu'il la voie le moins possible.

Si Chris était d'accord sur ce dernier point, il était farouchement opposé aux autres suggestions de sa mère. Ian était son fils, pas celui de ses parents. Il était facile pour eux de critiquer, ce qui agaçait d'autant plus Chris qu'ils ne s'investissaient pas personnellement dans l'éducation de leur petit-fils. Néanmoins ils pensaient avoir le droit de donner leur avis sur la façon dont Chris élevait Ian, et d'exprimer leur désapprobation.

— Je ne vis pas en communauté, rétorqua-t-il vivement. Mes colocataires sont des personnes merveilleuses et intelligentes, qui procurent à Ian une grande ouverture sur la vie. Bien plus que n'importe quelle gouvernante ne saurait le faire. Je me suis installé là avant que Ian ne vienne vivre avec moi, parce que je n'avais pas envie de prendre un appartement et que je trouvais cela plus pratique. Et à présent, je vois tout ce que ces gens apportent à Ian. Ce serait une perte pour nous deux, si nous déménagions.

Sa mère ne fut pas convaincue par ses arguments.

— Tout cela est un peu trop moderne pour moi, dit-elle avec brusquerie. Les enfants ont besoin d'un père, d'une mère, et d'un vrai foyer. Dans un cas comme le tien, avec une mère comme Kimberly, Ian est certainement mieux seul avec toi. A condition que tu puisses le faire vivre d'une façon saine et normale, certainement pas dans une chambre, chez quelqu'un d'autre. Je suis désolée, mais je ne te comprends pas du tout, Chris. Ce n'est pas comme si tu n'avais pas les moyens d'avoir un appartement à toi. C'est de la pure paresse de ta part, et c'est Ian qui payera les pots cassés, plus tard. Que peut-il raconter à ses camarades à l'école ? Comment explique-t-il la présence de ces gens ? Tu es trop vieux pour vivre en colocation, Chris, tu as un enfant.

— J'en suis bien conscient, mère, répondit Chris avec froideur.

Son père lui avait fait les mêmes remarques, à plusieurs reprises. Il prétendait que son « style de vie alternatif » ne convenait pas à un enfant. Ils avaient tous deux des idées très conservatrices, et le fait que Chris loue une chambre dans West Village et y fasse vivre leur petit-fils leur semblait totalement déplacé. Son père le traitait d'irresponsable, et sa mère ne le jugeait pas mieux. Il ne pouvait leur expliquer la gentillesse et les soins attentifs que Francesca, Marya et Eileen déployaient envers Ian. Même Charles-Edouard s'était montré adorable avec lui. Ian ne vivait pas seul avec son père, il faisait partie d'une tribu. Chris avait le sentiment que c'était le meilleur antidote contre toutes les souffrances que sa mère lui avait infligées. Par ailleurs, personne ne niait l'irresponsabilité pathologique de Kimberly. Néanmoins, c'était la mère de Ian, le petit garçon l'aimait et il avait le droit de la voir, tant que cela se passait dans de bonnes conditions et qu'il ne courait aucun danger.

Ses parents auraient préféré que Kimberly ne se remette pas de son overdose. Ils pensaient que Ian s'en serait trouvé beaucoup mieux s'il avait pu laisser tout ça derrière lui et passer à autre chose. La réalité n'était pas aussi simple.

— J'espère que tu réfléchiras à l'idée de la pension, répéta sa mère en voyant Chris se renfrogner.

Il détestait ce genre de conversations avec ses parents. Ils se souciaient plus de ce qui était « convenable » que du bien de l'enfant. C'est ainsi qu'ils avaient élevé leur propre fils, et tout ce qu'ils avaient réussi à faire, c'était de donner à Chris un profond dégoût pour leur style de vie et tout ce qu'il représentait.

Chris avait beaucoup de respect pour les traditions familiales, il appréciait les vacances à Vineyard, où la famille se réunissait, toutes générations confondues. C'était pour cette raison qu'il revenait chaque année. En revanche, il ne supportait pas que ses parents s'accrochent à leurs idées d'un autre âge, qui ne lui étaient d'aucune aide dans sa situation. Jamais il n'enverrait Ian en pension. Son fils avait non seulement un père, mais aussi toute une maisonnée qui se souciait de son bien-être et lui tenait compagnie. Les parents de Chris étaient loin d'en faire autant. Ils aimaient recevoir leurs petits-enfants à condition que leurs parents ou une gouvernante s'en occupent. Ils gardaient leurs distances, n'essayaient pas vraiment de communiquer avec eux ou de les connaître. Chris n'avait jamais vu sa mère prendre un de ses petits-enfants dans ses bras. Et tout ce qui intéressait son père, c'était de leur demander comment ils travaillaient à l'école et quel était leur sport préféré.

Chris n'avait jamais été proche d'eux. C'était même pour cette raison qu'il avait fini par quitter Boston pour s'installer à New York. Il étouffait. Ses parents l'aimaient, mais il avait été privé de contacts affectifs pendant son enfance ; il ne voulait pas que Ian vive la même chose. Il commettait peut-être des erreurs dans l'éducation de son fils, mais au moins il lui donnait l'amour et l'attention dont il avait lui-même tellement manqué.

Pour ses parents, la dignité et le standing de la famille avaient toujours été plus importants que le bonheur de leurs enfants. Ils n'avaient pas agi ainsi par méchanceté ou même par indifférence. Ils avaient eux-mêmes grandi et vécu avec tant de contraintes, de conventions sociales et d'obligations, qu'ils ne s'en libéreraient jamais. Ils continuaient de vivre comme les générations qui les avaient précédés, gouvernés par des règles qui ne signifiaient plus rien pour leur fils.

Adulte, Chris n'avait plus eu qu'une idée en tête : échapper à tout cela. Ce qui, dans son milieu, avait fait de lui un rebelle, un inadapté social. Il continuait de venir voir ses parents pour les vacances et les fêtes, mais il s'arrêtait là. Son séjour à Vineyard cet été se révélait particulièrement épineux, ses parents se sentant autorisés à lui faire des remarques sur sa vie et celle de Ian. Ses problèmes récurrents avec Kimberly faisaient de lui une cible facile.

Parfois, Chris pensait à Francesca. Charles Street lui manquait. S'il obtenait la garde complète de Ian, il envisageait de prendre un appartement, mais il craignait que son fils et lui ne se sentent très seuls. Marya et Francesca, deux véritables baby-sitters, s'occupaient tendrement de Ian. Eileen était aussi pour Ian une amie affectueuse, même si Chris avait des réserves à son sujet. Quoi qu'il en soit, ils trouvaient tous beaucoup d'avantages à vivre ainsi ensemble.

Chris n'avait pas de nouvelles des trois femmes, mais il espérait qu'elles se reposaient tout en profitant de leurs vacances. Sa visite aux parents de Kimberly à Newport fut une étape déplaisante. Il ne supporta pas de les entendre se lamenter sur le sort de leur fille. Son père faisait tout son possible pour la faire sortir de prison, sans succès jusque-là. Ils parlaient d'elle à Ian comme d'une sainte et martyre.

Ian savait que ses parents ne s'entendaient pas et il avait deviné que Chris n'aimait pas les parents de sa maman. Il savait aussi que ses grands-parents paternels n'aimaient pas Kimberly. Tout le monde en voulait à quelqu'un, et cela ne lui plaisait pas du tout.

Il parlait très souvent de Francesca et de Marya, et quelquefois d'Eileen. Quand on lui demandait qui elles étaient, il répondait qu'elles étaient ses amies. Il confia à Chris qu'il lui tardait de rentrer pour manger de nouveau les pancakes de Marya en forme de Mickey Mouse. Ils rirent en pensant à Charles-Edouard et à ses tours de magie. Ian n'oublierait pas la fois où il avait laissé tomber tous les œufs sur le sol de la cuisine.

Tout bien considéré, les vacances eurent l'effet escompté. Ian grandit de plusieurs centimètres, et Chris finit par se détendre. Bien qu'ils soient moins proches qu'autrefois, il appréciait la compagnie de son frère et de sa sœur, qui ressemblaient beaucoup à leurs parents et n'avaient jamais brisé le moule dans lequel ils avaient grandi. Ian adorait le bateau de ses grands-parents, un beau voilier avec quatre cabines et un large pont en teck. Il passait presque tout son temps à bord en compagnie de ses cousins. Chris savait qu'il allait bientôt devoir recommencer à se battre pour la garde de son fils. Il était bien décidé à remporter la bataille.

Francesca passa quelques jours de liberté et d'insouciance dans le Maine. Les amis de Todd étaient merveilleux. Ils ne firent jamais allusion à Todd ni à sa fiancée, venus la semaine précédente et avec qui ils avaient passé de bons moments. Ils appréciaient tout autant la compagnie de Francesca, qui put se détendre, s'amuser, et oublier la galerie. Elle n'avait qu'à penser au vent dans les voiles du bateau, à l'heure du dîner qui approchait, à sa préférence pour le homard ou le steak. De vraies vacances.

Elle ne reçut pas un seul appel sur son portable, ni même de texto ou de mail. Son BlackBerry demeura silencieux tout au long de ces trois semaines. Exactement ce dont elle avait besoin. Toutefois, sa mère avait raison. L'année prochaine, il faudrait qu'elle innove. Finalement, c'était un peu bizarre de passer ses vacances avec les amis de Todd, et de marcher dans ses pas. Elle irait en Europe. Ou ailleurs, seule. Elle était presque prête à franchir le cap.

A la fin du séjour, Francesca remercia longuement ses hôtes. Elle prit l'avion à Bangor pour Boston, où elle fit escale avant de regagner New York.

Lorsque l'avion atterrit à La Guardia, ses pensées étaient tournées vers Chris et Ian. Ils étaient partis depuis longtemps, et ils lui manquaient. Il lui tardait de revoir la petite frimousse de Ian, et de parler avec Chris. Comment la mère de Ian supportait-elle son séjour en prison ?

Un taxi la ramena en ville. Bronzée et les cheveux plus blonds que jamais, elle se sentait heureuse et détendue. Il lui semblait être partie depuis des mois, et la maison lui parut douillette et confortable de l'extérieur. Tout en faisant tourner la clé dans la serrure, elle se demanda si Eileen avait retrouvé un emploi. Il fallait espérer que l'été s'était bien passé pour elle. Eileen n'avait répondu à aucun de ses messages.

A peine Francesca fut-elle entrée qu'elle éprouva une sensation étrange. Tout semblait pourtant en ordre dans la maison. Sans qu'elle sache pourquoi, les poils de ses bras se hérissèrent et un frisson glacé lui parcourut le dos. Sa réaction lui parut stupide. Rien n'avait changé de place, et cependant elle avait l'impression d'une présence. Elle appela Eileen, sans réponse. En se retournant, elle s'aperçut que la porte de sa salle de séjour était ouverte et qu'une chaise avait été brisée contre le mur. Elle se figea. Quelque chose n'allait pas. Son instinct la poussa à fuir. Elle se précipita vers la porte d'entrée et se rua dehors. Une fois sur le perron, elle inspira de grandes bouffées d'air. Elle tremblait comme une feuille, sans pouvoir expliquer pourquoi.

Un instant, elle songea à appeler Todd, mais n'osa pas. Ne sachant vers qui se tourner, elle composa le numéro de Chris pour lui demander conseil et se calmer. Son téléphone à la main, elle descendit l'escalier et s'assit sur la première marche. Il y avait beaucoup de bruit autour de Chris quand il répondit. C'est à peine si elle l'entendait. Elle avait l'impression qu'il se trouvait sur un terrain de jeux, entouré d'enfants, ce qui n'était pas loin de la vérité. De fait, il lui apprit qu'il était dans la propriété familiale, et que la nombreuse progéniture de ses cousins jouait autour de lui. Il parut content d'entendre sa voix.

Elle se sentait vaguement idiote, à présent. Tout allait sans doute très bien dans la maison. Mais elle ne pouvait expliquer pourquoi une chaise avait été brisée dans le salon, et elle avait toujours la chair de poule.

S'agissait-il d'un cambriolage ? Mais dans ce cas, pourquoi Eileen ne l'avait-elle pas avertie ?

— J'ai passé d'excellentes vacances, commença-t-elle. Et toi ?

— Formidables. Nous sommes descendus à Newport il y a quelques jours, et c'est notre dernier week-end ici. Tu ne vas pas reconnaître Ian. Il mesure près de trois mètres !

Francesca sourit et inspira longuement pour se ressaisir.

— Je suis désolée de te déranger, je me sens un peu idiote de t'appeler maintenant. Mais je suis rentrée à la maison il y a cinq minutes et j'ai eu une sensation bizarre en franchissant la porte. Cela va te sembler un peu dingue, mais la porte de mon salon était ouverte et apparemment quelqu'un a fracassé une chaise. J'ai trouvé ça tellement étrange, tellement inquiétant que je suis ressortie illico. Et même si je me sens complètement débile, j'ai peur de retourner à l'intérieur. Imagine qu'il y ait quelqu'un ? Des intrus, des cambrioleurs ? Eileen n'a pas l'air d'être là.

L'alarme n'était pas branchée. Francesca n'avait même pas pensé à téléphoner à Eileen avant de rentrer, une stupidité de plus. Et maintenant, elle se trouvait vraiment nulle d'appeler Chris à la rescousse, comme une « demoiselle en détresse », une froussarde assise sur le perron de sa maison. Cependant elle était terrifiée.

Chris répondit sans un moment d'hésitation :

— Fie-toi à ton instinct. Ne retourne pas à l'intérieur. Et appelle les flics. Il y a beaucoup de cambriolages l'été.

— Ils vont me prendre pour une folle !

— Il vaut mieux passer pour une folle que d'être agressée par un cambrioleur. Rappelle-moi quand ils seront là.

— D'accord.

Francesca raccrocha et appela la police en expliquant la situation.

Les policiers promirent d'arriver très vite. A peine cinq minutes plus tard, une voiture de patrouille avec deux hommes s'arrêta à sa hauteur. Francesca leur raconta l'impression bizarre qu'elle avait eue en entrant et ce qu'elle avait vu dans le salon. Ils lui dirent d'attendre à l'extérieur. Ils lui demandèrent si quelqu'un d'autre vivait là. Elle décrivit rapidement les autres occupants et expliqua qu'ils étaient partis en vacances à l'exception d'Eileen qui se trouvait peut-être au travail en ce moment, à moins qu'elle ne dorme dans sa chambre, au dernier étage. Elle décrivit également la distribution des pièces.

Les deux policiers pénétrèrent chez elle, visiblement sur leurs gardes, la main posée sur leur arme. De toute évidence, ils prenaient ses craintes au sérieux. Francesca eut envie de rappeler Chris tandis qu'elle attendait, mais elle n'osa pas le déranger une nouvelle fois, de peur de passer pour une hystérique. Il était plus que probable que les policiers ne trouvent rien d'autre que la chaise cassée. Elle se détendit un peu : pas de coups de feu, pas de cambrioleur cherchant à fuir par la porte ou la fenêtre, c'était en toute probabilité une fausse alerte et la chaise démolie le fait d'un copain d'Eileen qui avait pété les plombs après avoir trop bu.

Vingt longues minutes s'écoulèrent avant que l'un des deux policiers ressorte. Il descendit lentement les marches, et posa sur Francesca un regard indéchiffrable. Son coéquipier était resté à l'intérieur.

175

— Tout va bien ? demanda-t-elle avec un sourire gêné, craignant de les avoir dérangés pour rien.

— Votre instinct ne vous avait pas trompée, répondit l'homme d'une voix grave. La locataire du dernier étage est morte.

Eileen ? Oh, mon Dieu. Non, ce n'était pas possible. Francesca sentit le sol se dérober sous ses pieds. Le policier lui prit le bras pour la ramener vers les marches et l'aida à s'asseoir. Elle était si pâle, qu'il lui dit de pencher la tête entre ses jambes. Il fallut une minute à Francesca pour reprendre son souffle.

— Elle ne peut pas être morte, murmura-t-elle d'une voix étouffée. Elle n'a que vingt-trois ans.

— Apparemment elle est décédée depuis au moins trois jours. Elle a été violemment battue, puis étranglée. Nous ne savons pas encore si elle a été violée, mais c'est possible. Elle est nue dans son lit. Avait-elle un petit copain ? Un ex-mari ? Visiblement, ce n'est pas l'œuvre d'un inconnu ni d'un cambrioleur. Presque rien n'a été touché dans la maison. Nous n'avons trouvé que deux chaises renversées.

Francesca le contemplait, les yeux écarquillés.

— Elle avait un petit ami très violent, mais ils avaient rompu. Il l'avait battue à deux reprises. Je suis partie en vacances il y a trois semaines, et je crois qu'elle ne l'avait pas revu depuis le mois de juin. Je ne sais pas… Je pense qu'elle ne m'a pas tout dit. Ce doit être lui qui a fait ça… ou bien un homme qu'elle a rencontré sur Internet… elle surfait beaucoup sur les sites de rencontre…

L'homme avait sorti un calepin et prenait des notes. Le deuxième agent avait appelé des renforts. Trois voitures de police et une ambulance arrivèrent pendant qu'ils parlaient.

— Vous connaissez le nom du petit ami ? interrogea le policier, tandis que les autres s'engouffraient dans la maison.

— Brad. Brad Turner. C'était vraiment un sale type.

— Vous savez où il travaille ?

— Non. Tout ce que je sais, c'est qu'il est mécanicien moto, et qu'il a beaucoup de tatouages.

— Seriez-vous capable de les décrire ?

Francesca ferma les yeux, tentant de se concentrer. Elle tremblait de tous ses membres, et avait envie de vomir.

— Un aigle... une rose... un gros serpent sur un bras... une espèce de truc chinois... je ne me souviens pas des autres.

Elle rouvrit les yeux, obsédée par l'idée que Eileen était morte là-haut dans sa chambre.

Le policier la regarda d'un air navré.

— Je suis désolé, mais quelqu'un doit identifier le corps, pour que nous soyons sûrs que c'est bien elle. Vous pensez pouvoir le faire ?

Francesca fut effarée.

— Je suis obligée ?

Elle ne voulait pas voir Eileen comme ça. Elle n'avait encore jamais vu de mort.

— Nous ne voudrions pas faire d'erreur sur l'identité de la personne.

Francesca hocha la tête, et vit une autre voiture de police arriver. Sa maison était devenue une scène de crime, et grouillait de policiers. Celui qui l'avait interrogée entra un instant dans le hall, et elle en profita pour rappeler Chris, tenant le téléphone d'une main tremblante.

Celui-ci répondit immédiatement.

— Francesca ? Alors, qu'ont-ils dit ? La voie est
libre ?

Un long silence s'écoula avant qu'elle parvienne à
articuler un mot.

— Eileen est morte, Chris. Elle a été battue, étranglée, et peut-être violée. Ils l'ont trouvée nue dans son
lit. Elle a dû revoir Brad après mon départ. Ou bien
quelqu'un d'autre aussi dangereux que lui.

Chris garda le silence un moment, le temps d'amor-
tir le choc.

— C'est affreux.

— Ce n'était qu'une enfant. Ils veulent que j'identifie
le corps. Je ne suis pas sûre d'y arriver. Ils disent que ce
n'est peut-être pas elle.

Elle voulait s'accrocher encore à un filet d'espoir.
Chris ne doutait pas une seconde qu'il s'agissait
d'Eileen, et au fond d'elle-même Francesca n'en doutait pas non plus.

— Veux-tu que je revienne tout de suite ? proposa
Chris. Je peux être là en quelques heures.

— Non, ne fais rien. Cela ne servirait qu'à perturber
Ian. Quand avais-tu prévu de rentrer ?

— Dans trois jours. Mais je peux écourter mon
séjour et arriver demain. Je crois que tu ne devrais pas
rester seule.

— Il n'est pas question que je dorme ici. J'irai à
l'hôtel.

— Je suis désolé que tu sois obligée d'identifier le
corps. S'ils peuvent attendre un peu, je m'en occuperai
à mon retour.

Cela ne l'enchantait pas, mais pour Francesca, il
l'aurait fait.

— Non, cela ne peut pas attendre, ils doivent avertir
ses parents.

Son père ne serait probablement pas attristé par la nouvelle. Mais Eileen avait une mère et cinq frères et sœurs, qui devaient être mis au courant. Elle avait donné le numéro de sa mère à Francesca, au cas où elle aurait eu un accident.

Deux des policiers sortirent à ce moment et lui proposèrent d'entrer dans la maison, si elle s'en sentait la force. Ils avaient allongé le corps sur un brancard et l'avaient recouvert d'un drap et d'une couverture, avant de le descendre dans le hall. Ils demandèrent à Francesca si elle était prête. Elle acquiesça d'un signe de tête en agrippant la main de l'agent à côté d'elle. Celui-ci lui passa un bras dans le dos pour la soutenir.

L'un des policiers rabattit le drap. C'était bien Eileen. Son visage était réduit en bouillie, mais elle la reconnut sans doute possible. Elle hocha la tête, et ils emportèrent le brancard.

Francesca se laissa tomber sur le sol. On l'emmena dans l'une des voitures de police. Elle songea un instant de manière absurde que les voisins devaient croire qu'on venait de l'arrêter. On lui offrit une bouteille d'eau. Elle pleurait à chaudes larmes quand elle rappela Chris.

— C'est elle. Il l'a tellement battue qu'elle est défigurée.

— Je suis vraiment navré, Francesca. Je vais laisser Ian ici avec ses cousins et revenir en ville, qu'en penses-tu ? Je n'aime pas te savoir seule.

— Merci, parvint-elle à murmurer avant de couper la communication.

Elle se pencha à l'extérieur et vomit.

Les policiers emmenèrent Francesca au commissariat, et prirent sa déposition. Ils exécutèrent un portrait-robot de Brad sur ordinateur selon sa description, et lancèrent un avis de recherche. Ensuite, après être allés chercher le numéro de téléphone dans le bureau de Francesca, ils appelèrent la mère d'Eileen. Puis la maison fut mise sous scellés.

La mère d'Eileen voulait que sa fille soit incinérée, et ses cendres envoyées à San Diego. Il n'y aurait ni enterrement ni service religieux à New York. Eileen n'y avait pas d'amis, en dehors des habitants de la maison et des hommes dénichés sur Internet. Cette obsession des rencontres en ligne avait fini par la tuer. Francesca se dit que s'il n'y avait pas eu Brad, cela aurait été un autre. La jeune femme prenait trop de risques.

Francesca ne pouvait croire que l'adorable jeune fille aux nattes rousses et aux taches de rousseur était morte. Elle se remémora le jour de son départ en vacances : Eileen lui faisait signe de la main sur le seuil de la maison.

Les policiers emmenèrent Francesca à l'hôtel Gansevoort. Elle prit une chambre et s'assit sur le lit, tremblante. Lorsque Chris la rappela, il lui sembla qu'une éternité s'était écoulée. Elle avait perdu toute notion du temps. Chris venait d'arriver à New York, et voulait savoir où elle se trouvait. Quand elle ouvrit la porte pour le laisser entrer, elle s'effondra en larmes dans ses bras. Il la tint serrée contre lui avant de s'asseoir avec elle sur le lit.

— Quelle idiote, cette gamine.

Ce fut tout ce qu'il parvint à dire. Il était à la fois triste et furieux. Ce qui était arrivé à Eileen aurait aussi bien pu arriver à son ex-femme. Un jour, on la retrouverait morte avec une seringue plantée dans le bras, et Ian serait ravagé par le chagrin. Il détestait ces femmes pour les risques qu'elles prenaient, le mal qu'elles faisaient, les cœurs qu'elles brisaient, et les larmes qu'elles faisaient couler.

Francesca s'endormit cette nuit-là dans ses bras. Il resta allongé à côté d'elle, l'enlaçant comme il le faisait avec Ian quand celui-ci avait du chagrin. Le lendemain matin, la police appela Francesca. Ils avaient retrouvé Brad. Ses empreintes correspondaient à celles retrouvées sur la scène du crime. Des tests ADN allaient être pratiqués, mais toutes les pièces du puzzle se mettaient en place. Les preuves concordaient.

Brad avait tué Eileen.

14

Francesca se réveilla groggy, les idées confuses, et avec l'impression qu'il s'agissait d'un mauvais rêve. Elle s'était endormie tout habillée. Elle se tourna sur le côté : Chris était allongé à côté d'elle, mais il ne dormait pas.

— Est-ce que j'ai rêvé ?

Il secoua la tête.

Non, ce n'était pas possible. Cela ne pouvait pas être vrai, ce n'était pas juste ! Eileen était morte. Son addiction à Internet l'avait tuée. Ou plutôt c'était son manque épouvantable de discernement, son attirance pour les hommes violents, et son accoutumance depuis l'enfance à la maltraitance. L'ensemble de ces facteurs avaient contribué à sa fin tragique.

Tout le monde connaissait des tas de gens bien qui s'étaient rencontrés en ligne, étaient tombés amoureux et s'étaient mariés. Mais parmi eux se cachaient quelques fous dangereux, dont Brad. Eileen, trop habituée à la violence pour mettre le holà à cette relation, était retournée vers lui une dernière fois. Une fois de trop.

Chris s'était renseigné au poste de police. Brad, toujours en garde à vue, était suspecté de meurtre. Les policiers voulaient que Chris et Francesca aillent l'identifier au milieu d'autres délinquants, pour pouvoir l'inculper le lendemain. Les tests ADN étaient en cours, afin de vérifier s'ils correspondaient aux particules prélevées sous les ongles d'Eileen. Dans trois jours, ils auraient des résultats partiels.

Le corps d'Eileen était à la morgue. L'incinération n'aurait lieu que plusieurs jours après l'autopsie. Le cœur au bord des lèvres, Francesca se demanda si tout cela avait vraiment de l'importance, désormais. Quoi qu'on fasse, cela ne ramènerait pas Eileen à la vie. C'était une pauvre enfant perdue. Francesca pensa aux marionnettes de papier mâché qu'elle leur avait fait confectionner avec Ian. Puis la scène de la veille, au moment où elle avait dû reconnaître le corps, lui revint à l'esprit et elle partit dans la salle de bains, en proie à une violente nausée. Elle était agenouillée sur le sol de céramique quand Chris vint la rejoindre. Il lui caressa le dos et imprégna d'eau tiède une serviette de toilette.

— Je suis désolée, murmura-t-elle en s'essuyant le visage avec la serviette.

Chris secoua la tête, l'air accablé.

— Les violences physiques sont une chose épouvantable, mais la violence psychologique est presque aussi grave, et elle crée aussi une dépendance. La victime reste avec son bourreau, ou bien revient vers lui, dans l'espoir de renverser la vapeur et de le convaincre qu'elle est quelqu'un de bien. Mais elle ne récolte que des reproches. Et parfois, elle se fait tuer. Eileen n'était pas assez forte, ni assez équilibrée je suppose, pour refuser de revoir Brad.

Francesca retourna s'allonger sur le lit. Il lui semblait qu'elle n'aurait plus jamais la force de se lever. Elle avait envie de rester là pour toujours, avec Chris qui lui caressait les cheveux, assis à côté d'elle.

Marya et Charles-Edouard revenaient juste d'une promenade matinale quand Chris appela Marya sur son portable. L'appareil était posé sur son bureau et elle prit tout son temps pour répondre. Encore en mode vacances, elle n'attendait pas d'appel important, et voulait profiter pleinement de la présence de Charles-Edouard. Elle eut la surprise d'entendre la voix de Chris.

— Bonjour, Marya, dit-il d'une voix rauque et morne.

Il n'avait pas beaucoup dormi. Il avait consacré la plus grande partie de la nuit à Francesca, qui s'était réveillée à de nombreuses reprises, en larmes. Il était à la fois triste et fatigué.

— Quelle bonne surprise ! s'exclama joyeusement Marya. Comment va Ian ? Où êtes-vous, tous les deux ?

— Je suis à New York avec Francesca, répondit Chris. Ian est toujours à Vineyard. Je vais retourner le chercher dans un jour ou deux.

— Quelque chose ne va pas ? Francesca a un problème ?

Marya trouvait bizarre que Chris se trouve avec elle. Et le ton de sa voix l'inquiétait. Il n'avait pas l'air dans son assiette.

— Elle est rentrée hier. Et je suis désolé de t'appeler pour t'annoncer une mauvaise nouvelle, mais il s'est passé une chose terrible à la maison. Eileen a été tuée il y a quelques jours. Probablement par Brad.

— Oh, mon Dieu ! C'est affreux !

Des larmes surgirent instantanément dans les yeux de Marya.

184

— C'est Francesca qui l'a trouvée ?

Elle espérait que non.

— Non. Elle s'est aperçue que quelque chose n'allait pas dès qu'elle a franchi le seuil. Alors, elle m'a téléphoné, et je lui ai conseillé d'attendre dehors et d'appeler la police. Ce sont les policiers qui ont trouvé Eileen, morte dans sa chambre. Brad l'avait battue et étranglée. Il est en garde à vue.

Il ne dit pas à Marya que Francesca avait dû identifier le corps d'Eileen. Allongée sur le lit, les yeux fermés, Francesca écoutait leur conversation. Elle était d'une pâleur extrême. Chris lui tenait la main.

— Veux-tu que je vienne vous rejoindre ? Nous pourrions être là dans quelques heures.

Chris trouva le « nous » curieux, mais il mit cela sur le compte de la confusion et de l'émotion causées par l'annonce de la mort d'Eileen.

— Tu ne pourrais pas faire grand-chose de plus. Ça va aller, ajouta-t-il, bien que ni lui ni Francesca n'en soit persuadé.

— Vous êtes à Charles Street ?

L'idée en elle-même était un peu choquante, mais Marya ne voyait pas où ils auraient pu aller.

— Non, nous avons dormi au Gansevoort, expliqua Chris.

La police leur avait communiqué le nom d'une entreprise spécialisée dans le nettoyage des scènes de crime. Une fois qu'ils auraient recueilli toutes les preuves dont ils avaient besoin et photographié les lieux, l'entreprise viendrait faire disparaître toute trace du meurtre. Si nécessaire, ils repeindraient la chambre. Une éventualité qui, apprirent Chris et Francesca, était fréquente en cas de coups de feu.

185

— Tout devrait être rentré dans l'ordre lorsque tu reviendras, Marya.

Francesca avait décidé ce matin qu'elle ne reprendrait pas un nouveau pensionnaire pour remplacer Eileen. Elle ne voulait même plus remettre les pieds dans le studio, car elle craignait de ne pouvoir le supporter.

— Je suis bouleversée, dit Marya. Je ne veux surtout pas déranger Francesca, mais si je peux faire quoi que ce soit, appelez-moi. En cas de besoin, je peux sauter dans la voiture et être là en quelques heures. Je vais rentrer le plus vite possible, de toute façon. Est-ce que quelqu'un a prévenu ses parents ?

— Oui, la police s'en est chargée. Le corps sera incinéré après l'autopsie, et ils enverront les cendres à sa famille. Il n'y aura pas de service de funérailles à New York.

— Nous pourrions peut-être organiser un service entre nous, suggéra Marya.

Après avoir demandé à Chris de transmettre son amitié et son soutien à Francesca, elle raccrocha.

— Que s'est-il passé ? lui demanda Charles-Edouard.

— C'est Eileen, la jeune fille qui occupait le dernier étage de la maison. Elle a été assassinée dans sa chambre. Battue et étranglée.

— Par un cambrioleur ?

— Non, ils pensent que l'assassin est un homme avec lequel elle sortait. Il est en garde à vue, et il va être inculpé de meurtre.

La mine décomposée, Marya se laissa tomber sur le canapé. Charles-Edouard s'assit à côté d'elle et lui passa un bras autour des épaules. La première journée de leur nouvelle vie commençait de manière un peu triste. La naissance de leur relation coïncidait avec la

186

mort d'une jeune femme. La vie révélait une fois de plus sa saveur douce-amère. Mais en cet instant, c'était l'amertume qui dominait.

Marya leva les yeux vers son compagnon, puis se blottit entre ses bras et laissa libre cours à son chagrin.

Ils attendirent des heures au poste de police de la sixième circonscription de West Tenth Street que la séance d'identification commence. Enfin, un groupe d'hommes d'apparence très différente fut conduit dans la salle. Tous étaient tatoués. Un seul avait les cheveux longs. Trois d'entre eux étaient interrogés pour divers délits, l'un était un policier, un autre était en liberté surveillée, et le dernier était Brad. Ils se tenaient de l'autre côté du miroir sans tain et se balançaient d'un pied sur l'autre, mal à l'aise. Chris et Francesca identifièrent Brad sans l'ombre d'un doute. Les hommes ressortirent en file indienne. C'était terminé. Brad serait inculpé dès le lendemain.

Chris et Francesca rentrèrent à l'hôtel à pied, car ils avaient besoin de prendre l'air. Pendant qu'ils marchaient, Ian appela Chris. Celui-ci dit à son fils que tout allait bien, et Francesca lui envoya quelques bisous. Chris avait dit au petit garçon qu'il se rendait à New York pour son travail, et aussi pour aider Francesca à faire des travaux dans la maison. Il ne voulait pas que l'enfant s'inquiète, et s'imagine qu'il soit arrivé quelque chose à sa mère pendant son séjour en prison. Ian était toujours soucieux pour elle. A juste titre, hélas. Chris doutait fort que son père parvienne à la sortir de cette affaire d'homicide.

Selon les policiers, la maison serait complètement nettoyée vers le milieu de la semaine. En attendant,

Chris et Francesca avaient prévu de rester à l'hôtel. Chris avait retenu une chambre pour lui avant de partir à la séance d'identification. Il y coucherait ou non, selon ce que souhaiterait Francesca : il était prêt à passer le temps qu'il faudrait à son chevet.

Ils firent un crochet pour éviter Charles Street, et Francesca se demanda si elle avait envie d'y retourner. Pourraient-ils y revivre en paix ? Ou bien ce meurtre les hanterait-il toujours ? Elle n'avait rien mangé depuis la veille, et Chris parvint à la convaincre d'aller chez Da Silvano prendre un plat de pâtes. On les servit à l'extérieur où toutes les tables étaient bruyamment occupées, mais elle ne toucha pas à son assiette. Ses pensées revenaient sans cesse vers Eileen.

Dans la chambre de Francesca, Chris alluma la télévision. Pendant qu'il regardait un match de baseball, Francesca se coucha. Elle fit un ou deux cauchemars, se leva pour aller à la salle de bains, et se rendormit jusqu'au matin. Chris s'assoupit tout habillé dans le fauteuil, et oublia d'éteindre le poste de télévision.

Ils se firent servir le petit déjeuner dans la chambre, et Marya téléphona pour prendre de leurs nouvelles. Cette fois, elle parla avec Francesca et elles pleurèrent ensemble. Marya ne lui dit rien au sujet de Charles-Edouard. Il ne lui semblait pas convenable d'annoncer cette bonne nouvelle alors qu'ils étaient tous en proie au chagrin.

— Veux-tu venir passer quelques jours à Vineyard avec moi ? suggéra Chris pendant leur petit déjeuner.

— Je ne crois pas. Je n'ai pas envie de voir des gens. Et puis, il faut que je rouvre la galerie et que je me remette au travail.

Cela lui procurerait une distraction fort bienvenue. Elle pouvait aussi se rendre chez son père, dans le

Connecticut, si elle éprouvait le besoin de changer d'air. Avery et lui venaient tout juste de rentrer d'Aspen.

Elle appela Avery dans l'après-midi pour lui raconter ce qui s'était passé. Sa belle-mère fut horrifiée.

— Ce n'était peut-être pas une si bonne idée que ça de prendre des locataires, en fin de compte, dit-elle doucement.

Elle était désolée pour Francesca, et craignait qu'elle n'éprouve désormais de la répulsion pour cette maison. Francesca ruminait cela depuis deux jours, mais elle n'aurait su dire ce qu'elle ressentait.

— Que vas-tu faire ? Vendre la maison ?

Une telle décision pouvait paraître radicale. Mais continuer de vivre dans un lieu où une jeune femme qu'ils aimaient avait été assassinée ne serait pas chose simple, pour aucun d'entre eux. A présent, Francesca avait trop de mauvais souvenirs accumulés dans cette demeure. Avery laissa entendre que cela ne valait peut-être plus trop la peine de se donner autant de mal pour la conserver.

Puis elle demanda à Francesca si elle avait prévenu sa mère.

— Pas encore, répondit la jeune femme en soupirant. A-t-elle besoin de le savoir ? Tout ce qu'elle fera, ce sera de me dire qu'elle avait raison depuis le début, que c'était une très mauvaise idée de garder la maison et de prendre des locataires, et elle me poussera à vendre. J'ai besoin de réfléchir seule à ce que je souhaite réellement.

— Laisse faire le temps. Il est encore trop tôt. A moins que tu ne sois absolument certaine de vouloir vendre.

— Je ne suis certaine de rien. J'aime cette maison, mais ce qui s'y est passé m'horrifie. Je n'arrête pas de me demander si j'aurais pu changer le cours des choses, ou bien si j'aurais dû me montrer plus ferme avec Eileen. D'un autre côté j'étais sa logeuse, pas sa mère. Je ne pouvais pas lui interdire de revoir Brad. Je pouvais tout juste lui demander de ne pas l'amener à la maison. Je lui répétais de se faire aider et de laisser tomber les rencontres sur Internet. Eileen était plus tourmentée qu'il n'y paraissait. Chacun de nous a son combat, il ne faut pas se fier aux apparences. Moi-même, je ne me suis pas encore remise de mon histoire avec Todd. Marya n'a pas surmonté la mort de son mari, et Chris se bat pour garder son fils.

Sur ces paroles, Francesca éclata en sanglots en songeant à la fin atroce d'Eileen. Au lieu de fuir à toutes jambes, la jeune femme avait cru pouvoir rester maîtresse de son addiction à Brad. Elle avait payé de sa vie sa dépendance.

Avery rappela à Francesca que soixante-quinze pour cent des hommes qui menaçaient leur compagne de la tuer finissaient par mettre leur menace à exécution.

Chris retourna chercher Ian à Vineyard le jour suivant en promettant à Francesca de revenir aussi vite que possible. Francesca lui assura qu'elle allait très bien. Elle ouvrit la galerie et garda sa chambre à l'hôtel Gansevoort. Elle y fit transporter les valises qu'elle avait laissées dans le hall de la maison au moment du drame. La chambre d'Eileen avait été nettoyée de fond en comble, à la vapeur, et repeinte. Les meubles avaient été enlevés. Une fois que la police eut passé ses affaires au peigne fin et pris ce dont ils avaient besoin pour leur enquête, tout fut entassé dans des cartons et expédié à San Diego.

Pour Francesca, le dernier étage de la maison était banni. Et même si cela signifiait qu'elle allait être obligée de payer seule la moitié de l'emprunt, comme à l'époque où elle vivait avec Todd, elle ne voulait pas d'un autre locataire pour remplacer Eileen. Resteraient au 44 Charles Street trois adultes célibataires, capables de discernement, qui menaient une vie saine et ne faisaient pas courir de risque aux autres ni à eux-mêmes. Et qui s'occupaient d'un petit garçon qu'ils adoraient.

Francesca s'en voulait de ne pas avoir compris plus tôt, avant le drame, que Eileen était profondément blessée par la vie. Peut-être que si elle n'était pas restée seule tout l'été, elle serait encore en vie.

La police l'informa que Brad avait été inculpé. Lors de sa comparution au tribunal, il avait plaidé non coupable, sur le conseil de son avocat commis d'office. Il voulait un procès en bonne et due forme. Toutefois, les policiers pensaient qu'il tenterait de négocier avec le juge pour obtenir un allégement de peine en plaidant coupable lors du procès – les tests d'ADN pratiqués au début avaient prouvé sa participation au meurtre. Les policiers expliquèrent à Francesca qu'il faudrait environ un an avant qu'il passe en jugement, et que, jusque-là, il resterait derrière les barreaux sans possibilité de liberté conditionnelle.

Francesca songea à l'ex-femme de Chris, qui elle aussi était en prison, et attendait son procès. Ses avocats essayaient de négocier sa remise en liberté, mais le procureur ne voulait pas en entendre parler. Elle était responsable de la mort du toxicomane avec lequel elle s'était shootée, et auquel elle avait fourni la drogue. Et tout ceci devant son fils. Ian avait confié à Chris qu'il

191

les avait vus se piquer, et que ce n'était pas la première fois. Chris avait l'intention de s'appuyer sur ces faits graves pour demander sa garde exclusive. Il allait aussi exiger que les visites de Ian à sa mère soient supervisées, et aient lieu en terrain neutre. L'enfant ne devait plus se retrouver en tête à tête avec elle. Selon lui, il n'y avait plus d'espoir de la voir renoncer à la drogue.

Francesca finit par réintégrer le 44 Charles Street. Inquiet de la savoir seule, Chris l'appela plusieurs fois de Vineyard. Sa voix était déprimée, mais elle le rassura en affirmant qu'elle allait bien. Elle ne voulut pas lui avouer qu'elle se sentirait mieux quand Marya et lui seraient là. Le fait de se retrouver sans eux dans la maison l'angoissait.

Marya cependant n'était pas pressée de revenir. Elle n'avait toujours pas annoncé à Francesca la bonne nouvelle concernant sa vie amoureuse, car le moment lui paraissait mal choisi. Elle était heureuse dans le Vermont avec Charles-Edouard. Ils apprenaient à se connaître dans une relation qui leur était inconnue jusque-là. Charles-Edouard avait déjà téléphoné deux fois à son avocat. La procédure de divorce était en bonne voie : sa femme voulait que les choses se fassent rapidement, afin de se remarier avec son second. Elle demandait la moitié des biens de son mari, et après trente ans de vie commune, Charles-Edouard trouvait cela juste. Il expliqua à Marya que son patrimoine, même amputé de moitié, restait tout à fait correct. De toute façon, Marya ne voulait rien de lui.

Elle n'aurait jamais cru refaire sa vie. C'était une immense surprise pour tous les deux, qui exigeait qu'ils s'adaptent à la nouvelle situation. Mais ils étaient sincères, flexibles, et tolérants pour leurs excentricités propres. En outre, ils avaient le cœur sur la main, aimaient la vie, et s'aimaient. Charles-Edouard tenait toujours à se marier, et ne désespérait pas de convaincre Marya. De son côté, elle tenait absolument à ce qu'il lui prouve qu'il était capable de rester fidèle. Après trente-six ans de bonheur avec John, elle ne voulait pas épouser un homme volage ni même partager sa vie hors des liens du mariage. Mais Charles-Edouard jurait qu'il lui resterait fidèle à jamais.

Ils passèrent plusieurs jours formidables dans le Vermont. Ils mangèrent du homard, et des repas tout simples dans des auberges de campagne. Ils allèrent au marché acheter directement aux producteurs, et préparèrent la cuisine à la maison, tantôt ensemble, tantôt séparément. Ils essayèrent de nouvelles recettes pour leur livre, récoltèrent des légumes dans le jardin de Marya, cueillirent des fleurs des champs, firent de longues promenades, se baignèrent dans le lac. Ils allèrent pêcher et cuisinèrent le produit de leur pêche, pataugèrent dans les cours d'eau, et firent l'amour tous les jours, ce qui stupéfia Marya. Elle n'aurait jamais cru qu'il était possible d'avoir une telle vie sexuelle à leur âge. Charles-Edouard avait le charme et la vigueur d'un homme plus jeune, et savait lui prouver sa flamme. Marya s'épanouissait de jour en jour, comblée par ses attentions et par son amour.

La seule ombre au tableau durant ces vacances fut la nouvelle de la mort d'Eileen. Marya en fut profondément attristée et se rendit à l'église avec Charles-Edouard prier pour l'âme de la jeune fille. Les yeux mouillés de larmes, elle alluma un cierge en souvenir de sa jeune colocataire.

Quand Marya et Charles-Edouard arrivèrent à New York, début septembre, après le week-end de la fête du travail, Marya était bronzée, heureuse, et éclatante de santé. Les yeux bleus de Charles-Edouard pétillaient de bonheur, et son épaisse tignasse de cheveux blancs contrastait avec son visage hâlé. Devant le 44 Charles Street, ils sortirent du coffre des paniers pleins de fruits et de légumes frais provenant du jardin, et du marché des fermiers du Vermont. Marya soupira en contemplant la façade. La vie allait être très différente sans Eileen, sa jeunesse et sa vitalité.

Chris fut surpris de voir Charles-Edouard. Il était évident que celui-ci avait séjourné dans le Vermont avec Marya. Ils allaient si bien ensemble. C'était dommage que...

— Bienvenue à la maison ! s'écria Chris.

Ian surgit de la cuisine, avec un cookie, et une moustache de lait. Son visage s'illumina quand il vit Marya, et il se jeta dans les bras de Charles-Edouard.

— J'ai un œuf dans l'oreille ! cria-t-il, surexcité.

Mais au lieu d'un œuf, ce fut une pièce de monnaie que Charles-Edouard fit sortir de l'oreille du petit garçon.

— Tu vois, tu as échangé les œufs contre de l'argent, dit-il en lui donnant la pièce.

Puis il embrassa l'enfant et donna une accolade à Chris qui avait fini par s'habituer aux manières démonstratives du Français. Ian aida Charles-Edouard à transporter les paniers dans la cuisine, et Chris en profita pour avertir Marya à mi-voix qu'il n'avait pas encore annoncé à Ian la mort d'Eileen. Il lui avait seulement dit qu'elle était retournée en Californie. C'était un demi-mensonge, préférable à la vérité qui aurait effrayé Ian au-delà de tout. Marya l'approuva, et le serra dans ses bras ; ils échangèrent un regard plein d'affection et de mutuelle compréhension.

— Comment s'est passé ton été ? demanda-t-il. Nous nous sommes bien amusés à Vineyard. Nous sommes rentrés la semaine dernière.

Ian et lui avaient bonne mine, et ils étaient aussi bronzés qu'elle. En dehors de la tragédie qui s'était déroulée ici, les vacances avaient été bénéfiques pour tout le monde.

— Nous avons passé des vacances merveilleuses dans le Vermont, déclara Marya, les yeux brillants. Et l'Europe est toujours aussi extraordinaire ! Il y a un mois que je suis rentrée, mais j'ai l'impression que ça fait une éternité.

Rien dans la maison ne laissait penser qu'un drame avait eu lieu. La chambre d'Eileen était fermée à clé. Francesca avait finalement acheté des meubles de salon, pour remplacer ceux que Todd avait emportés huit mois auparavant. La pièce était maintenant très confortable, et elle avait décidé de ne pas vendre Charles Street, en dépit de la mort d'Eileen. Il y avait eu une tragédie, mais ils devaient continuer à vivre normalement.

Chris avait approuvé sa décision, et fut aussi soulagé. Ian et lui étaient heureux dans cette maison. C'était un environnement affectif parfait, et il ne pouvait plus imaginer la vie sans Marya ni Francesca, des amies pour lui, et des tantes pour Ian, qui les chérissait. Eileen lui manquerait sûrement : il aimait qu'elle lui lise des histoires et qu'elle lui apprenne à fabriquer des origamis.

Comme toujours quand Marya était là, ils se réunirent dans la cuisine. Elle mit à réchauffer le velouté de champignons qu'elle avait préparé le matin même dans le Vermont, avant de partir. Charles-Edouard commença des tours de magie avec Ian. Soudain, la maison fut de nouveau pleine de bonnes odeurs, de cris, et de rires. Marya et Charles-Edouard, par leur vitalité et leur énergie, faisaient fuir le silence.

Quand elle ouvrit la porte d'entrée à son retour de la galerie, Francesca entendit les rires dans la cuisine. Le sourire aux lèvres, elle descendit l'escalier et vit Marya, qui cuisinait déjà, vêtue de son grand tablier blanc. Elle avait mis un poulet au four pour le dîner. Charles-Edouard disposait un pâté de sa composition sur une assiette. Lorsqu'il vit Francesca, il alla la prendre dans ses bras, et l'embrassa.

— Aaah ! Voilà la châtelaine ! s'exclama-t-il, enchanté.

Le 44 Charles Street était loin d'être un château, mais c'était leur maison, et ils s'y sentaient bien.

— Le bronzage te va très bien, Francesca, et tes cheveux sont blonds comme de l'or.

Tandis que Marya s'affairait, Francesca rangea quelques objets sur l'étagère, puis elle s'aperçut que l'ordinateur de la cuisine avait disparu. Les policiers l'avaient emporté comme pièce à conviction. De toute façon, Eileen était la seule à s'en servir.

Ils avaient tant de choses à se raconter que tous se mirent à parler en même temps. C'était la première fois, depuis que Francesca était revenue du Maine, que la maison était aussi animée, et qu'il y régnait une atmosphère aussi gaie. Chacun apportait sa pierre à l'édifice, comme une vraie famille.

Tout à coup, Francesca remarqua que Marya et Charles-Edouard se comportaient différemment. Lorsqu'elle débarrassa avec Marya les assiettes à soupe, elle chuchota à l'oreille de son amie :

— Je me trompe, ou bien il se passe quelque chose entre Charles-Edouard et toi ?

Le changement était subtil, mais il était bien là. Chris l'avait remarqué également, mais il était trop bien élevé pour y faire la moindre allusion.

Marya eut un sourire espiègle et répondit dans un chuchotement :

— Sa femme l'a quitté pendant l'été. Elle a demandé le divorce. Elle veut épouser son second.

Francesca la dévisagea avec stupéfaction.

— Incroyable ! C'est sérieux ?

Elle se rendit compte qu'elle avait élevé la voix sans le vouloir, et reprit un ton plus bas :

— Vous allez vous marier ?

— Je ne sais pas encore. Je voudrais savoir s'il est capable de rester fidèle plus de cinq minutes d'affilée. Mais en attendant, nous sommes heureux comme ça. Tout cela est très récent. Il a débarqué chez moi, dans le Vermont, il y a à peine quelques semaines.

Ses yeux brillaient, elle était belle et avait l'air jeune. Charles-Edouard les regarda et devina de quoi elles parlaient lorsqu'elles se mirent à rire sous cape. Il fit un clin d'œil à Marya.

Quand elles revinrent s'asseoir et que Marya posa le poulet sur la table, il demanda à Francesca.

— Marya t'a mise au courant ?

Francesca acquiesça d'un signe de tête, et lui sourit. Chris les regarda, interloqué.

— Je suis très heureuse pour vous deux. C'est une nouvelle merveilleuse !

Elle se leva et alla les embrasser sur les deux joues, à la française.

— J'ai manqué un truc ? demanda Chris, éberlué. Il s'est passé quelque chose entre vous, pendant l'été ?

— Nous sommes amoureux. Ma femme a demandé le divorce, annonça Charles-Edouard, les yeux pétillants de bonheur.

— C'est merveilleux pour vous !

— C'est arrivé quand ?

— Dans le Vermont, expliqua Marya.

Charles-Edouard se leva pour servir le champagne. Ils portèrent un toast aux amoureux.

Tout à coup, Francesca sentit sa gorge se nouer. Elle leva de nouveau son verre.

— A Eileen. J'espère qu'elle est plus heureuse là où elle se trouve à présent.

Ils burent tous, l'air soudain plus grave.

— Pourquoi elle est retournée en Californie ? demanda Ian, d'une petite voix plaintive. Elle me manque. Elle était sympa.

— Oui, elle était très gentille. Mais parfois, les gens que nous aimons s'en vont, dit sobrement Francesca.

Ian hocha la tête et se mit à picorer son morceau de poulet. La conversation revint sur Marya et Charles-Edouard, puis sur ce qu'ils avaient tous fait pendant l'été, et sur leurs projets pour l'automne.

Ian entrait en CE2. Francesca avait un programme très chargé à la galerie, dont deux expositions consacrées chacune à un artiste. Elle comptait aussi se rendre à la foire Art Basel, qui se tenait à Miami en décembre. Charles-Edouard et Marya avaient leur livre à terminer.

Pour la première fois depuis des semaines, le quotidien retrouvait une certaine normalité. Eileen n'était pas oubliée, et elle ne le serait jamais. Mais la vie avait repris son cours au 44 Charles Street.

15

Sur la demande insistante de Marya, Francesca invita sa mère à dîner la semaine suivante. De toute façon, il était naturel qu'elle la voie à son retour d'Europe. Un dîner préparé par Marya et Charles-Edouard serait l'occasion idéale pour se réunir.

Thalia accepta, enchantée de l'invitation. Elle avait passé un été fabuleux. Sans oublier de donner quelques nouvelles à sa fille. Ce qui était plutôt rare. Quand elle était en compagnie de ses amis, elle oubliait générale-ment sa famille. Elle lui confia qu'elle avait séjourné plus longtemps que prévu à Venise, et qu'elle s'était beaucoup amusée.

Elle vint donc dîner et apprécia grandement le repas préparé par Marya et Charles-Edouard. Elle ne se priva pas de flirter avec ce dernier, mais avec moins d'osten-tation. Cette fois, à la place de sa robe courte et de ses talons aiguilles, elle avait revêtu un pull noir sobre et un pantalon de la même couleur. Ils en étaient à la moitié du repas, quand elle demanda des nouvelles d'Eileen. Francesca ne lui avait rien dit. Un silence pesant s'ensuivit.

— Elle est retournée en Californie, expliqua Ian avec naturel. A San Diego.

Personne ne fit de commentaire, mais Francesca et Marya échangèrent un long regard, que Thalia ne remarqua pas.

— Alors quels sont vos projets, à présent ? s'enquit-elle tandis qu'ils savouraient une délicieuse tarte aux poires. Avez-vous des voyages en vue ? Moi, je compte me rendre à Gstaad, en Suisse, pour Noël.

Ses amis de Venise l'avaient invitée à les retrouver dans leur chalet, situé dans cette station de ski huppée où se retrouvait la jet-set d'Europe. Thalia s'y rendait une fois par an, et parfois deux.

Les habitants de Charles Street quant à eux n'avaient pas encore formé de projets. Les vacances de fin d'année leur semblaient à des années-lumière. Charles-Edouard et Marya mettraient la dernière touche à leur livre de recettes. Francesca serait très prise par sa galerie, et Chris devrait comparaître à tout une série d'audiences au tribunal afin d'obtenir la garde définitive de Ian. Toutefois, il n'en souffla pas un mot devant Thalia. Ce n'était pas une perspective particulièrement réjouissante.

Thalia avait remarqué une nouvelle intimité entre Marya et Charles-Edouard, et ne put s'empêcher de questionner Marya avant de partir, qui admit qu'elle avait vu juste.

— Est-ce qu'il va divorcer, ou bien as-tu simplement fini par céder à ses avances ? demanda Thalia, avec curiosité.

Elle avait rencontré plusieurs hommes mariés séduisants à Venise, mais elle n'aimait pas partager.

— Sa femme l'a quitté pendant l'été et a demandé le divorce. J'ai de la chance, ajouta Marya avec simplicité.

A vrai dire, elle se sentait légèrement coupable d'avoir trouvé un homme sans le chercher.

— Tu peux le dire, répondit Thalia d'un ton plaintif. Je ne comprends vraiment pas. Tu ne voulais pas d'un homme, mais moi si. Tu en trouves un, et moi non. C'est le monde à l'envers !

Marya n'osa pas lui dire qu'elle cherchait sans doute trop.

— Il faut croire que c'est le destin, déclara-t-elle avec diplomatie. Tout finit par arriver. Ton tour viendra, fit-elle, rassurante.

— J'espère que tu as raison.

Thalia soupira en enfilant la veste blanche qu'elle avait achetée à Paris. Elle était comme toujours très élégante, et extrêmement apprêtée. Elle portait un rang de perles, des boucles d'oreilles en diamants, et pas un cheveu ne dépassait de sa coiffure impeccable. De quoi terrifier plus d'un homme !

— Je n'ai rencontré personne d'à peu près acceptable cet été. A Saint-Tropez, on ne trouve plus qu'un ramassis d'Européens minables et des Russes mal élevés. En plus, ils ont tous douze ans d'âge mental. Et ailleurs en Europe, tous les hommes sont mariés et trompent leur femme.

— Il y a sûrement un homme qui t'attend quelque part, répondit Marya d'un ton apaisant.

Francesca raccompagna sa mère à la porte, et la mit dans un taxi. Elle était toujours soulagée de la voir partir : sa présence lui causait un stress permanent, même si Thalia se montrait agréable. Ce qui avait été le cas ce soir. Sa mère s'entendait très bien avec Marya et Charles-Edouard, et elle échangeait des politesses avec Chris, ce qui rendait ses visites supportables. Il était plus facile de la voir dans ces conditions que de dîner en tête à tête avec elle, ce qui donnait généralement à

201

Francesca l'impression d'être tombée entre les mains de l'Inquisition.

Elle passa le week-end suivant dans le Connecticut avec son père et Avery. Henry travaillait à une nouvelle toile, et passait le plus clair de son temps dans son atelier. Cela donna à Francesca l'opportunité de faire de longues promenades avec Avery, et de se détendre.

Elle adorait discuter avec sa belle-mère. Celle-ci lui ouvrait d'autres perspectives sur la vie, et elle était très bienveillante. C'était une amie formidable.

— Comment vous remettez-vous de la mort d'Eileen à Charles Street ? demanda Avery.

Francesca soupira, le cœur lourd.

— Elle nous manque. Eileen mettait un grain de jeunesse et de fantaisie dans notre groupe. Je n'ai toujours pas annoncé sa mort à ma mère, et je pense que je ne le ferai pas. Elle m'accablerait de reproches, et la mort d'Eileen m'a déjà fait assez de mal comme ça.

— Et ta vie amoureuse ? Elle en est où ?

Avery s'inquiétait. Il y avait plus de huit mois que Todd avait rompu, et Francesca ne semblait faire aucun effort pour rencontrer quelqu'un.

— Nulle part. Je ne croise personne d'intéressant dans mon travail. Les artistes que je connais sont décevants, imbus d'eux-mêmes et narcissiques. Et les clients qui me font des avances sont toujours des crétins. Ceux qui sont bien sont déjà mariés.

— Tu es trop jeune pour renoncer, protesta Avery.

— Je ne sais pas. Peut-être pas. J'aimerais avoir quelqu'un dans ma vie, mais je ne veux pas me tromper comme avec Todd, et m'en rendre compte cinq ans après. Pour finir, tu as le cœur brisé et tu as perdu cinq ans. Je trouve cela un peu trop cher payé.

— J'ai entendu dire que Todd s'était fiancé.

— Oui ! Il est très pressé de se marier et d'avoir des enfants. Dieu seul sait si la femme qu'il a choisie est la bonne. Tout ce qu'il veut, c'est une poulinière pour la reproduction, et quelqu'un qu'il pourra amener à la fête de Noël de son cabinet d'avocat. Je ne suis ni l'une ni l'autre.

— Tu es un peu dure, fit gentiment remarquer Avery.

Elle aimait bien Todd. Mais elle avait toujours pensé qu'il n'était pas le genre d'homme qu'il fallait à Francesca, même au début, quand ils se croyaient destinés l'un à l'autre. Avery ne le trouvait pas assez captivant pour sa belle-fille.

— Je ne sais pas, répondit Francesca. Je ne sais plus ce que je veux. Un artiste, ou le contraire, me marier, ne pas me marier, juste vivre ensemble, ou même pas. Tout cela est bigrement compliqué ; à mon âge, tout le monde a déjà été éprouvé par la vie, par une expérience, et moi aussi.

Elle pensait à Chris en disant cela. Celui-ci avouait être allergique à toute nouvelle relation amoureuse, et elle n'était pas loin de ressentir la même chose.

— Je me sens peut-être trop bien toute seule.

Au début elle s'était sentie désespérément esseulée, sans Todd. Ce n'était plus le cas. Elle aimait bien pouvoir faire ce qui lui plaisait, sans être obligée de demander son avis à quelqu'un.

— Mes colocataires me tiennent compagnie, et Ian est l'enfant qui manquait à ma vie. J'ai mes artistes pour me faire tourner en bourrique, comme d'éternels adolescents autour de moi. Pourquoi aurais-je besoin d'un homme ?

— Quand as-tu fait l'amour pour la dernière fois ? demanda Avery de but en blanc. Tu ne veux tout de

même pas renoncer à ça, à trente-cinq ans ? C'est plutôt agréable.

— Oh, ça, répondit Francesca avec un sourire
penaud. Cela ne me manque même plus. Je n'y pense
pas. Et l'avantage, c'est que je n'ai même plus besoin
de m'épiler les jambes.

— Comme c'est séduisant ! plaisanta Avery.

En réalité, sa belle-fille l'inquiétait. Francesca s'était
repliée sur elle-même, fermée au monde. Il lui avait
fallu plus longtemps que prévu pour se remettre de sa
rupture avec Todd. Et de toute évidence, cette déception avait été pour elle plus traumatisante qu'Avery ne
l'aurait cru. Mais il est vrai que cinq ans de vie commune ne s'effacent pas en un jour. Et les complications
financières pour garder à la fois la galerie et la maison
l'avaient éprouvée.

— Pourtant, j'ai envie de m'attaquer à des choses
nouvelles. Cette année, je vais me rendre à Art Basel à
Miami. Juste pour le plaisir, puisque je n'exposerai pas.
Et l'été prochain, je choisirai une autre destination que
le Maine. Je me suis beaucoup amusée cet été, mais cet
endroit est trop chargé de souvenirs. Ce sont les amis
de Todd que j'ai retrouvés, pas les miens. Je ne sais
pas... L'année prochaine, j'irai peut-être en Europe.
Pas avec ma mère, précisa-t-elle aussitôt.

Avery se mit à rire. Thalia n'était pas une compagne
de voyage légère, et des vacances avec elle tourneraient
rapidement au cauchemar pour Francesca.

— Je ferai peut-être un voyage avec Marya, si elle
n'est pas mariée d'ici là, reprit Francesca.

— Marya va se marier ?

— C'est possible. Elle n'a pas encore pris sa décision. Charles-Edouard est amoureux d'elle, et il est en
train de divorcer.

— Ça, c'est formidable. Ils vont très bien ensemble. Tu connais le dicton, « à chaque marmite son couvercle ». Il faut que tu trouves le tien.

Le problème, c'était que Francesca ne faisait rien pour le dénicher. Et ce n'était pas le Père Noël qui allait le lui apporter dans la cheminée !

Avery ne se rappelait que trop tous les hommes avec lesquels elle était sortie avant Henry. Les relations destructrices, les déceptions, les chagrins, et aussi les moments heureux. Avery avait voulu rencontrer le bon partenaire, avec lequel elle partagerait sa vie. Elle n'avait jamais renoncé. Elle avait mis cinquante ans pour le trouver, mais dès l'instant où elle avait posé les yeux sur Henry Thayer, elle avait su que c'était lui. Cela n'était pas encore arrivé pour sa belle-fille. Avery doutait que la cohabitation soit une bonne idée : les pensionnaires de Francesca formaient une sorte d'écran entre elle et la réalité, lui ôtant l'envie de rencontrer quelqu'un. Il était si facile de se contenter de vivre en leur compagnie, sans relation amoureuse.

Henry sortit à ce moment de la grange transformée en atelier.

— Comment va mon associée préférée ? demanda-t-il en embrassant sa fille. Sommes-nous enfin riches ?

Francesca sourit.

— L'année prochaine, peut-être.

La galerie marchait bien. Mieux que l'année précédente. Peu à peu, Francesca consolidait son affaire, et celle-ci commençait à faire des bénéfices. Pas encore très importants, mais suffisamment pour lui donner de l'espoir.

Avant de quitter le Connecticut, Francesca promit à son père et à sa belle-mère de les inviter, un soir où Marya et Charles-Edouard auraient préparé un de leurs fabuleux dîners. Son père fut enchanté. Il trouvait que Charles-Edouard était un type extraordinaire. Il aimait aussi ses cigares de Cuba, même si Avery faisait la moue en le voyant fumer.

Francesca pensa à eux sur le chemin du retour. Une fois de plus, Avery l'avait aidée à y voir plus clair. Elle songea à l'image du couvercle qu'elle avait employée. Le problème, c'était qu'elle ne savait plus très bien elle-même qui elle était. Dans ces conditions, il allait être difficile de trouver le couvercle adapté ! Elle avait l'impression d'avoir beaucoup changé cette année, depuis sa rupture avec Todd. Elle se sentait plus sûre, et elle était plus épanouie sans lui qu'avec lui, ce qui en disait long sur leur relation et sur elle-même. A présent, elle n'était plus une moitié de quelque chose, mais une personne à part entière. Cela lui avait fait du bien d'avoir des locataires et de devoir s'adapter à leur style de vie, elle qui, fille unique, n'avait jamais eu à se soucier des autres lorsqu'elle était jeune. Elle avait de l'affection et du respect pour Marya et Chris – pourtant tous trois avaient des personnalités très différentes –, et c'était un plaisir d'avoir Ian à la maison. C'était la première fois qu'elle vivait dans une telle proximité avec un enfant. Elle ne redoutait plus autant d'en avoir elle-même, s'ils devaient être aussi mignons que le petit garçon. Mais elle n'avait aucune garantie sur ce point, naturellement, car Ian était le plus adorable des enfants.

En arrivant à la maison, elle entendit du bruit à la cuisine, comme des seaux qui s'entrechoquaient. Elle descendit voir ce qui se passait et découvrit la pièce noyée sous vingt centimètres d'eau. Pieds nus, coiffé d'un panama et vêtu d'un short, Charles-Edouard agitait son cigare en donnant des ordres. Marya avait enfilé des bottes en caoutchouc et essayait d'éponger, l'air effondré. La table et les chaises étaient reléguées dans le jardin, jonchées d'objets de toutes sortes sauvés des eaux. En sweat-shirt et maillot de bain, Chris pataugeait sous l'évier, tentant sans succès d'identifier le tuyau responsable de l'inondation.

— Oh merde ! s'exclama Francesca en ôtant ses chaussures et en remontant son jean pour le rejoindre. Qu'est-ce que je peux faire ?

Chris lui lança un coup d'œil par-dessus son épaule et sourit. Francesca se sentit coupable de ne pas avoir été là quand la catastrophe avait eu lieu. C'était exactement ce genre de situation que Todd détestait dans cette maison ancienne, et la raison pour laquelle il avait voulu s'en débarrasser. Charles-Edouard remplit un verre de vin, et le tendit à Francesca. Une fête improvisée au milieu du déluge ! Ian et lui semblaient s'amuser comme des fous. Ils étaient bien les seuls !

— J'ai pu couper l'eau, expliqua Chris. L'inondation a eu lieu alors que tout le monde était sorti, et ça a dû couler toute la journée. Il faudra faire venir quelqu'un pour assécher le sol demain matin, puis appeler un plombier. Je crois que, cette fois, le problème est au-dessus de mes capacités.

Ian sauta de la première marche de l'escalier, et atterrit dans l'eau en éclaboussant tout autour de lui.

— Cool ! s'écria-t-il, tout joyeux.

Chris fronça les sourcils et lui ordonna d'arrêter ou de remonter dans sa chambre. La mine du petit garçon s'allongea, et il rejoignit Charles-Edouard en traînant les pieds.

Chris essaya encore une fois de localiser la fuite, puis il abandonna. Ils ne pouvaient pas faire grand-chose de plus pour ce soir. Francesca, qui avait tenu une lampe torche sous l'évier pour l'aider, était trempée elle aussi. Son jean était mouillé jusqu'à la taille.

— Vous avez dîné ? demanda-t-elle, navrée.

Charles-Edouard répondit par la négative, et elle proposa d'aller jusqu'à la pizzeria voisine, ou bien de se faire livrer par le traiteur chinois et de dîner dans son salon.

Soudain, elle songea que Charles-Edouard et Marya ne pourraient pas dormir chez eux cette nuit : la moquette était complètement détrempée. Elle leur offrit donc sa chambre, en disant qu'elle passerait la nuit sur le nouveau canapé de son salon. Marya se fit un peu prier, mais Francesca insista, en expliquant que cela ne la dérangeait pas du tout de dormir au salon.

Ils se décidèrent pour la pizza, et sortirent tous ensemble, en discutant bruyamment. Leur petit groupe offrait un tableau insolite : Charles-Edouard toujours en short, Marya avec ses bottes en caoutchouc aux pieds... Seuls Chris et Francesca avaient pris le temps de mettre un jean sec. Ian aurait bien aimé retourner s'amuser dans la piscine improvisée, mais Chris refusa tout net.

Ils passèrent une excellente soirée et rentrèrent de fort bonne humeur. A la maison, l'eau s'écoulait lentement dans le jardin par les portes-fenêtres laissées ouvertes, mais il y avait toujours dix centimètres liquides au sol de la cuisine et la chambre de Marya n'était guère mieux. Dans des moments comme celui-ci, Francesca se demandait si elle ne ferait pas mieux de vendre Charles Street.

Elle avait fait part de ses doutes à Chris sur le chemin du retour.

— Un plombier, ça se trouve toujours, Francesca. C'est une très belle maison, et il ne faut pas baisser les bras pour si peu.

— C'est vrai et je l'aime. Mais elle pèse trop lourd sur mes épaules. Financièrement, comme sur les autres plans. J'espère que les réparations de plomberie ne vont pas me coûter une fortune.

Non seulement la perte d'un loyer lui avait porté un coup dur, mais être propriétaire d'une maison, à for-tiori ancienne, demandait beaucoup de travail et d'investissement. Chaque fois qu'elle parvenait à mettre un peu d'argent de côté, la somme était absor-bée par des réparations urgentes.

Chris la raccompagna jusqu'au salon, tandis que Marya et Charles-Edouard montaient dans sa chambre. Elle avait changé les draps avant d'aller dîner. Ian fila se coucher pour regarder la télévision dans son lit. Quand Chris avait installé les lits superposés, il s'était dit que Ian adorerait dormir dans celui du haut. Ce n'était pas un décor très romantique, mais l'arrange-ment était parfait pour eux deux : ils avaient plus d'espace qu'avec un grand lit au milieu de la chambre, dont Chris n'avait aucune utilité, puisque personne avec qui le partager.

Chris s'accorda un petit moment de détente dans le canapé à côté de Francesca. Il était désolé de ne pas avoir pu réparer la fuite. Ils se mirent à rire en repen-sant à Charles-Edouard, avec son short et son panama, en train de donner des ordres, et Ian sautant dans l'eau du plus haut des marches pour éclabousser tout le monde.

— Cette maison serait terriblement triste si vous n'étiez pas tous là, dit Francesca avec un sourire de gratitude.

— Tu n'en as pas par-dessus la tête, de nous voir envahir ton espace ? Parfois, je me demande si je ne devrais pas prendre un appartement pour Ian et moi. Mais tu nous manquerais, et je crois que mon fils se sentirait seul s'il n'y avait que nous deux.

— Ce serait pire pour moi. Vous mettez un peu de piment dans ma vie.

Si elle s'était résolue à la location par nécessité financière, elle aimait beaucoup la communauté familiale qu'ils formaient à présent.

— Tu sais, dit-il en souriant, je te suis très attaché, Francesca. Tu es une amie merveilleuse.

— C'est la même chose pour moi, répondit-elle timidement. Je ne sais pas si j'aurais surmonté la mort d'Eileen sans toi.

— Tu es un cadeau de Dieu pour Ian... et pour moi.

Et tout à coup, sans prévenir, il se pencha et l'embrassa. Francesca le fixa, les yeux écarquillés de surprise.

— Qu'est-ce que... tu as fait ? bredouilla-t-elle, aussi déconcertée que s'il venait de lui donner un coup sur la tête.

— Je crois que je t'ai embrassée, dit-il, l'air plutôt content de lui.

Il avait envie de le faire depuis le soir où ils s'étaient retrouvés seuls après la mort d'Eileen. Mais il n'avait jamais trouvé le bon moment. Il n'était pas sûr que celui-ci le soit, mais il avait saisi la balle au bond, et il contempla Francesca en souriant.

— Je veux dire, pourquoi ? Pourquoi tu m'as embrassée ?

— Es-tu en colère contre moi ? demanda-t-il, inquiet.

Francesca secoua la tête.

— Non, je ne suis pas fâchée, mais je ne comprends pas. Je croyais que tu avais définitivement renoncé à l'amour.

— C'est vrai. Peut-être que je viens de changer d'avis. C'était juste un baiser, Francesca. Pas une demande en mariage. Détends-toi.

— Je crois que j'ai la phobie des relations amoureuses, murmura-t-elle en songeant à la conversation de la veille avec Avery.

— Non, tu es meurtrie, c'est tout. C'est différent. Moi aussi, la vie m'a blessé, mais ça ne doit pas être irrémédiable. Il faut du temps pour guérir. L'année dernière, après l'échec de ton couple, tu es comme entrée en hibernation.

— Oui, c'est vrai. J'avais l'impression que quelque chose était mort en moi, que je ne serais plus jamais vivante.

— Ce quelque chose n'était pas mort. Il était juste en sommeil.

— Comment le sais-tu ? riposta-t-elle, perplexe.

— Je vais te montrer.

Il l'embrassa de nouveau. Cette fois, quand leurs lèvres se séparèrent, elle se mit à rire. Ce baiser lui avait plu. Chris avait peut-être raison, finalement. Elle n'était pas si morte que cela.

— Tu vois ce que je veux dire ? Il me semble que tu es en train de te réveiller.

Il l'embrassa encore, et elle lui rendit son baiser en se coulant dans ses bras. Quand ils s'écartèrent l'un de l'autre pour reprendre leur souffle, elle fronça les sourcils. Ce baiser avait été plus passionné que le précédent. Ils s'enflammaient tous deux de manière totalement inattendue.

— Chris, que faisons-nous ? s'exclama-t-elle, l'air paniqué. Je t'aime bien. Je ne voudrais pas que l'un de nous deux en souffre.

— C'est un risque à courir. Qui ne risque rien n'a rien. C'est une expression un peu banale, mais c'est vrai. Et je crois que je suis prêt à prendre un risque pour toi.

Il fallut à Francesca un effort d'adaptation mentale pour s'approprier cette idée. Le grand phobique de l'engagement, l'ours réfractaire, venait de quitter sa tanière. Et elle l'avait imité. Ça fichait la frousse.

— Et Ian ? Tu ne penses pas qu'il serait épouvanté s'il nous voyait ?

— Il t'adore. Je crois qu'il serait très content, au contraire.

Chris y avait déjà réfléchi.

— Je l'adore aussi, dit doucement Francesca. Je pensais justement à lui ce soir, en rentrant à la maison. C'est un petit garçon merveilleux. Et toi aussi, tu es merveilleux, ajouta-t-elle avec un sourire lumineux.

— Tu n'es pas mal non plus. Il faudrait voir où tout cela peut nous mener. Ça te plairait de dîner avec moi, cette semaine ?

— Quoi ? Un rendez-vous en tête à tête ? s'exclama-t-elle, choquée.

— Quelque chose comme ça. Un dîner tous les deux, tu vois ? Et peut-être même un baiser pour se dire bonsoir, quand je te raccompagnerai chez toi. Mardi, ça te va ?

— Je n'aime pas les rendez-vous en tête à tête, marmonna-t-elle nerveusement. J'avais décidé de ne plus sortir avec qui que ce soit.

— Oui, moi aussi. Mais, avec toi, je veux essayer.

Voilà presque neuf mois qu'il vivait là, le temps de se sentir à l'aise avec elle, d'apprendre à la connaître, dans toutes sortes de situations de la vie quotidienne. Et il aimait tout d'elle. De plus, elle était merveilleuse avec Ian. Que demander de plus ? Cela lui semblait un bon début. Une relation fondée sur l'amitié, et non sur la passion ou sur un espoir aveugle.

— D'accord, dit-elle calmement tandis qu'une tempête se déchaînait sous son crâne.

Elle ne s'attendait pas du tout à ce qui venait de se passer entre eux : en réalité, pas grand-chose, une étincelle, une possibilité. Mais elle avait envie de tenter sa chance elle aussi.

— Et si ça ne marche pas ? Tu vas me détester, tu seras fâché et tu voudras déménager, et je ne vous reverrai plus jamais, Ian et toi. Ce serait terrible, Chris.

— Oui, ce serait terrible. Aussi, nous allons faire en sorte que ça n'arrive pas. Il faut que ça marche.

Francesca acquiesça d'un hochement de tête. Il l'embrassa de nouveau, puis s'écarta et se leva. Elle le raccompagna jusqu'à la porte du salon et il remonta dans son appartement, le sourire aux lèvres.

Ian s'était endormi devant la télévision. Chris réprima un cri de triomphe en entrant dans la chambre. Il l'avait embrassée ! Enfin ! Elle était merveilleuse, et il avait totalement confiance en elle.

Et quelle meilleure alliance que celle de deux blessés de la vie, allergiques à l'amour et morts de peur ? Tant mieux qu'ils aient commencé par être amis !

16

Le plombier vint le lundi matin réparer la fuite, et ils finirent d'assécher la cuisine. Le dégât des eaux coûta deux mille dollars à Francesca, ce qui représentait un trou considérable dans son budget.

Le mardi soir, quand Chris emmena Francesca dîner au restaurant, il demanda à Marya et Charles-Edouard de jouer les baby-sitters. Francesca fut donc obligée de mettre Marya dans la confidence, pour expliquer cette sortie inopinée.

— Un rendez-vous en amoureux ? s'exclama Marya, ébahie.

Elle n'avait pas perçu l'ombre d'une histoire entre eux. Pourtant elle les adorait, et les aurait volontiers vus en couple. Mais à son grand regret, elle n'avait jamais eu l'impression que cette idée les tentait.

— Oui, un rendez-vous en tête à tête, admit Francesca, un peu gênée.

Elle avait du mal à en parler. En fait, il y avait quelque temps qu'elle ne pensait plus être dans la course. Elle se sentait hors circuit !

— Du moins, c'est ce qu'il m'a dit. Mais n'en parle à personne.

— A qui voudrais-tu que j'en parle ? Aux journalistes du *New York Post* ? dit Marya, se moquant gentiment d'elle.

Francesca perdit contenance :

— Je ne sais pas... à Ian, à ma mère, à Charles-Edouard. Je ne veux pas donner trop d'importance à cette sortie. C'est juste un dîner, après tout.

Un dîner, oui, mais au restaurant, et avec Chris. Et ce dernier l'avait embrassée.

Marya la regarda avec insistance :

— C'est important pour toi ?

— Peut-être... je ne sais pas... pas encore. Cela peut devenir important... ou non. Il vaudrait sans doute mieux que ça ne le devienne pas. Nous avons trop peur, tous les deux.

— Et si ça marchait ?

Francesca eut l'air soudain paniqué.

— Cette seule pensée me fait encore plus peur !

— C'est exactement ce que je ressentais avec Charles-Edouard. Quel que soit l'âge, c'est toujours un peu effrayant de s'engager dans une relation. Plus on vieillit, plus la personnalité s'affirme, plus on construit sa vie, et plus il devient difficile d'assembler les pièces du puzzle.

— Comment ça va, entre vous ? demanda Francesca pour changer de sujet.

— C'est fantastique. Charles-Edouard est l'homme le plus extraordinaire que j'aie rencontré, en dehors de mon mari. J'ai beaucoup de chance d'avoir connu deux hommes aussi merveilleux. Je ne le mérite sans doute pas, mais j'apprécie ce cadeau de la vie, dit-elle avec modestie.

— Tu le mérites, répliqua Francesca. Par contre, ne t'étends pas trop sur le sujet avec ma mère, car elle serait folle de jalousie. A croire que la vie ne lui a pas souri déjà cinq fois.

— En ce qui concerne ton histoire avec Chris, je n'ai qu'un seul conseil à te donner, répondit son amie, c'est de profiter du moment présent. N'anticipe rien, ne fais pas de projet, ne t'attends pas à ce qu'il devienne ce qu'il n'est pas, et n'essaye pas d'être quelqu'un d'autre. Reste toi-même. Prends les choses comme elles viennent.

C'était un bon conseil, et Francesca se promit de ne pas l'oublier.

— Ne t'inquiète pas pour Ian, reprit Marya. Je suis très heureuse de m'occuper de lui, et vous pouvez me le laisser chaque fois que cela vous arrange. Charles-Edouard l'adore. Nous lui ferons faire des cookies... Et passe une bonne soirée, ajouta-t-elle alors que Francesca montait se préparer.

Pour la première fois depuis des mois, Francesca se fit couler un bain et prit le temps de s'épiler les jambes. Elle ne savait pas encore quelle serait sa tenue pour la soirée, mais quoi qu'elle décide cela n'avait pas de réelle importance. L'essentiel, c'était de se retrouver seule avec Chris.

— Bienvenue dans le monde des vivants, murmura-t-elle en se glissant dans la baignoire.

Et elle éclata de rire.

Francesca avait finalement choisi une jupe de cuir noir, un pull rouge, et des escarpins à talons aiguilles. Elle avait le sentiment de ressembler un peu à sa mère, et craignait d'en avoir trop fait. Elle ne voulait surtout pas donner l'impression de vouloir séduire Chris à tout prix.

En fait, elle ne savait même plus comment il fallait s'habiller pour un premier rendez-vous et sa garde-robe n'était plus adaptée à ce genre de circonstance. Jusqu'à présent, ses sorties avaient été assez limitées, mais pour quelqu'un qu'elle appréciait, comme Chris, elle avait envie d'être jolie et sexy. Elle n'aurait su dire si le but était atteint, mais quand elle était descendue et avait frappé à la porte de sa chambre pour lui dire qu'elle était prête, il avait eu un sourire admiratif. Ian était déjà douché et en pyjama, les cheveux humides. Il lui dit qu'elle avait « des fringues de malade ».

— Ah bon ? fit-elle, décontenancée.

— C'est un compliment, expliqua Chris. Quelque chose comme « un look d'enfer ».

— Oh, merci, Ian. Toi aussi, tu as un look d'enfer, dit-elle avant de dévaler l'escalier avec Chris.

Ian savait qu'il devait descendre rejoindre Marya et Charles-Edouard dans la cuisine, pour un concours de cookies.

— Et alors, qu'as-tu dit à mes baby-sitters ? demanda Chris, lorsqu'ils furent dehors.

— Que tu détestais leur cuisine, et que tu voulais absolument sortir pour faire un repas digne de ce nom.

— Très drôle.

Il n'en croyait pas un mot.

— J'ai dit à Marya que tu m'invitais à dîner.

— Et qu'a-t-elle répondu ?

Il était curieux de savoir comment leurs amis allaient réagir, s'ils se mettaient à sortir ensemble. Ian avait déjà annoncé qu'il trouvait cela bizarre, mais il n'était pas allé plus loin. Il s'était seulement moqué de son papa, quand il l'avait vu s'habiller avec soin.

— Elle a trouvé que c'était une bonne idée. Et moi aussi.

Sortir avec Chris l'attirait de plus en plus. Elle avait cependant passé deux jours dans l'angoisse, terrifiée à

217

la pensée de tous les désastres susceptibles de survenir s'ils s'engageaient ensemble. Elle n'avait pas annulé la soirée pour autant !

Chris emmena Francesca chez Da Silvano, un restaurant qui leur plaisait à tous les deux, pas trop guindé. Francesca était ravie. C'était si bon de se sentir de nouveau jeune et féminine, de porter une jupe sexy, et de sortir avec un homme !

Le maître d'hôtel leur donna une table à l'intérieur, car la soirée était fraîche. L'hiver arrivait, les feuilles d'automne jonchaient déjà le sol. Chris portait un jean, une chemise blanche et une veste de velours marron, avec des mocassins. Il était beau et élégant. Francesca remarqua qu'il s'était rasé avant de sortir, et ce détail lui plut. Elle n'avait jamais aimé les hommes à la barbe de cinq jours. C'était peut-être un look branché, mais elle trouvait que cela leur donnait une allure négligée et peu engageante. La tenue de Chris était simple et impeccable, et ils formaient un couple harmonieux.

Ils commandèrent des pâtes et de la salade, avec une bouteille de napa valley. En attendant leurs plats, ils se mirent à discuter de tout et de rien. L'inondation de la cuisine, ce que Charles-Edouard avait dit et fait ce jour-là, combien ils se sentaient bêtes dans leurs tenues habillées. Quand elle y repensa plus tard, Francesca fut incapable de se rappeler de quoi ils avaient parlé, mais elle savait qu'ils avaient passé un bon moment. Un très bon moment. C'était sympa de sortir de la maison, d'échapper au travail, à la routine, et même à Ian, pour passer une soirée entre adultes.

Ils prirent un dessert, sirotèrent leur café, et furent les derniers clients à quitter le restaurant. Ils rentrèrent à pied, sans se presser. Tout le monde était déjà couché quand ils arrivèrent à la maison. Ian dormait profondément, blotti sous sa couette.

— J'ai passé une soirée merveilleuse, dit Chris en l'embrassant devant la porte de sa chambre.

Il l'avait raccompagnée jusque sur le palier, comme après un vrai rendez-vous galant.

— Moi aussi, chuchota-t-elle, entre deux baisers.

— Je ne sais pas pourquoi nous n'avons pas compris plus tôt que nous nous plaisions, dit-il en souriant. J'ai l'impression d'avoir perdu beaucoup de temps.

— Non, nous n'avons rien perdu. Nous n'étions pas prêts.

Ils avaient appris à se connaître, et c'était bien mieux ainsi.

Chris hocha la tête, et l'embrassa de nouveau. Il la tint un instant dans ses bras, retardant le plus possible le moment de la quitter. Puis elle s'écarta et entra dans sa chambre, et il dévala vivement l'escalier pour rentrer chez lui.

Francesca eut un petit rire de plaisir. Pour un premier rendez-vous, c'était une réussite !

Francesca et Chris essayèrent de se comporter comme à leur habitude, mais il était évident qu'il y avait quelque chose de nouveau. Marya souriait chaque fois qu'elle les voyait ensemble, et Charles-Edouard donnait à Chris de grandes tapes amicales sur l'épaule. Le lendemain matin, au petit déjeuner, Chris ne cessait de sourire à Francesca, ce qui la faisait rougir, comme une jeune fille timide. Il avait envie de l'embrasser, mais il ne pouvait pas. Pour le moment, il ne voulait encore rien dire à Ian. Mais son fils n'était pas idiot, et il riait sous cape.

Chris invita de nouveau Francesca le vendredi soir. Cette fois, ils allèrent dans un restaurant mexicain, puis au cinéma. Le samedi matin, Ian piqua une crise de fou rire en les regardant, attablé devant son bacon et ses pancakes Mickey préférés. Marya les avait faits pour lui car il ne s'en lassait pas et lui en réclamait jour après jour avec autant d'insistance. Elle était partie passer le week-end dans le Vermont avec Charles-Edouard, en leur laissant le petit déjeuner tout prêt. Leur amour était au beau fixe, et ils avaient l'air très heureux. Francesca et Chris aussi. Le bonheur est contagieux.

— Alors, ça y est ? Tu l'as embrassée ? demanda Ian à son père, lorsque Francesca remonta chercher un roman qu'elle voulait prêter à Chris.

— De quoi parles-tu ? demanda Chris d'un air innocent.

Ian ne se laissa pas mener en bateau.

— Quand tu emmènes une fille au restaurant, tu dois l'embrasser. Tout le monde sait ça. Et tu l'as déjà emmenée deux fois. Si tu ne l'embrasses pas, elle va croire que tu es gay.

— Comment connais-tu ce mot ? s'exclama Chris, abasourdi.

— C'est un grand qui me l'a dit à l'école. Ça veut dire que tu es efféminé et que tu n'aimes pas les filles.

— Eh bien, ne dis jamais à un gars qu'il est gay. Il risque de ne pas aimer ça, et de te coller un œil au beurre noir.

— D'accord. Bon alors, tu l'as embrassée ?

— Cela ne te regarde pas, riposta Chris.

— Si, ça me regarde. Francesca est mon amie. Si je l'emmenais au restaurant, je l'embrasserais.

— C'est bon à savoir.

C'est le moment que choisit Francesca pour réapparaître avec le livre. Elle le tendit à Chris : c'était un thriller écrit par un nouvel auteur ; elle espérait qu'il l'aimerait autant qu'elle.

— De quoi étiez-vous en train de parler ? demanda-t-elle innocemment, en se servant une tasse de café.

— J'ai demandé à papa s'il t'a déjà embrassée, mais il ne veut pas me le dire, déclara Ian en engloutissant la dernière bouchée de pancake. Alors, il l'a fait ou pas ?

Il planta son regard dans celui de Francesca, et celle-ci avala sa gorgée de café de travers.

— Tu serais contrarié si ton papa m'embrassait ? le questionna-t-elle avec ménagement.

Ian éclata de rire.

— Bien sûr que non ! Je t'adore, Francesca. Et je crois que mon papa t'aime aussi. Il a trop peur de te le dire, c'est tout. Moi, je lui ai dit que s'il ne faisait rien, ça voulait dire qu'il était gay !

Francesca écarquilla les yeux. Elle ne s'attendait pas à ça.

— Je ne pense pas qu'il soit gay, dit-elle en jetant un regard en coin à Chris pour quémander un conseil.

Celui-ci fit un signe de tête presque imperceptible.

— Oui, il m'a embrassée, finit-elle par dire.

— Alors, c'est qu'il n'est pas gay.

Ian topa dans la main de son père pour fêter ce baiser, et Francesca eut l'impression de se retrouver dans un vestiaire de lycéens. C'était une première pour elle d'être l'objet d'un *high-five*.

— Je m'en doutais un peu, dit-elle très sérieusement. Alors, ça te va ?

Pour une fois, elle était contente que Marya et Charles-Edouard ne soient pas là pour assister à cette discussion.

— Oui, ça me va, confirma Ian. Ça me plaît, que tu sois notre amie.

— Je suis votre amie, mais je ne veux pas faire quoi que ce soit qui te rende triste. Vous êtes très importants pour moi tous les deux, et je ne voudrais pas tout gâcher.

— Tu veux dire, comme ma maman ?

Ils s'aventuraient en terrain glissant.

— Je ne sais pas ce qu'a fait ta maman, Ian, dit prudemment Francesca. Il n'y a que toi et ton papa qui soyez au courant. Mais je ne veux pas vous contrarier ou vous décevoir, Chris et toi.

— Oh, non, tu ne le feras pas, dit Ian, avec assurance.

Visiblement, il avait une totale confiance en elle.

— On fait quoi aujourd'hui ? ajouta-t-il, passant tout naturellement au sujet suivant maintenant qu'on avait répondu à sa question.

Il leur fit part de son envie d'aller à Central Park. Sautant ensuite prestement de sa chaise, il fila dans la chambre pour aller regarder la télévision.

— Eh bien, je ne m'en suis pas trop mal sortie, dit Francesca, soulagée. Je craignais qu'il ne soit contrarié.

Chris sourit.

— Je n'ai pas pensé une seconde qu'il pourrait l'être.

Il se pencha pour l'embrasser, puis se glissa sur la chaise voisine de la sienne, pour l'enlacer et l'embrasser plus tendrement. A cet instant précis, Ian rentra dans la cuisine. Ils ne s'aperçurent de sa présence que lorsque leurs lèvres se séparèrent et qu'ils reprirent leur souffle. Ian les regarda en riant.

— Vas-y, papa ! claironna-t-il avant de ressortir avec un paquet de galettes de riz à grignoter devant la télévision.

— Il va falloir que je pige le truc, balbutia Francesca, un peu troublée. Je ne m'attendais pas au soutien d'une claque sur les gradins !

Mais au fond, elle était contente que Ian approuve leur relation.

— Ils parlent trop de sexe à l'école, grommela Chris, vaguement agacé.

Ils débarrassèrent la table, et nettoyèrent la cuisine. Ce jour-là, ils décidèrent de déjeuner dehors, avant d'aller à Central Park. Ils firent le tour du lac, se baladèrent au zoo, achetèrent des glaces, jouèrent un peu au football et coururent dans le parc. Ils avaient la sensation de former une famille. Ils rentrèrent tard à la maison, après avoir acheté quelques DVD. Chris invita Francesca dans leur appartement, et elle regarda la télévision, assise dans le canapé à côté de lui, tandis que Ian s'allongeait sur le tapis.

Cela faisait des années qu'elle n'avait pas été aussi heureuse. Et le plus formidable de tout, c'était l'approbation de Ian.

17

Le jour où devait avoir lieu l'audience statuant sur le droit de garde de Ian, Chris se leva à six heures. Marya lui avait proposé d'emmener son fils à l'école. Tout ce que Ian savait, c'est qu'il y avait encore une de ces séances au tribunal au sujet de sa maman, et que ça devait être important, car son papa mettait chaque fois un costume. Chris ne voulait pas lui exposer les détails de l'affaire. Quelle que soit l'issue de l'audience, Ian resterait avec lui, aussi refusait-il de l'inquiéter pour rien.

Kim était toujours en prison, elle était toujours dépendante, et elle ne sortirait pas de sitôt. La seule différence, si Chris gagnait aujourd'hui, c'est que Ian ne retournerait plus vivre avec elle. Elle aurait naturellement un droit de visite, supervisé par des travailleurs sociaux, mais il n'y aurait plus ces scènes horribles où Chris était appelé par la police parce qu'elle venait de faire une overdose ou de s'entailler les poignets, et que Ian essayait de lui comprimer les veines en attendant l'arrivée des secours.

Après le départ de l'enfant pour l'école, Francesca proposa à Chris de l'accompagner au tribunal. Il refusa en disant que c'était trop éprouvant.

— Quoi ? Tu me prends pour une poule mouillée ? Je sais ce que c'est qu'un drogué. Je sais ce que Ian a vécu. Je me souviens très bien du jour où tu es allé le chercher parce qu'elle avait fait une overdose. Je sais qu'elle est accusée d'homicide et qu'elle risque la prison. Pourquoi ne pourrais-je venir te soutenir ?

— Imagine que je n'obtienne pas la garde ? répondit-il, les traits creusés par l'inquiétude.

— Raison de plus pour que je sois près de toi. Et si c'est le cas, ajouta-t-elle d'une voix ferme, nous recommencerons la procédure. Tu ne perdras pas, Chris. Ton ex-femme est en trop mauvaise posture.

— Son père est très influent.

— Le tien aussi. Pour l'amour du ciel, Chris, tu es apparenté à deux anciens présidents des Etats-Unis ! Je ne parle pas de Benjamin Franklin ou de Thomas Jefferson, mais de présidents récents. Ça pèse dans la balance.

— Ma famille n'apprécie pas d'être sous la lumière des projecteurs, mêlée à un scandale. Mes parents sont d'avis que je n'aurais jamais dû épouser Kimberly. A l'époque, elle ne prenait pas d'héroïne, mais elle était déjà déboussolée. J'ai cru que j'allais tout arranger, et faire d'elle une princesse. Au lieu de cela, elle est devenue une loque et n'a jamais pu remonter la pente. Comme mes parents ont honte d'elle, ils préfèrent ignorer la situation et ses conséquences pour Ian. Ils vivent dans le déni. Le père de Kimberly, lui, est prêt à mentir, tricher, voler, tuer pour que sa fille ne souffre pas des suites de ses actes. Ce qui explique en partie pourquoi elle n'a jamais été complètement *clean*. Elle n'en a pas eu besoin, puisqu'il fait sans cesse le ménage derrière elle. Elle n'a jamais payé le prix de ses erreurs. Tout le monde le fait à sa place, y compris son fils.

— Je peux venir ? répéta Francesca.

Il hocha la tête, et elle l'embrassa. Leur relation n'en était qu'à son début, mais ils passaient de très agréables moments ensemble, et Chris l'invitait souvent à dîner. Ils n'avaient pas encore fait l'amour. Ils n'étaient pas pressés, ils avançaient à pas prudents, d'autant plus que Chris avait été préoccupé à la perspective de cette audience. Tout irait bien mieux une fois qu'il aurait quitté le tribunal. Qu'il perde ou qu'il gagne, l'épreuve serait derrière lui.

Ils prirent un taxi pour le palais de justice, situé dans Lafayette Street. Ils arrivèrent ponctuellement à dix heures. L'avocat de Chris les attendait à l'extérieur du bâtiment. Comme Kim était en prison, elle n'assistait pas à l'audience, mais son avocate était là pour la représenter. C'était une femme déplaisante et redoutable, que Chris détestait. Son seul but était de défendre sa cliente, sans jamais tenir compte du bien-être de leur fils.

L'avocat de Chris, un homme à la mine grave, portait un costume, une cravate sombre et des lunettes cerclées d'acier. Chris fit les présentations, et l'homme serra la main de Francesca. Il lui fit bonne impression, au contraire de l'avocate de Kimberly, dont le regard méchant semblait vouloir darder sur Chris des flèches empoisonnées.

Ils entrèrent tous dans la salle d'audience et prirent place sur les bancs. Francesca s'assit juste derrière Chris, et lui toucha doucement l'épaule. Un instant plus tard le juge entra, annoncé par l'huissier. A leur entrée dans le tribunal, Chris avait discrètement désigné à Francesca le père de son ex-femme. Tout le monde savait qu'il était là, et tout le monde savait aussi qui il était.

Il aurait été difficile de l'ignorer. Il faisait chaque année la couverture du *Time* et de *Newsweek*, et son nom et sa photo paraissaient régulièrement dans les journaux. Le juge ne manquerait pas de le reconnaître. Sa présence constituait une sorte de tentative d'intimidation silencieuse ; le message était clair.

On présenta les deux parties en présence. Il fut question de l'amour maternel de Kimberly, et de son attachement à Ian. De son adoration pour lui. De cette mère dévouée, qui irait tout droit en cure de désintoxication dès sa sortie de prison, car elle voulait être en bonne santé pour son fils. L'avocate qui la représentait se tourna vers le juge. Avec le regard le plus franc que Francesca ait jamais vu, elle déclara qu'il n'y avait rien au monde que Kim ne soit prête à faire pour son enfant. Elle promit personnellement au juge que le petit garçon ne courrait plus jamais le moindre risque, et que la garde conjointe devait être préservée. Il fallait éviter à tout prix que cet enfant de huit ans soit privé de sa mère une fois qu'elle serait libre, ou qu'il se sente abandonné par elle si jamais Chris obtenait la garde exclusive à son détriment. Cette dernière éventualité allait à l'encontre des intérêts de l'enfant, et la seule solution bénéfique pour lui était la garde conjointe. Elle usa de tous les artifices, à l'exception d'un chœur de pleureuses accompagné des grandes orgues.

Le juge, apparemment de marbre, semblait concentré sur la plaidoirie. Francesca le vit plus d'une fois lancer un coup d'œil en direction du père de Kimberly. Chris le remarqua également. C'était ce à quoi il s'attendait. Les gens influents tiraient les ficelles, il leur suffisait d'être là et de regarder le juge.

La famille de Kimberly voulait faire savoir qu'elle n'avait pas l'intention de perdre ce combat. Le message était important, et Chris craignait que le juge ne soit convaincu de maintenir la garde conjointe. Même s'il ne croyait pas une seconde que l'entourage de Kimberly n'ait en tête l'intérêt de l'enfant.

Francesca se sentit mal à l'aise quand l'avocat de Chris prit la parole. L'homme était plus professionnel que passionné. Il semblait extrêmement froid et sec, comparé à l'avocate de Kim qui avait utilisé sans retenue tous les ressorts de l'émotion. Un détective privé travaillant pour Chris avait déniché des informations dont personne n'avait eu connaissance auparavant, et sûrement pas le tribunal. L'avocat expliqua dans son exposé introductif que Chris n'avait pas pour but de séparer Ian de sa mère, et qu'il était favorable à des visites sous surveillance, une fois que la jeune femme serait en mesure de les assumer. Il ne souhaitait pas empêcher l'enfant de voir sa mère. Tout ce qu'il voulait, c'était qu'il vive en sécurité dans une atmosphère propice à son développement. Etant donné le passé de la mère, et son manque flagrant de discernement, l'avocat de Chris était d'avis que toutes les décisions concernant Ian devaient être prises par le père : scolarité, visites médicales, éducation religieuse... Cela signifiait qu'il devait avoir la garde exclusive de son fils. Ce qui, pour Francesca, tombait sous le sens.

De toute façon, Chris se chargeait déjà de tout.

Puis l'avocat commença la lecture du rapport établi par le détective. C'était une longue liste d'actes terrifiants, d'échecs, de méfaits, d'épisodes dangereux, et de preuves choquantes de manque de bon sens, voire de négligence criminelle. Francesca avait eu connaissance de certains faits par Chris, mais ceux-ci n'étaient qu'une goutte d'eau dans la mer, en comparaison de tout ce que l'avocat énuméra.

Kimberly Harley avait mis la vie de son fils en danger de mille façons, en de multiples occasions. Et cela faisait des années que Chris luttait contre elle pour protéger l'enfant. Les différents tribunaux avaient jusqu'ici tenu compte du fait qu'elle était sa mère, et respecté ce lien. A présent, les preuves accumulées étaient trop nombreuses. Tout ce que l'avocat citait était nouveau pour la Cour, et Chris lui-même découvrait certains faits.

D'après les nombreux témoins qui avaient signé leur déclaration, Kim avait laissé Ian en compagnie de drogués, elle l'avait abandonné dans des relais routiers et des restaurants, et il avait dû être ramené chez lui par des inconnus. Oubliant qu'il était avec elle, elle l'avait laissé sur le bas-côté de l'autoroute. Un jour quand il était bébé, elle l'avait laissé tomber, car elle était sous l'emprise de la drogue. Chris connaissait cet horrible incident. Une autre fois, elle l'avait oublié dans son siège sur le toit de la voiture, et c'était Chris qui l'avait secouru avant qu'elle ne démarre. Elle l'avait laissé dans une fumerie de crack, une autre fois elle avait négligé de le nourrir pendant plusieurs jours, avait tenté de se suicider devant lui à plusieurs reprises, avait pointé une arme sur lui, avec l'intention de le tuer et de se suicider ensuite. C'était un autre drogué qui lui avait retiré l'arme des mains, sauvant la vie de l'enfant. L'avocat ajouta que Ian avait appelé le 911 à plusieurs reprises, chaque fois qu'elle faisait une overdose. La liste s'allongeait, encore et encore…

L'impassibilité de l'avocat de Chris, qui n'usait pas des artifices et du tralala de sa consœur, était très efficace. Il avait des pages et des pages de faits bien réels, de rapports de police, et de dépositions signées, pour soutenir sa plaidoirie.

Francesca se tourna vers le père de Kimberly. Ce dernier donnait l'impression de vouloir étrangler celui qui énonçait toutes ces vérités sur sa fille. Les preuves étaient accablantes et incontestables. Entendant tout cela et connaissant Ian, Francesca, les larmes aux yeux, songea que la prison était une punition encore trop douce pour Kimberly. C'était un miracle que le petit garçon ait survécu à pareil traitement, et il n'était pas étonnant que Chris soit devenu aussi phobique des relations amoureuses. Marié à une femme comme elle, qui mettait sans cesse la vie de leur fils en danger, même bébé... Comment aurait-il fait confiance à une autre femme ?

Enfin, l'avocat arriva au bout de son énumération et s'approcha du juge pour lui donner copie des documents. Ce dernier observa Chris en silence. Puis il suspendit la séance et demanda aux avocats de se retirer avec lui.

Francesca se pencha vers Chris pour lui demander à voix basse si le juge savait que Kim était actuellement inculpée pour homicide par imprudence, et il répondit d'un bref hochement de tête.

Le visage de Chris était fermé. Il essayait d'oublier toutes les occasions au cours desquelles Kim avait risqué la vie de leur fils.

— Et maintenant ? demanda Francesca.

— Le juge peut soit nous faire part de sa décision aujourd'hui, soit la soumettre par écrit aux avocats après avoir relu le dossier et réfléchi à la question. La plupart des juges remettent une décision écrite pour éviter de se faire casser la figure dans la salle d'audience. Certaines personnes sont promptes à monter sur leurs grands chevaux, surtout quand il s'agit du droit de garde d'un enfant.

Après tout ce qu'elle venait d'entendre, Francesca n'en doutait pas.

— La liste était longue, commenta-t-elle avec tristesse.

Chris acquiesça. Le détective avait accompli un travail remarquable. Pauvre petit garçon. Toute sa vie, Francesca avait considéré sa mère comme un poids ou une gêne. Mais jamais comme un danger potentiel. La mère de Ian avait fait courir des risques à son enfant dès l'âge de trois mois, au moment où elle s'était remise à se droguer. Francesca eut le cœur serré à l'idée que Chris s'efforçait désespérément de protéger son fils depuis tant d'années.

Les avocats réapparurent dix minutes plus tard. Avec une expression indéchiffrable, le conseil de Chris leur fit signe de quitter la salle d'audience en même temps que lui. L'avocate de Kim se dirigea droit vers le père de sa cliente, et ils se mirent à discuter à voix basse, au fond de la salle. Le père de Kim désigna plusieurs fois le juge d'un geste du pouce. Il n'était visiblement pas content, mais l'avocate avait accompli une excellente performance. Du moins du point de vue théâtral. Car c'était une comédie qu'elle avait jouée, dans laquelle la justice n'entrait pas en ligne de compte.

L'avocat de Chris les escorta dans le couloir d'un pas vif. Ils se trouvaient au bas de l'escalier de marbre quand il s'arrêta enfin, et se tourna vers eux. Craignant que quelqu'un n'ait alerté la presse, il avait préféré les entraîner aussi vite que possible loin de la salle d'audience.

— Que s'est-il passé dans le bureau du juge ? s'enquit Chris, anxieux.

Son avocat sourit et lui posa une main sur l'épaule.

— Vous avez obtenu la garde exclusive de Ian. Le juge ne veut plus entendre un seul mot de la partie adverse. Il m'a dit que tant qu'il siégerait dans ce tribunal, Ian serait sous votre garde unique. Si sa mère le mettait par extraordinaire encore une fois en danger, il la ferait incarcérer. Il ne comprend pas comment elle a pu obtenir la garde conjointe de cet enfant aussi longtemps.

Des larmes se mirent à rouler sur les joues de Chris, et Francesca sentit sa gorge se serrer.

— Maintenant, sortons d'ici avant que quelqu'un ne comprenne qui vous êtes et n'appelle les médias. Cette fois, je pense que le père de votre ex-femme se gardera bien de le faire.

Chris le remercia, radieux, et héla un taxi. Une fois dans la voiture, Francesca fondit en larmes et se jeta dans ses bras. La victoire était totale.

Marya et Charles-Edouard les attendaient à la maison. En voyant l'expression de Chris et les larmes de Francesca, ils devinèrent immédiatement le résultat de l'audience.

— Dieu soit loué ! s'exclama Marya en prenant Chris dans ses bras.

Charles-Edouard l'imita, serrant le jeune homme contre lui. C'était un intense soulagement pour eux tous. Le rapport succinct que Francesca fit des méfaits de Kim épouvanta Marya. Après leur avoir bien recommandé de ne pas souffler mot de l'affaire à Ian lorsqu'il rentrerait de l'école, Chris monta enfiler une tenue plus décontractée. Il était à la fois bouleversé et surexcité.

Kim ne pourrait plus faire de mal à leur fils. Ian n'aurait plus à subir ces horreurs. C'était tout ce que Chris voulait. Le juge avait aussi opté pour des visites supervisées par un tiers. Ils avaient donc gagné sur toute la ligne.

Cette victoire leur parut encore plus importante la semaine suivante, quand Chris découvrit un article dans le journal. Francesca le vit crisper les mâchoires tandis qu'il lisait, puis il lui tendit le journal en silence. Cette fois, les avocats du père de Kim avaient gagné. Pas en ce qui concernait le petit-fils de leur client, mais en ce qui concernait sa fille.

Le drogué qui avait succombé à une overdose à côté d'elle était un dealer, avaient-ils prétendu, payant sans doute généreusement les gens qui avaient accepté de corroborer leurs dires. C'était donc lui qui avait mis la vie de Kim en danger, et non l'inverse. Une fois le défunt pointé comme délinquant, cela jetait un doute certain sur la culpabilité de la jeune femme. Les avocats avaient plaidé un équilibre psychologique fragile, une santé défaillante, et avaient mis en avant tous les arguments susceptibles de transformer l'accusation d'homicide en simple délit. Le procureur avait accepté de négocier avec l'accusée. Et finalement, le juge avait prononcé une condamnation à six mois d'emprisonnement, dont une grande partie avait déjà été effectuée en préventive. Pour le reste, Kim avait obtenu une réduction de peine pour bonne conduite. Dans quelques semaines, elle serait donc libérée, et pourrait passer les fêtes de Thanksgiving chez elle.

L'article précisait qu'elle irait aussi quelques semaines en cure de désintoxication dans un célèbre centre à la campagne, pour se refaire une santé après ce dur passage en détention. Elle pourrait quitter l'endroit lorsqu'elle en exprimerait l'envie, et, la connaissant, Chris savait qu'elle l'appellerait sans tarder pour exercer son droit de visite.

Chris était furieux que les charges contre elle aient été allégées et qu'elle puisse sortir rapidement de prison. Elle allait réapparaître en moins de temps qu'il n'en fallait pour le dire, demander à voir Ian, et leur empoisonner la vie.

— Je ne pensais pas que son père parviendrait à la tirer d'affaire, dit-il blême de colère. Sa place est en prison. Elle représente un danger pour elle-même et pour tout son entourage.

— C'est vrai. Mais maintenant au moins, Ian n'a plus rien à craindre, répondit Francesca. Elle n'aura droit qu'à des visites strictement encadrées.

— J'espérais tout de même qu'elle disparaîtrait de la circulation pendant quelques années, grommela-t-il, la mine sombre.

Chris jeta le journal à la poubelle pour qu'il ne tombe pas sous les yeux de Ian et remonta chez lui sans ajouter un mot. Il détestait son ex-femme, ce n'était un secret pour personne.

Francesca elle aussi était navrée de savoir que dans quelques semaines Kim circulerait librement, et qu'elle s'immiscerait de nouveau dans la vie de Ian.

18

Au cours des semaines suivant le jugement du tribunal, la relation de Chris et Francesca connut un réel épanouissement. Chris se détendit peu à peu, et finit par accepter le fait que Kim ne resterait pas en prison, et qu'elle demanderait à voir son fils. Francesca réussit à lui faire comprendre que Ian n'aurait plus rien à craindre puisque ses visites seraient sous haute surveillance.

Cette idée libéra Chris, lui permettant de penser enfin à autre chose. Il passait de plus en plus de temps avec Francesca. Le soir, une fois Ian endormi, ils allaient dans le salon ou dans la chambre de la jeune femme. Mais ils n'osaient pas aller plus loin que de simples baisers, au cas où le petit garçon s'éveillerait et chercherait son père.

Le week-end, ils organisaient de grandes sorties : ils visitèrent le zoo du Bronx, le musée maritime à la pointe sud de Manhattan, et prirent le ferry pour Staten Island. Francesca les emmena voir son père et Avery dans le Connecticut. Chris et Henry s'entendirent très bien.

Ils se déguisèrent tous les trois pour Halloween et allèrent quémander des friandises, puis assistèrent à la parade dans le Village. Il y avait des années que Francesca ne s'était pas autant amusée. Le lendemain matin, alors que Ian était encore dans son lit avec une citrouille en plastique remplie de bonbons, Chris vint retrouver Francesca dans sa chambre.

— Je t'échange deux Milky Way contre un Snickers, annonça-t-il en entrant.

— Pas question. Les Snickers au chocolat noir valent au moins six Milky Way, et un paquet de M & M's. Je t'ai vu en glisser deux dans ta poche à notre dernière maison.

— Tu es une petite filoute, dit-il en l'embrassant.

Il était fou de désir. La vie monacale qu'il menait depuis des années avait atteint ses limites.

— J'ai une proposition à te faire, chuchota-t-il, en glissant sa main sous le pull de la jeune femme. Je veux partir en week-end avec toi.

Francesca retint son souffle. Ils n'osaient pas se laisser aller avec Ian à proximité. Là, pourtant...

— Quand ?

— Tout de suite !

Francesca éclata de rire.

Ils étaient seuls avec Ian tout le week-end, car Marya et Charles-Edouard étaient retournés quelques jours dans le Vermont pour travailler à leur livre.

— La semaine prochaine, ça te dit ? Marya pourra peut-être s'occuper de Ian, ajouta-t-il plein d'espoir.

— Je lui poserai la question à son retour.

— Si elle refuse, je te préviens... je risque de devenir fou et de t'arracher tous tes vêtements en public !

— Calme-toi. Nous allons trouver une solution, dit-elle d'un ton taquin, en l'embrassant.

Ils mouraient d'envie d'aller quelque part où ils n'auraient pas besoin de surveiller leurs gestes, d'être prudents, de penser à la présence de l'enfant. Il leur fallait du temps pour eux. Cela faisait deux mois qu'ils avaient une conduite irréprochable, ils avaient assez attendu.

Francesca en parla à Marya le dimanche soir, lorsque Charles-Edouard et elle rentrèrent du Vermont. Comme toujours, Marya fut enchantée de pouvoir les aider. Elle adorait Ian et approuvait leur idylle.

— Où comptez-vous aller ? demanda-t-elle joyeusement.

Il y avait deux couples heureux dans la maison, à présent. Charles-Edouard était merveilleux, et il lui jurait qu'il avait changé, qu'il était un homme neuf. Il ne voulait pas d'autre femme qu'elle. Francesca avait parlé à Marya de son père, dont la conduite était exemplaire depuis qu'il avait épousé Avery. Tout ce qu'il fallait à ce genre d'hommes, c'était trouver la femme capable de les transformer.

— Nous n'avons pas encore décidé. Je voulais d'abord savoir si tu acceptais de garder Ian.

— Pourquoi n'iriez-vous pas chez moi, dans le Vermont ? C'est un lieu calme et reposant. Et la campagne est très belle à cette époque de l'année, malgré le froid. Vous serez plus à l'aise que dans un hôtel.

La proposition de Marya plut énormément à Francesca, et Chris approuva. Ils décidèrent de partir le vendredi après-midi, pour revenir le dimanche soir. Le trajet était long, mais cela en valait la peine. Ils ne pensèrent qu'à ça toute la semaine, et Marya de son côté fit toutes sortes de projets avec Ian. Ils pensaient aller au cinéma, au théâtre, au musée. Ian était aux anges. Francesca demanda à l'un de ses artistes de tenir la galerie à sa place, le vendredi et le samedi. Tout était en place pour qu'ils passent un merveilleux week-end.

Quand ils quittèrent Charles Street en fin d'après-midi, la circulation était dense, mais cela leur était égal, tant ils étaient contents d'avoir pu s'échapper. Ils se seraient crus dans un film ! Ian lui-même leur prêta à peine attention lorsqu'ils partirent. Il les embrassa, mais ne leur demanda même pas où ils allaient. Il était bien trop occupé avec Marya pour s'en soucier. Chris lui promit néanmoins de l'appeler.

Ils se mirent à rire lorsqu'ils sortirent enfin de la ville, et se félicitèrent mutuellement d'avoir réussi.

— J'ai eu peur toute la semaine que quelque chose nous empêche de partir au dernier moment. Que Ian attrape la varicelle par exemple, s'exclama Francesca avec soulagement.

— Moi aussi, avoua Chris. J'étais sûr que Marya aurait un empêchement, ou que Kim allait s'évader de prison ou péter les plombs. Nous avons deux jours entiers devant nous ! annonça-t-il d'un ton victorieux. Je n'arrive pas à le croire.

— Moi non plus, renchérit-elle, radieuse.

Ils s'arrêtèrent dans une petite auberge pour dîner, puis reprirent la route en direction du Vermont. Ils arrivèrent chez Marya juste avant minuit. C'était une jolie maison, avec un verger, de grands arbres, et de beaux massifs fleuris.

Chris ouvrit la porte et débrancha le système d'alarme. Ils découvrirent un cottage idéal pour lune de miel. Francesca fit le tour de toutes les jolies choses qui ornaient la maison. Le séjour était une très belle pièce, avec des lambris et une cheminée. A l'étage, la chambre d'amis était meublée d'un grand lit à balda-quin. Ils déposèrent leurs valises, et, avant même que Francesca ait eu le temps d'enlever son manteau, Chris la fit basculer sur le lit pour l'embrasser. En quelques secondes, la passion les embrasa.

Ils avaient attendu si longtemps que leur désir s'était exacerbé au fil des semaines. Ils s'étaient abstenus par égard pour Ian ; à présent, ils n'avaient plus aucune contrainte.

Rapidement, ils se retrouvèrent nus sous les draps, se caressant l'un l'autre. Tenaillés par le désir, ils ne purent attendre plus longtemps. Francesca s'offrit à Chris, qui plongea en elle avec ardeur. Jamais ils n'avaient fait l'amour avec autant de ferveur. Ils étaient deux êtres altérés découvrant enfin la fontaine capable d'étancher leur soif, après des années passées dans le désert. La jouissance les submergea au même moment, et ils retombèrent haletants et comblés sur le lit. Au bout de quelques secondes, ils se mirent à rire.

— Je crois que je suis trop vieux pour ça, dit Chris, peinant à recouvrer son souffle.

Francesca était allongée sur lui, le corps humide de sueur, les yeux fermés. Elle sourit.

— Je dois être morte et montée au ciel, murmura-t-elle.

Ni l'un ni l'autre ne regrettait d'avoir attendu pour vivre un tel moment de bonheur. Leurs regards se croisèrent.

— Tu crois que c'est pareil pour Charles-Edouard et Marya ? demanda Francesca en se dressant sur un coude pour le contempler.

Elle fit glisser un doigt sur son torse, et il se mit à rire.

— J'espère que non. Leur cœur n'y résisterait pas.

Il l'embrassa, et elle se pressa contre lui. Malgré le plaisir qu'il venait d'éprouver, son désir resurgit. Il avait des années d'abstinence derrière lui, et Francesca était restée seule longtemps, elle aussi. Cette nuit-là, ils rattrapèrent le temps perdu. Et continuèrent le lendemain matin.

Aucun des deux n'avait envie de se lever. Ils voulaient simplement rester dans les bras l'un de l'autre.

Francesca finit par descendre préparer le café. Il y avait des petits pains au congélateur, et elle les fit chauffer dans le four à micro-ondes. Après quoi, ils retournèrent se coucher.

Il n'y avait pas une seule habitation à des kilomètres à la ronde, et le paysage était magnifique. Ils se décidèrent enfin à faire le tour du propriétaire, juste pour pouvoir dire à Marya qu'ils avaient visité le jardin. Ensuite, ils se remirent au lit pour l'après-midi.

En fin de journée, ils appelèrent Marya pour la remercier et lui dire qu'ils adoraient sa maison.

— Je suis contente qu'elle vous plaise ! Elle est très romantique, n'est-ce pas ? ajouta-t-elle, en gloussant comme une petite fille.

— Oui, *très* romantique.

— Je ne m'en suis rendu compte que récemment ! Jusqu'à maintenant, je trouvais simplement que c'était une jolie maison.

Francesca savait qu'ils n'oublieraient jamais les moments passés dans ce cottage. A l'heure du dîner, ils s'obligèrent à se lever pour se rendre dans une auberge des environs que Marya leur avait recommandée. Après un délicieux repas, ils se promenèrent dans le verger au clair de lune, puis revinrent s'asseoir sous le porche et se blottirent l'un contre l'autre. New York leur paraissait très loin et ils n'avaient pas envie de rentrer. Ils auraient aimé pouvoir rester indéfiniment. Francesca enviait Marya d'avoir une si jolie propriété ; elle aurait voulu pouvoir y passer des semaines avec Chris, pas seulement un week-end.

Elle sourit en levant les yeux vers lui. Ils étaient assis dans la balancelle, et se laissaient bercer lentement.

— Tu sais, pour des allergiques à l'amour, je trouve que nous ne nous débrouillons pas trop mal. Qu'en penses-tu ?

— Je pense que tu es en train de faire de moi un obsédé sexuel. Je n'arrive pas à penser à autre chose, avoua-t-il avec un sourire en coin. Aurais-tu mis quelque chose dans ma nourriture ?

— Oui, de la poudre à canon ! Tu m'as épuisée, j'ai des courbatures partout...

Ils éclatèrent de rire. Ils tissaient le lien final entre eux, le seul qui leur manquait encore. Leur amitié s'était nouée au fil des mois, puis l'amour avait surgi à la fin de l'été. Et maintenant l'union de leurs corps venait compléter les sentiments qu'ils éprouvaient déjà.

— Est-ce que tu aimerais te marier un jour, Francesca ? demanda-t-il alors qu'il la tenait dans ses bras.

— Je n'en ai jamais eu envie. J'avais trop peur de finir comme ma mère, mariée quatorze fois.

— Sois gentille, cinq fois seulement, dit-il pour la taquiner.

— Je pensais que même une fois, c'était trop. Mon père a trompé tout le monde. Ma mère a épousé tout le monde. Je ne veux faire ni comme l'un ni comme l'autre, et j'ai toujours eu peur d'avoir des enfants, reconnut-elle franchement. Cela me paraît trop grave. Imagine que tu te plantes ? Tu détruis un être humain.

Chris en l'écoutant fut frappé par l'ironie de la situation. Francesca ferait une mère merveilleuse, mais elle n'avait pas eu d'enfant, de peur de ne pas être à la hauteur. Et Kim, qui était un champ de mines ambulant, une région humaine sinistrée, n'avait pas hésité à avoir

Ian. Elle avait même voulu d'autres enfants après lui. Quand il avait eu compris à quel point elle était déséquilibrée, Chris avait tout fait pour qu'elle ne retombe pas enceinte, bien qu'il ait lui-même désiré une grande famille.

— Ian est le premier enfant que je rencontre qui me donne envie d'en avoir un à moi, poursuivit Francesca. Mais je ne suis toujours pas persuadée qu'il faille absolument être mariée pour cela. C'est une double épreuve que je ne me sens pas prête à affronter.

— Moi, je pense qu'il vaut mieux être marié. Le mariage est un engagement, une façon de prouver que tu crois en l'autre.

Chris réfléchit une minute, puis ajouta en haussant les épaules :

— Après tout, qu'est-ce que j'en sais ? Quand on voit le désastre qu'a été mon mariage.

Mais il fallait voir aussi qui il avait épousé…

— C'est sans doute plus facile si on épouse la bonne personne, fit observer Francesca.

— Je ne pouvais pas tomber plus mal, c'est sûr. J'ai probablement été aveugle. Mais elle a su se montrer convaincante, et nous étions jeunes.

— Est-ce que tu pourrais songer à te remarier ?

Elle ne pensait pas que la réponse serait affirmative, aussi fut-elle stupéfaite quand il lui répondit, d'une voix douce :

— Avec toi, oui.

Francesca garda le silence un long moment.

— Cette idée me terrifie, avoua-t-elle enfin. J'aurais trop peur que cela gâche notre relation.

— Quand on est faits l'un pour l'autre, le mariage embellit tout.

Elle le fit taire d'un doigt sur les lèvres et l'embrassa. Elle ne voulait pas qu'il prononce des mots qu'elle n'était pas encore prête à entendre.

Mais ce soir-là, dans le grand lit à baldaquin, Chris lui déclara qu'il l'aimait. Et elle lui avoua qu'elle l'aimait aussi. Ils s'endormirent, lovés l'un contre l'autre.

Le lendemain matin, ils s'éveillèrent au lever du soleil, et prirent le petit déjeuner dans la véranda. Il faisait frais, mais l'air était sec. Ils prirent le café dans leur peignoir de bain, puis reprirent leur place dans la balancelle, un plaid sur les genoux.

Francesca pensait à leur conversation de la veille sur le mariage. L'idée trottait aussi dans la tête de Chris, mais il ne ramena pas le sujet sur le tapis, de crainte de la contrarier.

Ils firent une dernière fois l'amour avant de partir, puis Francesca laissa un petit mot sur la table de la cuisine. « Merci pour le meilleur week-end de ma vie. » Chris jeta un coup d'œil au papier, prit un crayon pour corriger, et remplaça « ma vie » par « *notre* vie ».

Francesca sourit et l'embrassa.

— Merci à toi aussi, dit-elle.

Il transporta leurs valises dans la voiture, puis ils rebranchèrent l'alarme, et verrouillèrent la porte. Chris démarra au moment où le soleil se couchait. Francesca se pencha pour l'embrasser.

— Je t'aime, Chris.

— Je t'aime aussi, Francesca.

Il lui caressa tendrement la joue, puis ils roulèrent quelque temps en silence. Il y avait tant de sujets de réflexion, tant de souvenirs à graver dans leur mémoire. Tout se passait exactement comme ils l'avaient espéré. Pour la première fois de leur vie.

19

Les semaines suivantes, Chris et Francesca ne pensèrent qu'au merveilleux week-end passé dans le Vermont. Marya était ravie qu'ils aient séjourné dans sa
maison, et leur répétait qu'ils pouvaient y retourner
quand bon leur semblait.

Ils avaient décidé d'être sages jusqu'à ce qu'ils puissent repartir quelque part, mais se rendirent compte
dès le lendemain que c'était impossible, pour l'un comme
pour l'autre. Ils attendirent que Ian soit endormi, et
Chris se faufila dans l'escalier pour aller la retrouver
chez elle. Ils fermèrent la porte à clé, et firent l'amour
passionnément. Ensuite, Chris redescendit chez lui.
Une routine s'installa pour leur plus grand bonheur.
Mais une nuit, il se plaignit de devoir la quitter. Il
détestait se lever, redescendre dans sa chambre, et finir
la nuit sans elle.

— Tu ne peux pas venir t'installer ici et laisser Ian
seul en bas, expliqua Francesca. Il nous en voudrait.

— Je sais. Mais tu me manques quand je suis à
l'étage en dessous. Tu es trop loin de moi.

Cet aveu l'attendrit, elle éprouvait le même manque.

Une nuit, Chris s'endormit et ne s'éveilla qu'au petit
matin. Ian faillit les surprendre. Francesca dut téléphoner à Marya pour lui demander d'attirer Ian dans la

244

cuisine. Quelques minutes plus tard, Chris entra dans la pièce, le journal sous le bras, en expliquant qu'il était allé le chercher sur le perron. Ian le crut sur parole. Sans l'aide de Marya, ils auraient été pris au piège.

Parfois, après avoir fait l'amour, ils prenaient un bain dans l'immense baignoire de Francesca et bavardaient. La plupart du temps, ils retournaient se coucher ensuite. Ils vivaient l'âge d'or de leur idylle. Un mois de novembre qu'ils n'oublieraient jamais.

Thanksgiving approchait et Charles Street était en effervescence.

Thalia annonça à Francesca qu'elle partait chez des amis, à San Francisco. Ceux-ci voulaient lui présenter quelqu'un qui possédait un magnifique yacht. Henry et Avery iraient à Sun Valley. La famille de Chris se réunissait à Martha's Vineyard, comme chaque année. Cette fois, Chris avait décidé de rester à New York avec Francesca.

Charles-Edouard et Marya leur proposèrent de préparer la dinde traditionnelle, et Francesca accepta avec joie. Chris voulait passer la fête de Thanksgiving à la maison, avec Ian et elle. Charles Street était devenu leur vrai foyer.

Le repas préparé par Marya et Charles-Edouard fut un vrai festin. Il y avait toutes sortes de légumes en garniture, et une dinde qui aurait pu figurer en couverture d'un magazine culinaire. Avec quelques touches purement françaises. Sans compter les accompagnements traditionnels : canneberges et purée de marrons, écrasée de pommes de terre, petits pains, petits pois, carottes, épinards et, pour couronner le tout, des asperges accompagnées de la fabuleuse sauce hollandaise de Marya.

Ce fut le meilleur repas de Thanksgiving pour les Américains de la tablée ! Ils se sentirent tous un peu lourds en sortant de table, et Charles-Edouard et Chris allèrent dans le jardin fumer un cigare accompagné d'un verre de château-yquem, leur sauternes préféré. Charles-Edouard avait réussi à les initier à quelques-uns des plaisirs les plus raffinés. Chris adorait ses cigares de Cuba, mais il n'en fumait qu'après un grand repas, et jamais dans la maison.

Marya et Francesca rangèrent la cuisine, et Ian s'endormit sur le lit de Marya, tandis que Chris exposait à Charles-Edouard les règles de base du football américain. Leur entente à tous était solide, harmonieuse, et ils s'aimaient. Pour Francesca, en ce Jour d'action de grâce, les grâces ne manquaient pas, si l'on exceptait la tragédie qui avait marqué la fin de l'été. C'est pourquoi elle n'était pas du tout prête à entendre la nouvelle que Marya leur annonça, la fête terminée, après avoir jeté un coup d'œil hésitant à Charles-Edouard, qui l'encouragea du regard.

— Nous allons retourner en France, dit-elle les larmes aux yeux.

— Pour Noël ? s'enquit Francesca, d'un ton enjoué.

Marya secoua la tête.

— Nous comptons y rester six mois, peut-être davantage, voire un an. Charles-Edouard a des affaires à régler. Il veut fermer son restaurant, et trouver autre chose. Il faut aussi qu'il règle les détails concernant le partage des biens avec sa femme. Et nous passerons quelque temps en Provence pour mettre la dernière main à notre livre. Nous avons loué une maison là-bas. J'espère que vous viendrez nous voir.

Son regard passa de Chris à Francesca, et des larmes perlèrent sous ses paupières. Elle n'avait pas envie de partir. Mais elle formait un couple avec Charles-Edouard à présent, et elle n'avait pas envie non plus de rester ici sans lui. Il y avait pire que passer une année en France ! Ou d'aller y vivre, ce dont ils discutaient également.

La nouvelle attrista Francesca, et l'emplit de désarroi.

— Est-ce que tu comptes vendre la maison du Vermont ?

Marya secoua la tête.

— Non, je ne pourrais pas. Allez-y autant que vous voudrez. Charles-Edouard m'a promis que nous y passerions un mois l'été prochain. Je ne pense pas que nous reviendrons avant.

La vie de Charles-Edouard était en France. Il avait passé les quatre derniers mois aux Etats-Unis pour Marya, mais il avait besoin de retourner dans son pays. Il avait des choses à régler, une affaire à mener ou bien à vendre. En son absence, les choses allaient à vau-l'eau.

Francesca et Chris avaient du mal à imaginer la maison sans Marya. Ian allait être triste : Marya était devenue une grand-mère de substitution, plus présente et plus gentille que ses deux vraies aïeules. Et pour Marya, l'enfant représentait le petit-fils qu'elle n'aurait jamais, d'autant plus que Charles-Edouard n'avait pas eu d'enfant non plus.

— Je veux que vous me promettiez tous les deux de venir nous voir dès que vous en aurez envie. Nous formons une famille à présent, ajouta-t-elle en les prenant tous les deux dans ses bras.

Ils montèrent dans le salon de Francesca, pour discuter de leurs projets. Chris alluma le feu dans la cheminée. Francesca demanda à leurs amis s'ils comptaient se marier. Sa question fit sourire Marya.

— Pas encore. Mais Charles-Edouard se tient très bien ! Je suis impressionnée.

Ils l'étaient tous. Charles-Edouard était toujours un vrai Français, et il en gardait les bons côtés. Mais il semblait avoir corrigé sa nature volage, et n'avait plus d'yeux que pour Marya, qui avait totalement confiance en lui. Dans le fond, c'était un homme sincère, en dépit de son infidélité passée. Il avait toujours admis ses aventures. Il n'avait jamais menti à Arielle, et il ne mentirait pas à Marya.

Celle-ci leur expliqua que c'était au cours des dernières semaines qu'ils avaient pris la décision de retourner en France. Pour elle, c'était un déchirement, mais c'était la meilleure chose à faire. Une vie nouvelle les attendait.

— Quand partez-vous ? demanda Francesca, en retenant son souffle.

— Dans un mois. Charles-Edouard voudrait être de retour à Paris pour Noël. Nous prendrons sans doute l'avion le vingt-trois décembre.

Cela signifiait qu'ils libéreraient le studio : ils n'avaient plus besoin d'une chambre à New York. Ils pourraient venir à Charles Street lorsqu'ils seraient de passage, mais ils n'avaient aucune raison de lui payer un loyer. Une nouvelle charge financière en perspective pour Francesca, mais cette fois elle n'envisageait plus de vendre la maison. Chris, Ian, et elle étaient heureux ici. Elle trouverait une solution pour continuer à vivre à Charles Street. Elle ne reprendrait plus de locataires. D'une part, elle ne retrouverait plus jamais une autre Marya, et, d'autre part, elle ne voulait pas courir le risque de tomber sur une Eileen, avec le drame qui en avait découlé.

— J'espère que vous séjournerez ici quand vous viendrez à New York, déclara-t-elle tristement.

Marya la prit dans ses bras.

— C'est promis. Et tu viendras chez nous, à Paris. Chris, tu pourras nous envoyer Ian, quand tu voudras. Ce serait merveilleux de l'avoir avec nous, et sûrement très intéressant pour lui de visiter Paris.

— Crois-tu que vous reviendrez vivre aux Etats-Unis si vous vous mariez ? demanda Francesca.

— Nous ne le savons pas encore. Tout dépend de ce que fera Charles-Edouard quand il aura réorganisé ses affaires.

Il lui faudrait certainement opérer quelques réajustements, une fois qu'il aurait donné la moitié de ses biens à son ex-femme, comme il l'envisageait. Le divorce lui coûtait cher, mais il ne s'en était jamais plaint, même pas auprès de Marya.

Leur projet laissait entrevoir un immense changement. Ils perdaient tous des amis chers, qu'ils avaient pris l'habitude de côtoyer au quotidien. Et Charles-Edouard avait fini par s'intégrer lui aussi à leur petite famille.

Ian pleura quand ils lui annoncèrent la nouvelle le lendemain, et Francesca elle-même eut du mal à retenir ses larmes. Elle se sentait déprimée. Pour consoler Ian, Marya lui dit qu'il pourrait venir à Paris, voir la tour Eiffel, l'Arc de triomphe, et se promener sur la Seine en bateau-mouche.

— Mais je ne parle pas français, marmonna-t-il, maussade.

— Beaucoup de gens parlent anglais à Paris, le rassura Marya. Charles-Edouard et moi, nous serons là pour t'aider. Nous nous occuperons de toi, et j'aimerais que Francesca et ton papa viennent aussi.

L'enfant hocha la tête, d'un air peu convaincu. Paris était trop loin pour lui. Il avait envie de garder ses amis auprès de lui.

Le dimanche, Chris trouva Francesca en train d'examiner ses comptes à son bureau. Elle avait l'impression d'être revenue à l'époque où elle essayait de sauver sa maison et son affaire, et où elle craignait de tout perdre. Le départ de Marya allait rendre la situation financière délicate pour elle. Elle n'avait pas l'intention de relouer l'étage d'Eileen. Les souvenirs contenus dans cette chambre étaient trop abominables. En outre, par respect pour Eileen, elle ne voulait pas que quelqu'un prenne sa place. Le logement était propre, vide, et la porte verrouillée. Francesca n'y était pas entrée depuis le meurtre. Brad n'avait pas encore été jugé, et il ne le serait probablement pas avant des mois. La police restait en contact avec elle.

Elle avait souvent pensé à téléphoner à la mère d'Eileen, mais elle n'avait jamais pu s'y résoudre. Quelque chose lui disait qu'elle ne serait pas bien accueillie. Elle se promit toutefois d'envoyer une carte de Noël à la famille de la jeune femme. Elle leur avait déjà adressé une lettre de condoléances dans laquelle elle exprimait avec sincérité tout le bien qu'elle pensait d'Eileen, et la perte ressentie. Elle n'avait pas reçu de réponse. Peut-être ses proches ne savaient-ils pas quoi dire ou comment le dire.

Chris remarqua son expression soucieuse, tandis qu'elle passait les factures en revue.

— Des ennuis ?

— En quelque sorte. Je ne sais pas pourquoi, la galerie n'a pas fait beaucoup de bénéfices en novembre. Nous n'avons presque rien vendu. Pourtant le mois d'octobre a été excellent, et septembre n'était pas mal non plus. Chaque fois que j'ai l'impression d'avoir atteint l'équilibre, quelque chose dérape. Je n'ai pas tellement de réserves sur le compte, et je n'ai toujours pas fini de payer cette maudite facture pour le dégât des eaux.

Ces deux mille dollars représentaient une somme exorbitante pour son budget. Le plombier avait heureusement accepté d'être payé en deux fois, mais il fallait tout de même sortir cet argent de la caisse.

— Le départ de Marya est un choc et une catastrophe sur tous les plans, dit-elle tristement. Elle va tellement me manquer.

Marya était devenue non seulement une amie, mais aussi une sorte de mère de substitution. Francesca adorait leurs conversations quotidiennes.

— Et je ne veux pas relouer la chambre d'Eileen. Cela m'est impossible. De toute façon, personne n'en voudrait. Ce qui s'est passé là-haut est trop affreux. Et je ne veux plus faire entrer des inconnus chez moi. C'est trop risqué.

Finalement, elle en était arrivée à la conclusion que, pour une fois, sa mère avait raison. Elle avait eu de la chance avec Chris et Marya.

— Pourtant, ça a bien marché avec moi, la taquina Chris.

Francesca sourit. Elle était si heureuse en sa compagnie.

— Oui, j'ai bien fait de te prendre comme locataire.

Mais sans Marya ni Eileen, elle perdait les deux tiers de ses loyers. C'était un grand trou dans son budget.

— Comment faisais-tu quand Todd habitait là ? demanda Chris avec curiosité.

Il ne lui avait encore jamais posé la question.

— Nous remboursions chacun la moitié de l'emprunt. C'était un peu dur, mais on y arrivait. Je ne peux pas assumer ce remboursement seule.

— Je pourrais partager avec toi. Tu n'aurais pas besoin de relouer le studio à quelqu'un d'autre, et nous vivrions ici tous les trois, comme une famille.

— Ça pourrait marcher, répondit-elle, pensive. Mais il me semble que cela ne serait pas juste pour toi. Tu n'occupes que deux pièces.

Chris éclata de rire.

— Je me disais que je pourrais m'installer à l'étage supérieur avec toi, si tu es d'accord. Et Ian restera dans ma chambre actuelle. Je peux même payer deux tiers, si tu veux, puisque nous sommes deux et que tu es seule.

Chris était juste, généreux, et il voulait lui faciliter la vie. Il avait les moyens de le faire. Il vivait simplement, et ne faisait pas de dépenses inutiles. Son travail de graphiste lui rapportait suffisamment, et il avait probablement de l'argent, à en juger par le milieu dont il était issu. Francesca, elle, avait peu de marge de manœuvre, et elle ne voulait pas vendre le dernier tableau de son père, sauf en cas de nécessité absolue. Elle était déjà triste d'avoir dû vendre les autres toiles.

— Je crois qu'il vaut mieux que nous partagions à cinquante-cinquante, répondit-elle avec circonspection. Nous pourrions transformer ton logement en chambre pour Ian, avec une salle de jeux, et utiliser le salon du rez-de-chaussée. Nous dormirions dans ma chambre, et le studio de Marya pourrait devenir ton bureau. Avec les portes-fenêtres sur le jardin, c'est une pièce ensoleillée, très agréable pour travailler. Et tu pourras t'y enfermer pour fumer tes havanes, plaisanta-t-elle.

— Cet arrangement me plaît. Je n'ai pas envie que tu reprennes des locataires, moi non plus.

Ainsi, Francesca gardait sa maison. Si un jour Chris voulait partir, s'ils se séparaient, elle envisagerait peut-être de reprendre des pensionnaires. En attendant, rien ne l'y obligeait.

— Ça pourrait marcher, répéta-t-elle, soulagée. Je me faisais du souci.

Il s'en était rendu compte, et il était désolé qu'elle ait autant de difficultés. Il se doutait bien que le départ de Marya posait problème, mais il ne savait pas que son budget était aussi serré. Il commencerait par l'aider, en partageant avec elle le remboursement de l'emprunt. Cela allait doubler son loyer, mais en compensation il aurait l'usage de toute la maison. Ils allaient vivre ici comme un couple avec un enfant. L'ère de la cohabitation à quatre était révolue.

— J'ai d'autres idées pour te simplifier la vie, ajouta-t-il. Nous en parlerons une autre fois.

Francesca acquiesça, tout en se demandant quelles pouvaient bien être ces idées. Elle lui était profondément reconnaissante de l'avoir tirée d'affaire.

Ce soir-là, alors qu'elles préparaient le dîner ensemble, Marya lui demanda si elle allait s'en sortir.

— Je suis navrée de te laisser en plan du jour au lendemain. Mais Charles-Edouard a lancé cette idée il y a quelques semaines, et il a beaucoup insisté. Je n'ai pris ma décision que la semaine dernière, c'est pourquoi je ne t'ai pas avertie plus tôt. Tu pourras rester à Charles Street ?

— Tout ira bien. Chris va m'aider.

— C'est ce que j'espérais. Quels sont vos projets, à tous les deux ?

— Pour le moment aucun, dit Francesca en souriant. Nous allons simplement vivre ici avec l'espoir que tout marchera comme sur des roulettes.

Marya souhaitait qu'ils se marient, et Francesca formait les mêmes vœux pour son amie. Charles-Edouard voulait l'épouser dès que le divorce serait prononcé. Les derniers documents devaient être transmis au juge dans quelques semaines. Ensuite, il serait libre. Mais Marya n'était pas pressée. Francesca ne l'était pas davantage. Elle avait soigneusement évité le mariage jusqu'à présent, et elle ne voulait pas changer d'avis maintenant, malgré l'amour sincère qu'elle portait à Chris.

— Je ne veux pas devenir comme ma mère.

— Tu pourrais vivre mille ans sans jamais lui ressembler ! s'exclama Marya. Vous êtes totalement différentes. Je l'aime bien, mais vous n'avez pas du tout le même genre.

Marya voyait Thalia telle qu'elle était : une femme frivole, superficielle, trop gâtée, et égoïste. En revanche, elle avait un profond respect pour Francesca, qu'elle aimait comme sa fille.

— Tu pourrais te marier dix fois, que tu ne lui ressemblerais toujours pas !

— Je préfère ne pas prendre le risque. Je me demande si elle trouvera un jour une nouvelle victime. Cela fait des années qu'elle est à la recherche du numéro six. A sa place, j'aurais abandonné, mais elle est infatigable. Je suis sûre qu'à quatre-vingt-dix ans, elle fera toujours la course au mari.

La description contenait un fond de vérité, et les deux femmes se mirent à rire.

Ce soir-là, Chris et Francesca discutèrent du réaménagement de la maison. Francesca se demandait quand ils devraient mettre Ian au courant de leur projet.

— Tu crois qu'il sera contrarié, si tu t'installes en haut avec moi ?

Chris l'embrassa.

— Cesse de t'inquiéter. Il sera ravi d'avoir une salle de jeux rien qu'à lui. Je vais lui acheter une télévision grand écran pour qu'il regarde ses films. Et nous serons juste à l'étage au-dessus.

L'idée d'avoir enfin la même chambre les enchantait. Ils ne vivaient plus une simple histoire d'amour, ils se lançaient dans une vraie vie de couple.

Francesca lui rappela qu'ils allaient à Miami le week-end suivant pour Art Basel. C'était une des plus belles foires d'art contemporain au monde, juste après celle qui avait lieu à Bâle, en Suisse, au mois de juin. Une dizaine d'autres événements sur l'art contemporain devaient également avoir lieu à Miami, au cours du même week-end. Francesca était impatiente d'y être.

Si elle était encore bouleversée par le départ de Marya, elle avait des tas de projets réjouissants en perspective en compagnie de Chris ; leur vie commune n'en était qu'à ses balbutiements.

Pour Noël, Chris voulait qu'elle l'accompagne à Boston dans sa famille. Francesca avait accepté, et Ian était aux anges, mais cette idée la terrifiait. Elle craignait de ne pas plaire à ses parents, ou de ne pas être jugée digne de lui. Après tout, elle n'était qu'une petite marchande de tableaux de West Village, la fille d'un simple peintre, même s'il était connu. La famille de Chris regorgeait de gens importants et influents.

— Mes parents vont t'adorer, j'en suis sûr, dit Chris d'un ton rassurant.

Francesca décida de remettre ses inquiétudes à plus tard, et de se concentrer pour le moment sur leur voyage à Miami. Entre le départ de Marya, les réaménagements dans la maison les fêtes de Noël dans la famille de Chris, le mois de décembre allait être bien rempli.

20

Marya et Charles-Edouard avaient proposé à Chris
de garder Ian quand Francesca et lui iraient passer le
week-end à Miami. Francesca était impatiente de visiter toutes les expositions, surtout Scope et Red Dot. En
tout, il y avait seize expositions en plus de Art Basel où
les œuvres exposées se vendaient à des prix exorbitants.
L'agent de son père y avait un stand. Avery et Henry
s'y rendaient chaque année, et elle leur avait promis de
les appeler.

Francesca avait réservé une chambre au Delano.
Chris eut le coup de foudre pour cet hôtel. Chaque
ascenseur était éclairé d'une couleur différente, et les
chambres avaient été décorées par Philippe Starck. Il
faisait un temps doux et humide lorsqu'ils arrivèrent ;
Chris mourait d'envie de faire un tour à la piscine.
Francesca, elle, ne pensait qu'à filer directement à la
foire, pour commencer à explorer les stands. Ils ver-
raient plus de tableaux en deux jours que la plupart des
gens n'en voyaient dans toute leur vie.

Art Basel se tenait au Convention Center de Miami
Beach, dans un hall immense. D'autres expositions
avaient lieu au Ice Palace Studio, et d'autres encore
étaient disséminées dans toute la ville. Certaines de
moindre importance avaient réquisitionné des hôtels

entiers, chaque chambre étant occupée par un marchand différent. Il y avait des réceptions dans une douzaine d'endroits, boîtes de nuit, hôtels, restaurants... Francesca avait reçu toute une pile d'invitations. Ce week-end représentait le premier contact de Chris avec le monde artistique de premier plan – une immersion complète. Enchanté de faire cette expérience avec Francesca, il décida de s'en remettre complètement à elle. Toutefois, il la retint avant qu'elle puisse quitter la chambre, et ils restèrent une demi-heure au lit. Un bon début de voyage ! Ils se douchèrent et se changèrent avant de ressortir.

Ils prirent un taxi devant l'hôtel pour se rendre au Convention Center. Un bâtiment séparé était consacré aux jeunes artistes et aux œuvres d'avant-garde. Le rêve de Francesca était de pouvoir exposer un jour au Red Dot. Elle avait l'intention de leur présenter un dossier l'année suivante, si elle se sentait prête. De toute façon, elle se préparait à passer plusieurs années sur liste d'attente. Pour accéder aux foires d'art contemporain, il fallait intriguer, connaître du monde, faire jouer ses relations. Avec son père, elle disposait d'une entrée rêvée, mais pour l'instant elle préférait ne pas en passer par là. Elle ne se résoudrait à exploiter ce filon que si elle ne pouvait vraiment pas faire autrement.

— Je n'hésite pas à me mettre à plat ventre quand c'est pour mes artistes, dit-elle à Chris en riant, alors que le taxi s'arrêtait devant l'immense hall d'exposition.

Francesca avait obtenu une accréditation par l'agent de son père, et quelques minutes plus tard ils se retrouvèrent à arpenter les allées, en arrêt devant chaque stand pour admirer les toiles exposées. Chris n'en croyait pas ses yeux : un nombre incalculable de marchands de grande renommée vendaient des toiles prestigieuses. En moins de cinq minutes, il repéra trois Picasso qui coûtaient chacun une vraie fortune. Il vit également un Matisse, un Chagall, deux de Kooning, un Pollock, et deux tableaux du père de Francesca exposés par son agent. L'un d'eux avait un point rouge collé sur le cadre, ce qui signifiait qu'il était vendu. Le deuxième avait un point blanc, ce qui signifiait qu'il était réservé pour un client. Il fallait un budget colossal pour acheter dans ce genre de lieu.

— D'où viennent toutes ces toiles ? demanda Chris, époustouflé.

Il n'avait jamais vu autant de tableaux à la fois, et l'envergure des artistes exposés était impressionnante.

— D'Europe, des Etats-Unis, de Hong Kong.

Les marchands d'art du monde entier se retrouvaient là. Un grand nombre de galeries d'avant-garde exposaient des œuvres destinées à choquer le public. Il y avait des installations de vidéos, de l'art conceptuel, et sur l'un des stands ils virent même un grand tas de sable sur le sol. Cette œuvre, installée là par l'artiste, au demeurant fort connu, était vendue cent mille dollars.

Chris faisait des commentaires sur les toiles, au fur et à mesure qu'ils les découvraient, et Francesca lui parla des artistes qu'elle connaissait. Elle passa un excellent moment, heureuse d'être avec lui. Ils restèrent jusqu'à vingt heures, puis prirent un taxi pour se rendre à une soirée à laquelle Francesca avait été invitée. Celle-ci avait lieu au B.E.D, un restaurant où, comme son nom l'indiquait, les clients étaient assis ou couchés sur des matelas, et dînaient à la mode romaine. Toutes les conversations tournaient autour de l'art, des artistes, de la peinture, de la qualité de l'exposition, des toiles très chères qui avaient déjà été vendues. Francesca rencontra plusieurs connaissances qu'elle présenta à Chris. Elle était dans son élément, profitait de chaque minute avec délices. Chris appréciait aussi la soirée, fasciné de voir qu'une grande partie des gens présents semblaient connaître sa compagne.

Ils ne rentrèrent à l'hôtel qu'à deux heures du matin, non sans avoir fait une halte pour danser dans une fête organisée dans une boîte de nuit.

Ils n'avaient pas encore repris pied sur terre le lendemain matin, quand la sonnerie du téléphone les réveilla. Ian venait d'acheter un sapin de Noël avec Marya, qu'ils étaient en train de décorer. Ils allaient faire cuire des biscuits en forme d'étoiles pour les suspendre au sapin, et Ian était surexcité par tous ces préparatifs. Chris sourit à Francesca après avoir raccroché.

— C'est un enfant formidable, tu ne trouves pas ? demanda-t-il en se lovant contre elle, sous la couverture.

— C'est vrai. Et toi aussi, tu es formidable, rétorqua Francesca en l'embrassant.

Une heure après l'appel de Ian, ils arpentaient de nouveau les allées de la foire. Ils y passèrent toute la journée, jusqu'au moment où Chris demanda grâce, clamant qu'il ne pouvait pas regarder un seul tableau de plus. Francesca, elle, voulait encore voir Red Dot et Scope. Elle accepta de faire une pause, et de passer une heure avec Chris à la piscine. Il s'allongea à côté d'elle avec soulagement, un verre de bière à la main.

— Seigneur, ils ne mentent pas quand ils disent que c'est la plus grande foire du monde, murmura-t-il, l'air si épuisé que Francesca se mit à rire.

Elle avait encore beaucoup de choses à voir, trop probablement. Heureusement, ils avaient prévu de rentrer à New York le lundi après-midi seulement.

Le dimanche, Chris déclara forfait. Il avait une indigestion de tableaux, et Francesca se moqua gentiment de lui en disant qu'il lui rappelait Ian. Il avait envie de retourner à l'hôtel pour regarder un match de football. Ils décidèrent de se retrouver en fin d'après-midi.

Ce soir-là, ils dînèrent dans un restaurant chic et branché de South Beach, avec Henry, Avery, et leur agent, un homme passionnant. Chris eut une intéressante conversation avec lui sur l'art italien de la Renaissance, puis il discuta longuement avec Henry de ses toiles, et de l'évolution de son style. Les deux hommes s'entendaient à merveille, et Avery adressa un clin d'œil complice à Francesca, tout en suivant la conversation d'une oreille. Jusqu'ici, tout se passait bien. Francesca devina à l'expression de son père et à ses manières exubérantes que Chris lui plaisait. Il était difficile de ne pas l'aimer. Intelligent, intéressant, solide et d'une compagnie agréable, il avait à cœur de découvrir le monde dans lequel elle évoluait.

Le dimanche soir, exténuée, Francesca fut elle aussi heureuse et soulagée de regagner l'hôtel, après cette longue immersion dans l'art moderne. Elle avait encore trois expositions à visiter le lendemain, mais Chris refusa tout net de l'accompagner, déclarant qu'il resterait à la piscine de l'hôtel. Elle ne protesta pas, elle avait tant de choses à voir et tant de gens à rencontrer qu'elle n'y voyait pas d'inconvénient. Le lundi matin, Avery et elle visitèrent ensemble deux petites expositions organisées dans des hôtels de moindre importance.

— Chris me plaît vraiment, dit Avery d'un ton détaché, alors qu'elles déambulaient entre les stands. Il plaît aussi à ton père. C'est un garçon drôle, intelligent et, ce qui me réjouit, il est manifestement fou de toi.

— Je suis folle de lui aussi. Au fait, je ne te l'ai pas encore dit, mais je ne prendrai pas d'autre locataire après le départ de Marya. Chris et moi allons partager la maison.

Avery fut soulagée de cette nouvelle. Alors qu'elle engageait la conversation avec un ami qui tenait une galerie à Cleveland, le téléphone de Francesca se mit à sonner. C'était Chris, et il avait l'air paniqué.

— Où es-tu ? Tu peux rentrer le plus vite possible ?

— Je visite une expo, dans un petit hôtel près de la plage. Pourquoi ? Que se passe-t-il ?

Il y avait du bruit, beaucoup de gens parlaient autour d'elle, et la connexion n'était pas très bonne à l'intérieur de l'hôtel. Francesca s'éloigna dans le hall pour mieux entendre.

— Kim a pris Ian à l'école. Elle l'a kidnappé, expliqua Chris, des larmes dans la voix.

— Oh, mon Dieu. Comment a-t-elle fait ?

La panique envahit également Francesca. Ils savaient que Kim était sortie de prison deux semaines plus tôt et qu'elle se trouvait en cure de désintoxication dans un établissement de luxe du New Jersey. Elle était censée y séjourner jusqu'à Noël mais elle était libre d'aller et de venir à sa guise, et Chris se doutait qu'elle userait de cette liberté. Il avait recommandé à Marya de faire très attention, et celle-ci n'était presque pas sortie avec Ian de tout le week-end, excepté pour acheter le sapin de Noël. Charles-Edouard et elle avaient occupé l'enfant à la maison, en lui faisant préparer des décorations de Noël et des cookies.

— Elle s'est présentée à l'école ce matin en disant que c'était son jour de visite, et qu'elle l'emmenait chez le médecin pour un rappel de vaccin. Ils l'ont crue. Je suppose que Ian était heureux de la voir et qu'il l'a suivie sans problème. L'école vient juste de m'appeler pour vérifier que tout était en règle. Je ne sais pas où Kim est allée. Je n'ai aucune idée de ce qu'elle compte faire de lui ni de l'endroit où elle veut l'emmener.

— Allons, elle ne peut tout de même pas être folle à ce point, dit Francesca en espérant le calmer.

Pour la première fois depuis qu'elle le connaissait, Chris se mit à crier.

— Elle est complètement cinglée ! rugit-il dans le téléphone. Je vais tuer tous ces crétins de l'école ! Ils savent qu'elle n'a droit qu'à des visites supervisées, je leur ai donné une copie de l'ordonnance du tribunal. Il faut retourner à New York immédiatement. Il y a un vol à une heure de l'après-midi, je veux le prendre. Je vais préparer ta valise. Rejoins-moi à l'aéroport devant le bureau d'enregistrement de United Airlines.

Francesca retrouva Avery et lui expliqua ce qui se passait. Sa belle-mère fut atterrée.

— Tu crois que le petit est en danger ? Elle ne lui fera pas de mal, n'est-ce pas ?

— Je ne crois pas. Du moins, pas intentionnellement. Elle est plus susceptible de se faire du mal à elle-même, en faisant une bêtise. Elle veut peut-être simplement flanquer la frousse à Chris, ou lui prouver qu'elle peut faire ce qui lui chante. Elle a vraiment un grain.

Francesca repensa à la liste des horreurs que l'avocat avait énumérées au tribunal. Mais Ian avait huit ans à présent, et il était plus débrouillard que la plupart des gosses de son âge. Il avait bien fallu qu'il apprenne à l'être, lorsqu'il vivait avec sa mère. Elle embrassa rapidement Avery, se précipita à l'extérieur et héla un taxi en maraude. Quand elle retrouva Chris à l'aéroport, il était aux cent coups. Il venait juste de faire enregistrer leurs bagages, et il lui tendit son manteau.

— Elle a peut-être tout simplement emmené Ian chez elle, suggéra Francesca d'un ton apaisant. Peux-tu appeler la police ?

— C'est déjà fait, répondit-il, crispé. Je ne comprends pas pourquoi Ian l'a suivie. Il sait qu'il ne doit pas rester seul avec elle. Il aurait dû résister.

— C'est sa mère, dit doucement Francesca, alors qu'ils franchissaient la porte de la salle d'embarquement.

Ils furent les derniers passagers à monter dans l'avion. A quelques minutes près, ils auraient raté le vol.

— Elle ne répond pas au téléphone. Les policiers sont à sa recherche. Je leur ai dit que Ian était en danger, et je le crois sincèrement. Cette femme est folle.

Chris ne desserra pas les dents de tout le voyage. Francesca eut l'impression de vivre les trois heures les plus longues de sa vie. Elle le surveillait du coin de l'œil, consciente que l'angoisse le mettait à la torture. Il était tout simplement terrifié.

Au bout d'un moment, elle renonça à essayer de lui parler, et se contenta de lui tenir la main. Il avala deux whiskies coup sur coup, puis parvint à somnoler un peu. Jusqu'à l'atterrissage, ils ne pouvaient rien faire.

A l'aéroport de New York, ils prirent un taxi et filèrent à la maison où Marya les attendait. Bien qu'elle ne fût pour rien dans ce qui venait de se passer, elle était effondrée. Chris avait appelé la police à la minute même où ils avaient atterri, mais il n'y avait rien de nouveau. Les policiers s'étaient rendus chez Kim, elle n'y était pas. Le portier ne l'avait pas revue depuis sa sortie de prison et son départ en cure de désintoxication.

Assis dans la cuisine de Charles Street, la tête entre les mains, Chris réfléchissait. Où pouvait-elle bien se trouver ? Où pouvait-elle avoir emmené son fils ? Soudain, une idée le traversa.

— Si elle n'est pas en train d'acheter de la dope, ou morte quelque part au fond d'une ruelle, il y a un bar dans le West Side où elle emmenait souvent Ian, expliqua-t-il à Francesca et Marya. Ils ont des flippers et des jeux d'arcade. Ian adore ça, et ce n'est pas très loin de chez son dealer.

Il avait donné à la police l'adresse du dealer, du moins le dernier dont il avait entendu parler par Ian. Il sortit de la maison en trombe, et Francesca le suivit, négligeant de prendre son manteau malgré le froid mordant. Chris héla un taxi.

— Retourne à l'intérieur. Je t'appellerai quand j'aurai retrouvé Ian ! lança-t-il, les traits creusés par l'angoisse.

— Non, je viens avec toi.

Il eut une seconde d'hésitation, puis ouvrit la portière d'un geste brusque. Il n'avait pas envie que Francesca assiste à cette descente aux enfers, mais elle aimait Ian et elle faisait partie de leur vie à présent. Y compris dans les moments difficiles. Il se glissa sur le siège, et elle s'engouffra avec lui.

Chris donna l'adresse du bar au chauffeur, en précisant qu'ils étaient pressés. Le chauffeur s'engagea sur la West Side Highway, et ils arrivèrent en dix minutes. C'était un endroit louche, et en temps normal Francesca n'y serait jamais entrée. Chris poussa la porte de l'établissement et pénétra à l'intérieur. Il faisait très sombre. L'espace d'une seconde, il fut aveuglé par les lumières clignotantes des machines. Un barman essuyait le comptoir. Il y avait deux serveuses en décolleté plongeant, jupe courte en nylon et bas résilles.

Deux hommes jouaient au flipper. Et soudain il le vit, tout au fond, face à un jeu vidéo. Une minuscule silhouette devant une machine. Il y avait une femme à côté de lui, affalée sur la table.

Chris se précipita, prit son fils dans ses bras, le souleva et le contempla longuement. Des larmes se mirent à couler sur ses joues, sans même qu'il s'en rende compte. Francesca se mit à pleurer aussi, de soulagement. Ian les dévisagea, ses grands yeux sombres semblaient lui manger le visage.

— Tu vas bien ? demanda Chris.

L'enfant hocha la tête.

— Ça va, dit-il d'une petite voix. Mais elle est malade.

Ce qui voulait dire qu'elle venait de se shooter. La scène n'était nouvelle ni pour Ian ni pour Chris.

— Je m'en occupe, répondit Chris, les mâchoires serrées.

Il confia Ian à Francesca. Kim n'avait pas bougé.

— Ramène-le à la maison.

Francesca répondit d'un signe de tête, Ian lui donna la main, et ils sortirent pendant que Chris secouait son ex-femme par l'épaule. Il n'obtint aucune réaction. Il se demanda si elle n'avait pas fait une overdose. Inquiet, il chercha son pouls dans le cou. A ce moment, elle poussa un grognement et fut prise de vomissements. Elle demeura néanmoins la tête sur la table dans ses vomissures. Une serveuse voyant ce qui se passait s'approcha avec une serviette humide, et la donna à Chris qui saisit Kim par les cheveux pour lui relever la tête. La jeune femme ouvrit les yeux, et il nettoya son visage souillé avec la serviette. Il la haïssait. L'héroïne lui faisait toujours cet effet-là, surtout si elle n'en avait pas pris depuis longtemps. Or, après deux semaines de sevrage, le premier shoot pouvait être fatal.

— Oh... salut, bredouilla-t-elle, d'un air hagard. Où est Ian ?

— Il est rentré à la maison.

Et alors, sans même s'en rendre compte, il lui posa une main sur le cou et serra. Elle écarquilla les yeux, mais elle était trop droguée pour avoir peur, son cerveau ne réagissait plus.

— Si jamais tu refais ça... si tu le touches, si tu le prends avec toi, si tu l'emmènes quelque part... Si tu le vois en dehors des visites supervisées... je te jure que je te tuerai, Kim.

Ses doigts se resserrèrent, et il eut réellement envie de l'étrangler. Pendant un moment de folie, un désir de meurtre incontrôlable s'empara de lui. Il fut tenté de lui briser le cou. Tremblant de la tête aux pieds, il la relâcha.

— Ne t'approche plus jamais de lui, ne t'avise plus de l'emmener avec toi nulle part, et surtout pas dans ce genre d'endroit.

Puis, sans un mot, il la souleva pour la remettre sur ses pieds. Elle s'approcha de lui en chancelant. Il la prit par le bras, l'entraîna à l'extérieur, où elle vomit de nouveau.

— Je te hais, dit-il quand elle posa les yeux sur lui. Je hais tout ce que tu représentes, tout le mal que tu nous as fait. Je hais ce que tu infliges à Ian. Il ne mérite pas ça.

Pire encore, Chris détestait ce qu'il devenait en sa présence. Elle agissait sur lui comme un poison, qui l'emplissait de rage. L'espace d'un instant, dans le bar, il avait eu envie de la tuer. Personne d'autre qu'elle ne le mettait dans un tel état ; elle n'en valait vraiment pas la peine.

Un sanglot lui noua la gorge et, sans lâcher le bras de Kimberly, il fit signe à un taxi. La voiture s'arrêta à leur hauteur. Il ouvrit la porte, et la poussa à l'intérieur. Elle sentait le vomi, et lui aussi. Elle avait trente-deux ans, elle avait été superbe, mais il ne restait plus rien de sa beauté d'autrefois.

Chris donna quarante dollars au chauffeur, avec l'adresse du père de Kim. Puis il lança à son ex-femme un regard de dégoût. La rage couvait encore en lui.

— Va voir ton père. Il s'occupera de toi. Et ne t'approche plus de Ian tant que tu ne seras pas guérie.

— Merci, marmonna-t-elle, en essayant non sans mal de soutenir son regard.

Puis elle laissa retomber sa tête contre le dossier et ferma les yeux. Chris claqua la portière. Il tremblait de tous ses membres. Il avait failli la tuer. Il en avait eu le désir. Cette idée le terrifia.

Il fit quelques centaines de mètres à pied, puis arrêta un autre taxi auquel il donna l'adresse de Charles Street. Il regarda par la fenêtre, les yeux dans le vague, encore sous le choc de ce qui venait de se passer.

S'il avait perdu le contrôle de lui-même et l'avait tuée, sa vie et celle de Ian auraient été détruites. Il ne voulait plus jamais la revoir. Elle représentait ce qui lui était arrivé de pire dans sa vie. Ian était le meilleur.

Il s'efforça de se concentrer sur cette idée le reste du trajet.

21

En entrant dans la maison, Chris entendit Marya et Francesca qui s'activaient dans la cuisine, en compagnie de Ian. Charles-Edouard était en train de leur préparer à dîner. Chris monta dans la chambre, prit une douche, et changea de vêtements. Il était encore bouleversé par ce qu'il avait failli faire dans le bar. Durant tout le voyage de Miami à New York, il avait été rongé par la panique de découvrir quel danger Kim faisait courir à leur fils.

Pâle et abattu, il descendit l'escalier qui menait à la cuisine. Ian leva les yeux en entendant son pas. A voir le regard du petit garçon, on aurait pu croire que c'était celui d'un adulte avec une maturité infinie. Le cœur de Chris se serra douloureusement.

— Où est maman ?

Il était inquiet, et craignait que son père ne soit fâché contre lui. Mais ce n'était pas le cas, Chris n'était pas en colère, il avait peur. Peur de ce qui aurait pu se passer, et peur aussi de ce qu'il aurait pu faire. Sa réaction était une sorte de sonnette d'alarme, une mise en garde.

— Je l'ai envoyée se reposer chez ton grand-père. Il saura ce qu'il faut faire pour la soigner.

Son beau-père renverrait sa fille en cure de désintoxication, pour une énième fois, et elle s'enfuirait de nouveau. Jusqu'au jour où elle mourrait. Chris n'avait pas besoin de la tuer, car elle était déjà morte. Elle était morte des années plus tôt, quand elle avait commencé à se shooter, bien avant qu'ils se rencontrent. Mais il ne le savait pas.

— Ne t'en fais pas, Ian, ça va aller.

Un jour peut-être...

— Je suis désolé, je ne voulais pas te faire peur. Mais j'étais très inquiet. Je ne veux plus jamais que tu partes avec elle. Tu peux la voir, mais il faut qu'il y ait quelqu'un avec vous.

Ian hocha la tête et Chris le prit dans ses bras.

— Je suis désolé que tu aies vu ça.

De fait, le petit garçon avait déjà vu la même scène des milliers de fois. Comment pouvait-il demander pardon à son fils, de lui avoir donné une mère comme Kim ? Un frisson le glaça à la pensée qu'il avait manqué la tuer. Ian perçut son frémissement, et se sentit désolé pour son père.

— Ce n'est rien, papa. Elle n'allait pas trop mal, elle était juste un peu malade.

Les paroles de l'enfant étaient terribles. Elles signifiaient qu'il avait vécu des moments bien pires que celui-ci. Chris aurait voulu prendre un bain qui puisse nettoyer ses entrailles, son esprit et celui de Ian de tous les souvenirs qui y étaient incrustés. Hélas, ce n'était pas possible. Ian aurait un jour à régler tout cela, personnellement. C'était l'héritage que lui avait laissé sa mère. Lui et son père étaient descendus en enfer et en étaient revenus.

Chris se retourna et vit Francesca. Il ne l'avait pas remarquée en entrant dans la cuisine. Il lui sourit, elle semblait bouleversée, elle aussi.

— Merci d'avoir ramené Ian à la maison.

Chris s'assit à la table, et elle s'installa à côté de lui.

— Ça va aller, Chris. Ça va s'arranger, pour vous deux.

Elle sourit à Ian, qui vint se blottir sur ses genoux.

— Eh bien, nous avons eu une journée mouvementée ! dit-elle d'un ton enjoué.

Ian se mit à rire, et la tension se dissipa doucement.

Marya aida Charles-Edouard à finir de préparer le repas, puis Ian et elle montrèrent à Chris et Francesca les décorations de Noël fabriquées au cours du week-end. Le petit sapin était superbe, et Ian était très fier. Peu à peu, le cauchemar s'effaça. L'épisode aurait pu avoir une fin tellement plus tragique.

— Pourquoi ne partirions-nous pas tous ensemble passer le prochain week-end dans le Vermont ? suggéra Marya. C'est sans doute la dernière fois que nous pourrons le faire !

L'idée emballa Francesca. C'était dans cette petite maison que leur vie de couple avait commencé, à Chris et elle. Ian était tout excité, et Chris esquissa un sourire.

Plus tard dans l'après-midi, Chris et Francesca se retrouvèrent en tête à tête.

— Je suis désolé que tu aies assisté à tout ça. Cette partie de ma vie n'est pas belle à voir.

Il avait honte, comme s'il était responsable de ce qui s'était passé. Et encore plus honte de ce qu'il avait failli faire à Kimberly.

— Ce n'est pas ta faute, dit doucement Francesca en nouant ses bras autour de son cou. Je suis contente d'avoir été là pour toi, et pour Ian.

— Moi aussi.

Sans elle, songea-t-il, peut-être sa folie aurait-elle pris le dessus.

Il l'embrassa, et eut l'impression d'échapper aux griffes du passé. Avec elle, c'était une nouvelle vie qui s'offrait. Kim était le cauchemar, Francesca le rêve.

Suivant la proposition de Marya, ils se rendirent dans le Vermont où ils passèrent un excellent week-end. Ils jouèrent dans la neige, firent de longues promenades, et prirent des tonnes de photos. Ils fréquentèrent les restaurants du coin et les auberges de campagne. Tôt le dimanche matin, Chris emmena Ian dans une station de ski, loua du matériel, et fit quelques descentes avec lui. Ils voulaient tous profiter de chaque instant. Nul ne savait quand ils se retrouveraient ensemble. Aussi Charles-Edouard prit-il une décision.

— L'été prochain, vous viendrez nous voir tous les trois dans le sud de la France. Marya et moi allons louer une villa en juillet.

Ian applaudit avec enthousiasme à cette suggestion, et Chris et Francesca acceptèrent l'invitation avec simplicité.

Ils allaient tous commencer une nouvelle vie. Chris avait expliqué ce matin à son fils qu'il s'installerait chez Francesca. Comme ça, Ian aurait une chambre pour lui tout seul.

— Tant mieux, avait répondu le garçonnet d'un ton grave. Parce que tu ronfles, je te signale.

— Par exemple ! s'était exclamée Francesca, secrètement soulagée que Ian ne prenne pas mal la nouvelle.

Tout le long de la route jusqu'à New York, ils entonnèrent des chants de Noël, en français et en anglais. Marya leur laissa les clés de la maison du Vermont, pour qu'ils s'y rendent quand bon leur semblerait.

Ian s'était endormi pendant le voyage et Chris le porta directement dans sa chambre en arrivant. Le petit garçon entrouvrit les yeux, et regarda son père comme s'il avait quelque chose d'important à lui dire.

— Papa, on peut adopter un chien ?

— Bien sûr ! s'exclama Chris en riant. Quel genre de chien ?

— Un danois, dit Ian, d'une voix ensommeillée.

— Pas question ! Un teckel peut-être, ou un labrador.

Ian hocha la tête et se rendormit. Chris l'installa dans son lit, le borda, et descendit retrouver Francesca. Celle-ci était en train de défaire ses valises, et lui sourit. Quelle chance il avait eue de la rencontrer ! songea-t-il, attendri. Il n'en était toujours pas revenu.

— Je peux dormir ici cette nuit ? Mon petit copain de chambrée est dans les bras de Morphée.

— Bien sûr.

Ils avaient partagé la même chambre durant tout le week-end, et elle aurait été un peu triste de se retrouver seule cette nuit.

Chris s'allongea dans le lit, et la regarda se déshabiller et enfiler sa chemise de nuit. Il était impatient de partager chaque soir avec elle ces moments d'intimité.

— Marya va me manquer, dit-elle d'une voix triste, en se glissant entre les draps.

Chris dormait en tee-shirt et boxer. Le reste de ses vêtements jonchait le sol. Il se sentait déjà comme chez lui dans le lit de Francesca.

— Nous les verrons l'été prochain, en Europe. Ce sera sympa.

Francesca approuva d'un signe de tête. Ils étaient enchantés à l'idée de pouvoir utiliser la maison du Vermont. C'était un cadeau d'une incroyable générosité de la part de Marya.

— Tu crois qu'ils vont se marier ? demanda Francesca, lorsqu'ils eurent éteint la lumière.

Elle adorait sentir son corps contre le sien, et s'éveiller près de lui le matin.

— Probablement. En tout cas, ils se comportent comme si c'était fait.

Francesca avait hâte d'en arriver là avec Chris. Ce n'était pas encore tout à fait le cas. Dans un sens, ce serait bien pour eux d'avoir la maison tout entière à leur disposition.

— Bonne nuit, chuchota-t-elle, en se pelotonnant contre lui.

Chris sourit, et demeura encore un long moment éveillé, contemplant le visage de Francesca dans la pénombre. Puis il finit par s'endormir et la tint serrée contre lui toute la nuit.

22

La dernière semaine de Marya et Charles-Edouard à New York fut chaotique. Francesca aida son amie à faire ses bagages. Il fallait tout trier, envoyer une partie des biens à Paris, l'autre dans le Vermont. Marya donna la plupart de ses instruments de cuisine à Francesca et jeta une bonne partie de ses affaires.

— C'est ahurissant, le nombre de choses que l'on peut accumuler en un an dans un si petit studio ! s'exclama Marya en regardant autour d'elle.

Il y avait des cartons entassés partout, et quelques paquets destinés à Goodwill, une œuvre caritative. Cela faisait des jours qu'elles emballaient des objets. La mère de Francesca vint saluer Marya avant son départ, car elle prenait l'avion pour Zurich le surlendemain, afin d'être à Gstaad pour Noël.

— Je t'appellerai à Paris lors de mon prochain passage, promit-elle à Marya. Et si tu épouses Charles-Edouard, ne m'invite surtout pas au mariage. Je serais trop jalouse.

L'homme au yacht qu'elle avait rencontré à San Francisco pour Thanksgiving n'avait pas fait l'affaire. Thalia était toujours à la recherche du numéro six.

— Nous ne sommes pas pressés, assura cette dernière.

— Comment ça va entre Chris et Francesca ? demanda Thalia, alors que Marya lui donnait un cadeau d'adieu, un de ses livres de recettes que Thalia n'avait pas réussi à se procurer, car il était épuisé.

— Ils ont l'air très heureux. Ils ne sont qu'au tout début de leur relation amoureuse. Je pense qu'il leur faudra du temps. Chris a vécu des choses épouvantables avec son ex-femme, et Francesca est très prudente, comme tu le sais.

Marya leur servit du thé. Thalia se rendit compte qu'elle allait lui manquer. Elle faisait le lien entre sa fille et elle, car Francesca ne lui faisait jamais de confidences. Elles parlèrent de Paris encore un moment, puis Thalia se leva pour prendre congé et serra Marya dans ses bras.

— Prends bien soin de toi, dit-elle doucement. Tu vas me manquer, et pas seulement parce que tu formes un trait d'union entre ma fille et moi.

Marya était devenue une excellente amie pour eux tous, et Thalia pensait qu'elle méritait le bonheur qu'elle avait trouvé auprès de Charles-Edouard. Elle apportait de la joie et du bien-être aux autres, et ce n'était que justice qu'elle ait aussi sa part d'amour. Les deux femmes se jurèrent de rester en contact.

En partant, Thalia laissa des cadeaux de Noël pour Francesca, Chris, et Ian, et promit à sa fille de l'appeler de Gstaad. Elle s'envolait pour l'Europe un jour avant Marya, et elle allait être très occupée jusqu'à son départ.

Avery aussi passa pour dire au revoir à Marya, et déposer ses cadeaux de Noël. Celui de Francesca était énorme, et il était facile de deviner ce qui se cachait sous l'emballage. C'était une toile de son père, qui venait compenser un peu la perte des cinq tableaux qu'elle avait dû vendre.

L'œuvre enthousiasma Francesca. Chris l'aida à l'accrocher dans le salon, à la place d'une toile qu'elle n'avait jamais beaucoup aimée de l'un des artistes qu'elle exposait autrefois, mais qui ne faisait plus partie de ses poulains. Chris tomba en admiration devant la peinture. Ils avaient décrit en long et en large à Marya et Charles-Edouard Art Basel ; Chris n'avait jamais vu autant de tableaux de sa vie.

Marya aurait aimé voir ça. Elle avait toujours eu envie de visiter la Foire de Bâle au mois de juin. Maintenant qu'elle allait vivre à Paris, ce serait possible. Il y avait tant de choses qui la tentaient. Elle était triste de partir, mais plus la date du départ approchait, plus son excitation grandissait.

Ils avaient prévu de passer Noël à Courchevel, en compagnie d'amis de Charles-Edouard. C'était une station de ski très chic aux nombreux restaurants réputés que Marya était impatiente de découvrir. Sa vie allait être bien plus passionnante que l'existence tranquille qu'elle avait menée à Charles Street pendant un an, ou bien auparavant dans le Vermont. Charles-Edouard voyageait beaucoup ; il voulait lui faire visiter Prague et Budapest.

Le jour du départ arriva enfin. Ce fut un déchirement. Francesca et Marya étaient en pleurs. Marya gardait Ian dans ses bras, et Charles-Edouard dut la séparer gentiment du petit garçon et l'emmener jusqu'à la porte, où un taxi les attendait. Elle promit à Francesca d'envoyer des mails régulièrement. Francesca la serra une dernière fois contre elle.

— Fais bien attention à toi, chuchota Marya.

— Tu vas tellement me manquer, balbutia Francesca, à travers ses larmes.

Elle ressentait une perte immense. Ian était très triste aussi.

— Nous nous verrons l'été prochain, et nous aurons l'occasion de nous parler bien avant cela, promit Marya, en se penchant pour embrasser le fils de Chris une dernière fois.

Chris enlaça Francesca et serra la petite main de Ian dans la sienne lorsque la voiture s'éloigna. Ils rentrèrent tous les trois dans la maison, où régnait désormais un silence de plomb. Francesca n'était pas mécontente de partir bientôt dans la famille de Chris à Boston pour les fêtes. Elle se sentait encore un peu angoissée à l'idée de rencontrer ses parents, mais il était préférable qu'ils ne passent pas Noël ici, dans cette maison qui paraissait maintenant dix fois trop grande.

— Notre cuisine vient juste de perdre cinq étoiles, annonça Chris avec un sourire empreint de tristesse.

— Tu préfères quoi pour le dîner ? Une pizza ou un plat du traiteur chinois ? demanda Francesca.

Chris se mit à rire, et Ian opta pour le traiteur chinois.

— Nous avons un problème. L'un de nous va devoir apprendre à cuisiner, dit Francesca.

En fait, Marya lui avait enseigné quelques petits trucs, il suffisait qu'elle trouve le temps de les mettre à exécution. Ian était devenu expert en cookies de toutes sortes, et Charles-Edouard avait laissé à Chris un coffret de havanes. Mais tous les trésors qu'ils leur avaient laissés ne pouvaient compenser la perte de deux amis chers.

Chris et Francesca allaient devoir s'habituer à leur absence. Tout le reste de la semaine, la maison leur parut vide et triste. Le voyage à Boston tombait à pic, d'autant que Ian était impatient de retrouver ses cousins.

Francesca, quant à elle, sentait la peur la gagner, à mesure que les vacances approchaient. Chris avait lâché quelques allusions à sa famille, qui lui faisaient craindre le pire. « Conservateurs. Collet monté. Pas aussi rigides qu'ils en ont l'air. Croyants pratiquants. Vieux jeu. »

— Que ferons-nous si je ne plais pas à tes parents ? lui demanda-t-elle, la veille du départ.

— Dans ce cas, je ne les verrai plus, répondit-il avec simplicité. Tu oublies à qui j'ai été marié. Il ne sera pas vraiment difficile de prendre la suite de Kimberly. Ma mère est un peu austère, mais mon père est un brave type. Ils vont t'adorer, c'est sûr.

— Au fait, comment va Kim ? Tu as eu des nouvelles par son père ?

— D'après mon avocat, elle est retournée en cure de désintoxication. Mais ça ne durera pas. Ça ne dure jamais.

Chris avait perdu espoir. Il avait déposé une plainte par l'intermédiaire de son avocat quand elle avait enlevé Ian à l'école. Son acte était considéré comme une grave infraction, et Chris était convaincu qu'elle n'oserait pas recommencer. Elle n'avait pas envoyé de cadeau de Noël à Ian. C'était le genre de choses qu'elle oubliait toujours, comme son anniversaire. Il n'y avait pas de place dans sa vie pour les fêtes. Soit elle essayait de se procurer de la drogue, soit elle tentait de se désintoxiquer. C'était pour elle une sorte de travail à plein-temps. Son addiction remplissait toute sa vie.

La mère de Francesca avait offert à Ian un adorable petit blouson d'aviateur en cuir, qu'il adorait. Francesca était touchée qu'elle ait fait l'effort de penser au petit garçon. Thalia avait aussi acheté un stylo en argent pour Chris et un sac de soirée pour Francesca, ravissant, mais qu'elle n'aurait pas souvent l'occasion d'utiliser.

Avery et Henry avaient offert à Ian un superbe album à dessiner avec des tubes de peinture, des pastels et des crayons de couleur. Ses nouveaux grands-parents l'avaient gâté. Quant à Francesca, elle aimait tant le tableau de son père qu'elle s'attardait dans le salon chaque jour pour le contempler.

Dès leur retour de Boston, elle aurait de quoi faire, car elle comptait transformer la chambre de Marya en bureau pour Chris, que ce projet enthousiasmait. Ils allaient occuper tout l'espace.

La demeure de Charles Street était en train de redevenir une vraie maison de famille, ils n'avaient plus besoin de faire de la place à des locataires. Ian laissait une pile de jouets dans la cuisine, et il adorait regarder la télévision avec son père dans le lit de Francesca le soir. Le dimanche matin, il venait souvent les retrouver dans leur chambre.

Chris et lui avaient enfin un vrai foyer.

23

La veille de leur départ pour Boston, Francesca mit des heures à préparer sa valise. Elle ne savait pas quoi emporter. Des tenues habillées, mais pas trop, et un tailleur strict pour l'église le soir de Noël ? Une robe de cocktail pour le dîner ? Etait-ce trop sexy ? Trop court ? Trop décolleté ? Trop triste ? Elle était terrifiée à l'idée de faire un faux pas.

Chris lui conseilla de ne pas trop réfléchir, et de porter un jean. Mais elle savait que ce n'était pas la solution. Ses parents devaient être plutôt à cheval sur les bonnes manières. Finalement, elle se retrouva avec deux grosses valises à embarquer dans l'avion.

— Mais qu'est-ce que tu transportes ? grommela Chris, consterné.

— Tout ! répondit-elle avec un grand sourire.

Elle avait préféré prendre l'ensemble de sa garde-robe, ou presque pour ne courir aucun risque. Aux deux grosses valises, il fallut en rajouter une troisième plus petite remplie de cadeaux pour Ian, Chris et sa famille.

A l'aéroport, ce fut la bousculade. Les bureaux d'enregistrement étaient pris d'assaut, et leur vol était en retard car il neigeait sur Boston. Ils ne purent décoller avant dix heures, et atterrirent vers minuit. Malgré l'heure tardive, le père de Chris les attendait.

Il était aussi grand que Chris, mais avait les épaules plus larges, une voix grave, une poignée de main ferme et un air sympathique. Il n'avait sans doute pas beaucoup changé depuis l'époque où il était défenseur dans son équipe de football à Harvard, quelque cinquante ans auparavant. Il regarda Ian avec affection et lui serra la main, un geste qui parut curieusement formel à Francesca.

Un blizzard s'était abattu sur la région, et l'aéroport fut fermé juste après leur arrivée. Ils regagnèrent lentement le centre-ville sur des routes enneigées. Les deux hommes parlèrent football et politique pendant le trajet. Chris avait expliqué à Francesca qu'il était la brebis galeuse de la famille, car il n'avait pas voulu étudier à Harvard, et qu'il était parti vivre à New York. Il avait passé sous silence les objections soulevées par ses parents quand il avait décidé de louer une chambre chez elle. Ceux-ci n'avaient jamais compris pourquoi il avait préféré être designer plutôt que de se lancer dans la finance ou dans la politique. Son mariage avec Kim avait été le pompon. Si bien qu'ils n'approuvaient aucunement les choix de leur fils, quoi qu'ils puissent penser de Francesca. Ce qui allait rendre son séjour délicat.

Les parents de Chris vivaient à Brattle Street, dans le quartier de Cambridge, comme le président de Harvard. Tous les hommes de la famille étaient passés par cette université avant de devenir sénateurs, gouverneurs, ou présidents. Leur famille formait un clan impressionnant. Chris semblait tellement simple et modeste, quand on connaissait ses origines.

Sa mère les attendait à la maison. C'était une petite femme aux cheveux d'un blanc neigeux, et aux yeux bleus comme ceux de Chris. Elle portait une robe en lainage gris anthracite, et un simple rang de perles. Il n'y avait rien de voyant chez elle, tout le contraire de la mère de Francesca.

Elle emmena elle-même Francesca jusqu'à sa chambre. Il aurait été hors de question qu'elle partage le lit de Chris, même si Ian avait été absent. La mère de Chris avait attribué à la jeune femme une pièce qui se trouvait tout au bout du couloir, aussi éloignée que possible de la chambre de Chris. Le message était clair : pas question de faire des fredaines sous son toit ! Après avoir adressé à Francesca un clin d'œil complice, Chris ressortit de la pièce sur les talons de sa mère.

Francesca se demanda s'il comptait revenir un peu plus tard. Ian dormait dans la même chambre que son père, celle de Chris quand il était enfant. La maison était entièrement occupée par les familles de son frère, de sa sœur, et de nombreux autres parents qui étaient venus passer les fêtes chez eux avec leurs enfants. La demeure était immense. Chris lui avait déjà expliqué qui serait présent, mais elle avait du mal à se souvenir de chacun d'eux. Entre les petits-cousins, une tante, ses frère et sœur, ses neveux et nièces, les parents par alliance et leurs enfants, cette famille comptait tant de membres, dont certains avaient le même prénom, qu'elle mélangeait tout.

Francesca était assise sur son lit, un peu perdue, quand Chris revint et referma vivement la porte derrière lui. Elle venait de se rendre compte que sa mère ne s'était pas adressée directement à elle, excepté pour la saluer et lui souhaiter bonne nuit.

— Ma mère n'est pas encore couchée, chuchota-t-il. Je reviendrai un peu plus tard.

Francesca comprit que lorsqu'il était chez ses parents, il observait les règles établies. Il n'était pas question, même pour lui, de les ignorer. C'était d'ailleurs la raison pour laquelle il vivait à New York, et avait décidé d'aller à l'université à Stanford, sur la côte Ouest. Ses parents avaient considéré ce choix comme une trahison.

— Si je comprends bien, tu ne peux pas dormir ici ? chuchota-t-elle.

Chris se mit à rire.

— Si ma mère nous surprenait, elle appellerait la Brigade des mœurs et nous ferait jeter à la porte. C'est quelqu'un de très comme il faut.

— Je vois.

Chris avait trente-huit ans, et il n'avait pas le droit de faire entrer une femme dans sa chambre. Francesca avait l'impression que sa propre famille était constituée de libertins sans foi ni loi. Ici, on était à Boston, et on observait les règles du vieux Boston. De la Vieille Garde.

Mais Chris savait aussi détourner le règlement... Une demi-heure plus tard, alors qu'un profond silence régnait dans la vieille maison, il revint sur la pointe des pieds.

— Je suis fin prêt ! déclara-t-il avec un grand sourire.

Il était en jean, pieds nus, et avait pris sa brosse à dents. Tout ce qu'il devait faire, c'était retourner dans sa chambre le lendemain matin à sept heures, avant que sa mère descende pour le petit déjeuner, comme elle le faisait ponctuellement chaque matin. Tout était parfaitement réglé et ordonnancé dans sa demeure, et elle surveillait de près ce qui s'y passait, ainsi qu'elle le faisait à Vineyard. Rien n'échappait à son œil d'aigle.

— Mère est très vieux jeu, expliqua-t-il.

Il n'en avait rien dit auparavant, pour ne pas l'effrayer. Francesca ne parvint même pas à imaginer le scandale que Kim avait dû causer quand ils s'étaient mariés, avec son addiction à l'alcool et à la drogue. Les parents de Chris avaient dû être terrifiés. Et encore plus par ses dernières frasques peu après sa sortie de prison, l'enlèvement de leur petit-fils. D'après Chris, ils la détestaient, et elle comprenait facilement pourquoi. Elle espérait seulement qu'ils seraient plus indulgents à son égard. Même si elle trouvait leurs principes un peu ridicules, Francesca était décidée à respecter leur façon de vivre tant qu'elle serait sous leur toit, sauf en ce qui concernait les nuits, puisque c'était Chris qui décidait.

Ils passèrent la nuit dans sa chambre, et Chris programma l'alarme de son portable à sept heures moins le quart. A l'instant même où la sonnerie se fit entendre, il bondit hors du lit, embrassa Francesca, enfila son jean et sa chemise, et courut dans sa chambre à l'autre bout du couloir, où Ian était encore profondément endormi. Francesca se dit qu'ils allaient passer un week-end très amusant à jouer à cache-cache dans les couloirs pour que sa mère ne les découvre pas ensemble.

Quand il s'agissait de raisons graves, Chris n'hésitait pas à tenir tête à ses parents. Il l'avait toujours fait. Mais il ne voulait pas faire de vagues en ce moment ni leur donner une raison de prendre Francesca en grippe. Il espérait au contraire qu'elle allait leur faire bonne impression, et qu'ils reviendraient sur leur opinion négative concernant sa décision de vivre chez elle. Il voulait qu'ils puissent se rendre compte qu'elle était quelqu'un de bien, et qu'elle aimait Ian.

Francesca s'attendait presque à voir la mère de Chris débarquer pour l'inspection de sa chambre, comme dans un pensionnat. Elle leur avait apporté une bouteille de vin, et craignait que ce ne soit pas un cadeau suffisant pour une telle invitation. Peut-être aurait-elle dû leur faire envoyer des fleurs ? Ils étaient si convenables qu'elle redoutait de se tromper. La mère de Chris s'était montrée polie, mais ses manières n'avaient rien de chaleureux.

Chris prit le petit déjeuner avec sa mère, puis vint rejoindre Francesca, qui s'habillait. Elle devait petit-déjeuner dans la salle à manger à huit heures et demie avec les autres invités, et se trouva assise à côté de Hilary, la sœur de Chris. Celle-ci était trop occupée avec ses jumeaux de quatre ans pour dire autre chose qu'un simple bonjour.

Toute la famille se rendait à l'église à dix heures, et Chris suggéra à Francesca de les accompagner. Elle n'y voyait aucune objection, mais il était évident que ces gens avaient l'habitude de tout faire ensemble. Elle avait un peu l'impression d'être dans une école militaire ou un camp scout. De plus, elle notait que Chris était moins décontracté qu'à New York.

Les hommes étaient censés jouer au golf dans l'après-midi, mais Chris lui dit qu'ils n'iraient pas s'il continuait à neiger. En été, à Vineyard, ils organisaient de grands matchs de football. La maison était pleine de trophées sportifs. Un des cousins de Chris avait gagné une médaille d'or aux jeux Olympiques, et son frère avait été capitaine de l'équipe d'aviron de Harvard.

Francesca fit sa connaissance après le petit déjeuner. Il la toisa brièvement, et la salua d'un ton sec. De quatre ans l'aîné de Chris, il avait l'intention de briguer un siège au Congrès l'année suivante. Il présenta Francesca à sa femme, puis ils montèrent se préparer pour l'office. Ils étaient tous très différents de Chris. C'étaient des gens qui aimaient la compétition. Le tennis et le football n'avaient rien d'un simple divertissement pour eux.

Francesca ne connaissait rien au sport et ne savait parler que de peinture. Comme elle ne pouvait pas participer à la conversation à table, elle garda le silence. Quand Chris la retrouva après le repas, il s'aperçut qu'elle était très mal à l'aise. Le matin, elle avait revêtu un pantalon de cuir et un pull noirs. Toutes les autres femmes portaient des twin-sets et des jupes écossaises à mi-mollet. Francesca, elle, ne possédait pas une seule jupe à carreaux, courte ou longue.

A l'église, elle s'assit à côté de la mère de Chris. Ce dernier se glissa sur le même banc qu'elle, et Ian se mit entre eux. Son frère et sa sœur se trouvaient de part et d'autre, avec leurs enfants. Francesca était certaine que leur mère savait qui priait et qui faisait semblant, et qu'elle avait quasiment un don de double vue. Elle s'était changée avant de partir, et avait opté pour un tailleur noir, si bien qu'elle avait à présent l'impression d'être trop habillée. La mère de Chris portait un twin-set bleu marine et une jupe grise.

Il n'y avait pas un seul vêtement dans les valises de Francesca qui lui parût adapté aux circonstances. Ces gens avaient une allure à la fois sportive et très conventionnelle. La mère de Chris se montra fort polie et très aimable. Ses cousins avaient l'air gentils, son père semblait plein d'entrain. Son frère et sa sœur étaient distants mais amicaux.

Le grand-père de Chris avait été gouverneur du Massachusetts. La famille réunie formait un ensemble intimidant. Elle s'imaginait mal leur raconter que Thalia s'était mariée cinq fois. La mère de Chris se serait évanouie. Ses parents étaient mariés depuis quarante-quatre ans. Ils représentaient réellement la vieille aristocratie américaine, au mode de vie désuet, ce qu'on appelait la Vieille Garde. C'était un monde très fermé, et Chris était le seul à sortir du lot.

Cependant, vers la fin de l'après-midi, Francesca commença à se détendre. Nombre des invités s'étaient rendus à leur club de tennis ou de squash. On avait emmené les enfants jouer quelque part. Comme il neigeait, personne n'était parti au golf, et tous devaient se réunir à six heures trente précises au salon, pour le cocktail. Le dîner avait lieu à sept heures et demie, et, comme on était la veille de Noël, c'était un événement important.

Les enfants avaient une table dans une pièce à part, et les adultes dînaient dans la salle à manger de réception. A onze heures et demie, ils repartiraient pour l'église assister à la messe de minuit. La maîtresse de maison déclara que c'était facultatif, ce qui, d'après Chris, signifiait que leur absence leur vaudrait la peine capitale.

Rien de ce que Chris lui avait raconté auparavant n'avait préparé Francesca à une telle ambiance familiale. Ces gens constituaient les fondations inébranlables de l'Establishment, c'est-à-dire la classe dirigeante du pays. Chris craignait que Francesca ne soit effrayée, et il guettait sans cesse chez elle des signes de panique. Jusqu'à présent il n'en avait décelé aucun.

Ce qui frappait surtout la jeune femme, c'était la froideur de cette famille. Ils étaient d'une grande politesse, se comportaient parfaitement, et se montraient gentils avec les enfants, mais elle ne voyait chez eux aucun signe d'affection ou de chaleur. Personne ne riait, personne ne s'embrassait, il n'y avait pas de discussion animée. Ils étaient pourtant tous intelligents, et Francesca éprouvait un peu de tristesse à les observer. Surtout pour Chris. Ce qui manquait le plus dans cet environnement, c'était l'amour.

A six heures et demie pile, Francesca se trouva dans le salon. Elle avait revêtu une robe noire d'allure suffisamment sage, portait des talons trop hauts, et tenait à la main le sac de soirée beaucoup trop voyant, en velours noir décoré de strass, que sa mère lui avait rapporté de Paris. Elle avait noué ses cheveux en chignon, ce qui semblait de rigueur. La mère de Chris portait, elle, une robe noire très simple à col montant et longues manches, et son éternel collier de perles. Francesca la soupçonnait de dormir avec. Elle imagina leurs deux mères côte à côte, et cette idée lui parut si saugrenue qu'elle manqua s'étrangler en ravalant un rire.

— Comment vous êtes-vous rencontrés ? lui demanda la mère de Chris, un verre à la main.

Pendant quelques secondes, Francesca ne sut quoi répondre. « *Il vivait chez moi* » ne semblait pas approprié. « *Je suis sa logeuse... Je tiens une pension de famille... Nous nous sommes vus à l'église ?* » Impossible de trouver une réponse acceptable. Chris lui avait demandé de ne pas dire qu'elle habitait au 44 Charles Street avec lui.

— Nous nous sommes rencontrés chez des amis.

288

Chris, qui avait entendu leur conversation, les rejoignit pour lui venir en aide. Francesca le remercia d'un sourire. Elle craignait sans cesse de faire une gaffe.

Le père de Chris lui demanda quel métier exerçait son père, et elle répondit qu'il était peintre. Quand elle prononça son nom, ils furent impressionnés, et elle en éprouva un certain soulagement. Mais ensuite, lorsqu'elle dit que sa mère était partie passer les fêtes à Gstaad, ils semblèrent un peu choqués. Que son père réside à Sun Valley, c'était très bien. Ils connaissaient cet endroit et l'appréciaient. Mais une station de ski en Europe... Pour sa mère, c'était Sodome et Gomorrhe.

— Il n'y a qu'une seule façon de supporter ces dîners, lui chuchota un des cousins de Chris alors qu'ils passaient à table. C'est de boire le plus possible, et de ne jamais cesser de sourire.

Francesca se mit à rire. La suggestion la tentait beaucoup, mais elle n'aurait jamais osé la mettre à exécution. Il lui fallait garder la tête froide pour soutenir le feu roulant des questions. Ils voulaient savoir où elle avait grandi, où elle était allée à l'école, si elle était allée en pension, si elle avait été mariée, et où passait-elle ses vacances ? Le Maine, oh, c'était bien.

Directrice de galerie d'art, c'était sujet à caution, mais comme son père était peintre, on lui pardonnait cette faiblesse. Le frère et la sœur de Chris lui adressaient la parole de temps à autre. A la fin du dîner, elle eut l'impression d'avoir passé la soirée à jouer au tennis. Elle s'écroula sur son lit un instant, avant l'office religieux. La famille de Chris était plus intimidante qu'elle ne s'y était attendue, et le face à face avec eux était aussi plus risqué. Surtout quand elle se trouvait seule avec sa mère. Elle se sentait défaillir à la seule idée d'être dans la même pièce. Cela signifiait que, si elle devait épouser Chris un jour, la seule solution serait de s'enfuir avec lui. Il était strictement impossible de réunir sa famille et celle de Chris sous le même toit, encore moins pour un mariage ! Seule Avery aurait pu être jugée passable. Son père, avec toute sa verve, n'avait rien de conventionnel. Il n'était pas allé à Harvard, il détestait le sport, et ne connaissait rien au football. Quant à présenter sa mère à des gens aussi conservateurs, c'était inenvisageable.

Ils étaient tout ce qu'il y avait de plus blanc, puritain, pratiquant, bien-pensant, sportif. Pour couronner le tout, ils étaient prospères, influents et importants. Il n'y avait pas de rebelle dans le groupe, en dehors de Chris, un renégat au vu de leurs critères.

Chris éclata de rire en la voyant allongée sur son lit, aussi épuisée que si elle avait couru le marathon. Elle avait étalé une dizaine de tenues différentes sur le lit, en vue des prochains événements.

— Tu ne t'es pas bien amusée ? demanda-t-il pour la taquiner. Ne t'inquiète pas. Ma mère a un peu de Charybde et un peu de Scylla. A moins que ce ne soit un des Cerbères postés aux portes de l'enfer. Mais une fois que tu auras passé l'épreuve et gagné son approbation, tu pourras faire tout ce que tu voudras. Il te suffira d'être à l'heure pour les repas, et de ne pas la contrarier.

— C'est ta mère, je ne veux pas l'offenser.

Francesca ne pouvait imaginer, même en rêve, obtenir un jour l'approbation de la mère de Chris.

— C'est impoli d'accabler quelqu'un de questions comme elle l'a fait avec toi, rétorqua Chris. C'est elle qui devrait craindre de t'avoir offensée. Pose-lui des questions à ton tour. Demande-lui quelle école elle a fréquenté, par exemple. Elle adore ça. Elle est allée à Vassar, à l'époque où c'était encore une école de filles, et elle en est très fière.

C'était une entrée en matière assez facile, pour une conversation légère.

— Cela ne m'est encore jamais arrivé d'aller à l'église deux fois dans la même journée, déclara Francesca d'un air accablé. Si Dieu me voit, Il me jettera dehors, et toute l'assemblée sera frappée par la foudre.

Chris sourit, attendri par sa patience.

— C'est un bon point pour toi, tu gagnes ta place au paradis, dit-il en lui prenant les mains pour l'aider à se lever. Je suis désolé, mais il est l'heure de partir.

Ils étaient un groupe de vingt à se mettre en route pour la messe de minuit. Francesca ne parvenait pas à se rappeler les noms de tout le monde. Pour elle, ils étaient tous des Harley. Le seul à se détacher de la masse, c'était Chris. Elle lui en voulait presque un peu de l'avoir emmenée à Boston, mais cela aurait été tout aussi déprimant de rester seule à New York. Et puis, elle l'aimait.

Si son père l'avait vue en ce moment, se rendant à l'église pour la deuxième fois en moins de douze heures, il se serait moqué d'elle. Sa mère aussi aurait trouvé ça drôle, elle qui n'était même pas allée à l'église pour ses trois derniers mariages.

Francesca s'endormit pendant le sermon. Une fois rentrée, elle regagna sa chambre avec soulagement. La Brigade des Mœurs, sous les traits de la maîtresse de maison, monta se coucher après avoir souhaité à toute la famille un joyeux Noël, en insistant sur le « Noël », et non sur le « joyeux ». Francesca remarqua que personne ne s'embrassait, et que pères et fils se contentaient de se serrer la main. Il n'y avait pas de grandes démonstrations d'affection dans cette famille.

Une demi-heure plus tard, Chris rejoignit Francesca. A trente-cinq ans, elle avait l'impression de redevenir une adolescente, presque une délinquante mineure. Et si elle se retrouvait brusquement en foyer d'accueil, en détention, en prison ?

— Joyeux Noël, ma chérie, dit Chris en l'embrassant.

Il lui donna un coffret qu'il sortit de la poche de sa veste. La longue boîte en cuir venait de chez Tiffany, et quand elle l'ouvrit elle découvrit un bracelet en or orné de petits cœurs. Chris le lui attacha au poignet, et la prit dans ses bras. Francesca lui avait acheté une écharpe grise en cachemire, qui lui plut beaucoup.

Francesca songea avec soulagement qu'ils n'avaient plus que deux jours à passer ici. Le lendemain fut cependant plus agréable, car c'était Noël. Le moment du déballage des cadeaux, tant attendu par les enfants, fut suivi par un grand repas pour trente personnes. Une fois de plus, une table fut dressée à part pour les enfants. Toutes les petites filles portaient une robe en velours.

L'après-midi, les hommes organisèrent une grande partie de touch-football sur la pelouse gelée. Puis ils burent du vin chaud, tous réunis autour de la cheminée. La mère de Chris joua au bridge avec son mari, sa fille, et l'une de ses nièces. Chris resta assis près du feu avec Francesca, tandis que Ian jouait avec les autres enfants. A minuit, Francesca remonta dans sa chambre avec Chris. Plus qu'une journée, et ensuite ils rentreraient à New York. Francesca attendait ce moment avec impatience.

— Tu t'amuses bien ?

— Oui, répondit-elle pour ne pas lui faire de peine. Mais j'ai tout le temps peur de faire quelque chose de mal. J'ai l'impression d'être retombée en enfance.

— Ignore-les. Ils croient tous avoir créé le monde, mais ils se trompent. C'est la raison pour laquelle je ne viens dans ma famille que deux fois par an. Mais je me sens mieux à Vineyard, l'ambiance est plus détendue.

Chris était bien conscient que sa famille pouvait rendre fou n'importe qui. Ils réussissaient tout ce qu'ils entreprenaient et s'attendaient non seulement à ce que les autres en fassent autant, mais aussi à ce qu'ils se conforment à leur façon de vivre. Cela faisait des années que Chris ne suivait plus leur exemple, mais il ne s'opposait plus à eux ouvertement. Il se contentait de mener la vie qui lui convenait. Néanmoins, il aimait revenir chez lui pour Noël, retrouver les traditions familiales. Il était heureux que Francesca l'ait accompagné.

Il savait que ce n'était pas facile pour elle d'être sans cesse observée. Sa famille vivait dans un monde figé, où chacun se comportait de la même façon, où toutes les pièces s'emboîtaient parfaitement dans le puzzle. Francesca venait d'un milieu où personne ne se coulait dans le moule, ni son père ni sa mère. L'une avait un comportement outrancier, l'autre était un artiste excentrique.

— Ta mère aurait une attaque si elle voyait mes parents, dit Francesca d'un ton mélancolique.

— Oui, c'est vrai. Et alors ? Je n'approuve pas non plus la façon de vivre de mes parents. Leur existence est incroyablement bornée, et je m'ennuie à mourir avec eux.

Il était donc du même avis qu'elle. Les parents de Chris étaient des gens respectables, mais elle était mal à l'aise en leur compagnie, en décalage. Et c'était pareil pour Chris. Cette pensée la réconforta.

Cette nuit-là encore, il vint la rejoindre dans son lit, et partit avant sept heures pour aller prendre le petit déjeuner avec sa mère. C'était le lendemain de Noël et tout le monde était plus détendu, même elle. Pour une fois, ils ne furent pas obligés d'aller à l'église. Tout le monde partit jouer au tennis et au squash, ce qui semblait être un rituel quotidien quand la famille se réunissait.

Francesca ne parvenait toujours pas à retenir tous les prénoms, au point qu'elle se demanda si elle n'était pas atteinte d'alzheimer précoce. Il faut dire que les hommes s'appelaient tous Chris, Bob, ou William. Pour les femmes, c'était Elizabeth, Helen, et Brooke. La mère de Chris s'appelait Elizabeth, et un nombre incalculable de petites filles de la famille portaient le même prénom qu'elle.

Le seul qui s'amusait vraiment, c'était Ian. Il adorait ses cousins et était triste à l'idée de les quitter. Le jour de leur départ, Chris prit une dernière fois le petit déjeuner avec sa mère. Son père les conduisit à l'aéroport et leur dit qu'il avait été enchanté de faire la connaissance de Francesca. Celle-ci avait l'impression d'avoir passé trois jours hors du monde. C'était le Noël le plus étrange de sa vie. Malgré tout, son amour pour Chris était toujours aussi fort. Elle n'avait qu'une envie : se retrouver à New York avec lui.

Quand ils entrèrent dans Charles Street, elle eut envie de pousser un cri de joie. Ils n'étaient pas à la maison depuis dix minutes que Thalia les appelait de Gstaad.

— J'espère que vous avez passé un bon Noël, dit-elle gaiement. J'ai rencontré un homme merveilleux. Il est suisse, mais il vit à New York et il est banquier. Il va m'inviter à dîner à mon retour.

Francesca imagina le sourire radieux de sa mère, et poussa un gémissement. Apparemment, le numéro six se profilait enfin à l'horizon. Si les Harley savaient ça...

— Ne te précipite pas, dit-elle faiblement.

Rien ne pouvait arrêter sa mère quand elle avait un homme en vue. Or, cela faisait longtemps qu'elle n'avait pas rencontré de mari potentiel.

— Bien sûr que non. C'est juste un dîner, voyons. Il n'est pas question de mariage.

— Ah, je suis tranquillisée.

— Tu n'as pas confiance en moi, n'est-ce pas ? répondit Thalia en riant.

— Non. Je suppose qu'un de ces jours tu finiras par trouver le numéro six.

— Qu'y a-t-il de mal à cela, si je suis heureuse ?

Francesca garda un moment le silence, tout en réfléchissant à la question.

— Tu as raison, finit-elle par reconnaître. Cela ne fait pas de grande différence. Cinq maris ou six, du moment que tu es heureuse, on se moque de ce que pensent les autres.

Elle venait de passer trois jours avec les gens les plus conservateurs et les plus ennuyeux du monde, bien plus détestables que sa mère. Thalia avait au moins de l'esprit et du chic.

— Vas-y, maman, lança-t-elle en riant. Fais ce qui te plaît. Mais si tu me lances ton bouquet à ton prochain mariage, je t'étrangle !

— D'accord, ma chérie. Je passerai te voir dès mon retour.

Quand Francesca raccrocha, elle s'aperçut que Chris la regardait. Il était heureux qu'elle l'ait accompagné à Boston et qu'elle ait joué le jeu. Ses parents lui avaient même confié qu'elle leur plaisait.

— Ma mère est folle, annonça-t-elle d'un ton neutre. Mais je viens de me rendre compte que je l'aime bien telle qu'elle est.

Sans doute avait-elle grandi. C'était en tout cas une grande première.

Ils montèrent se coucher. Francesca n'avait jamais été aussi heureuse d'être dans son lit, avec Chris à côté d'elle. Elle ne serait plus soumise à une batterie de questions. Chris n'aurait pas à se lever avant sept heures pour retourner dans sa chambre. Et elle n'avait plus à se demander ce que les gens allaient penser de ce qu'elle portait ou de ce qu'elle disait. Elle pouvait être elle-même, adaptée à son monde à elle, à sa maison.

Et elle se sentait parfaitement heureuse dans son petit univers, avec Chris à côté d'elle en boxer et tee-shirt, et Ian endormi à l'étage au-dessous.

Leur vie était joliment cosy.

24

A la dernière minute, Chris et Francesca décidèrent d'aller passer le week-end du nouvel an dans le Vermont, chez Marya. Les festivités organisées en ville ne les tentaient pas. Chris avait reçu des invitations pour quelques réveillons, et Francesca aussi. Mais ils préférèrent fêter la nouvelle année à la campagne, en famille.

Ils partirent en voiture la veille du 31. A l'arrivée, Francesca alla acheter des provisions à l'épicerie voisine tandis que Chris allumait le feu dans la cheminée. Ian, lui, avait emporté des jouets et des DVD pour s'occuper. Ils choisirent leurs chambres, Chris et Francesca s'installèrent dans celle de Marya et Ian prit le lit à baldaquin de la chambre d'amis.

Quand ils s'éveillèrent le lendemain matin, la campagne ressemblait à une carte de Noël. Il neigeait. Francesca regretta que Marya ne soit pas là pour voir ça. Elle se rappela toutefois qu'elle se trouvait à Courchevel, dans les Alpes ; ce n'était pas mal non plus.

Le soir, Francesca et Chris jouèrent au Monopoly avec Ian, et à plusieurs autres jeux de société. Le lendemain matin, après avoir fait la grasse matinée, ils sortirent dans le jardin confectionner un bonhomme de neige, entreprirent une bataille de boules de neige, et

Ian s'essaya au patin à glace sur le lac gelé. En rentrant à la maison, ils firent fondre de la guimauve dans le feu. Ce fut une journée absolument parfaite.

Le lendemain matin, Francesca entendit sonner son téléphone portable et faillit ne pas répondre. Finalement, elle se leva, sortant de son agréable léthargie et décrocha. C'était Marya qui appelait de Paris.

— Devine où nous sommes ? s'exclama joyeusement Francesca. Chez toi, dans le Vermont. Il neige depuis deux jours, c'est magnifique. Bonne année, ajouta-t-elle en pensant que son amie appelait pour présenter ses vœux. Comment cela a été à Paris ?

— Très bien. Je crois que nous avons trouvé notre appartement, rue de Varenne. Exactement où nous voulions, dans le septième arrondissement. Charles-Edouard a négocié toute la semaine.

Elle hésita une seconde, avant d'annoncer :

— J'ai quelque chose à te dire. Nous nous sommes mariés hier. Il n'y avait que nous et nos témoins. Le divorce de Charles-Edouard a été prononcé juste avant Noël. Les documents nous attendaient ici, quand nous sommes rentrés. J'ai l'impression d'avoir fait une folie, mais je suis contente. Si jamais il me trompe, je le tue !

Elles rirent ensemble, puis Charles-Edouard se mêla à la conversation et Francesca les félicita. La vie était décidément extraordinaire, et le destin inattendu. Marya avait cru qu'elle passerait le reste de sa vie seule. A présent, elle était mariée.

— Je suis très heureuse pour vous ! s'exclama Francesca.

— Je regrette que tu n'aies pas été là, dit Marya.

Francesca le regrettait aussi. S'il y avait un mariage auquel elle aurait aimé assister, c'était bien celui-ci.

Elle raccrocha en souriant, quelques minutes plus tard.

Chris et elle se recouchèrent, et parlèrent de leurs amis.

— Quand allons-nous les imiter ? demanda Chris.

Francesca prit tout son temps pour répondre.

— Je ne sais pas. Rien ne presse. Tout va bien comme ça, et il n'y a que quatre mois que nous sortons ensemble.

— J'aimerais mieux que nous soyons mariés. Ce n'est pas pour autant que tu deviendras comme ta mère ! ajouta-t-il en riant.

— C'est vrai, dut-elle admettre. Je n'aurai jamais assez d'énergie pour trouver cinq maris. Et jamais je n'en chercherai un sixième !

— Tu pourrais te contenter d'un seul ? Qu'en penses-tu ?

Chris roula sur le côté, s'appuya sur un coude et lui sourit. Elle lui rendit son sourire. Pour la première fois de sa vie, l'idée du mariage ne la faisait pas fuir. Elle ne ressentait pas le besoin de se marier, mais ce ne serait sans doute pas plus mal si elle le faisait, surtout pour Ian.

— Peut-être, murmura-t-elle.

Elle ne pouvait pas en dire davantage. Elle n'était ni sa mère ni Marya. Il fallait qu'elle y réfléchisse.

— Pour l'instant, je me contenterai de cette réponse, dit-il avec un sourire heureux.

Il l'embrassa, et, presque au même instant, Ian déboula dans leur chambre. Le retour à New York était prévu dans l'après-midi.

— Je veux aller faire un autre bonhomme de neige ! annonça le petit garçon, tout excité.

Francesca se leva. Deux autres bonshommes vinrent tenir compagnie à celui de la veille. Ils formaient une petite famille de neige, à présent, juste sous les fenêtres de Marya.

Ian leur fit de grands gestes d'adieu lorsqu'ils se mirent en route. Ils avaient passé trois jours idylliques. Francesca avait entendu dire que Todd allait se marier au printemps, mais cette nouvelle ne lui faisait ni chaud ni froid. Elle menait sa vie, sans lui, avec Chris, un compagnon idéal. Ils étaient parfaitement accordés.

Ils arrivèrent à New York tard le soir. Ian dormait à poings fermés, et son père le porta directement dans son lit. Puis, comme ils déposaient leurs bagages dans le vestibule, Francesca regarda autour d'elle, et la maison lui sembla étrangement vide et silencieuse. Elle se tourna vers Chris :

— Je veux vendre Charles Street, dit-elle doucement.

Celui-ci fut éberlué.

— Tu es sérieuse ? Mais pourquoi ? Tu l'adores.

Ils savaient tous deux combien elle avait lutté pour la garder, préférant la partager avec trois inconnus, plutôt que de s'en séparer.

— Oui, je l'adore. Ou plutôt, je l'adorais. Je préfère remettre le compteur à zéro avec toi, prendre un nouveau départ... effacer l'ardoise. Il s'est passé trop de choses ici. Il y a un passif lourd, dit-elle en pensant à Todd et Eileen.

Oui, c'était bien cela qu'elle voulait. Elle était tout aussi décidée que l'année précédente, quand elle avait voulu rester. Chris ne chercha ni à la dissuader, ni à abonder en son sens.

— Allons dormir, tu y verras plus clair demain, dit-il simplement.

Elle acquiesça et ils montèrent se coucher.

Le lendemain matin, elle n'avait pas changé d'avis.

— Je veux vendre, dit-elle d'un ton déterminé. J'en suis sûre.

— D'accord. Mets-la sur le marché.

— Cela prendra sans doute du temps. C'est une vieille maison, dit-elle prudemment.

L'après-midi même, elle appela l'agent immobilier qui la lui avait vendue, et ils convinrent d'un prix. Dès le week-end suivant, la maison serait ouverte aux acheteurs. Francesca appela Avery pour la mettre au courant.

— C'est une bonne idée. Les prix grimpent en ce moment, et tu devrais faire une bonne opération. Je ne trouvais pas salutaire que tu gardes cette maison, depuis la mort d'Eileen, mais je n'osais pas te le dire.

— Ce n'est pas à cause d'Eileen que je veux la vendre. C'est tout simplement parce que j'en ai assez. A présent, je veux faire ma vie avec Chris et je ne veux pas d'une maison où j'ai vécu autre chose. Todd a une nouvelle vie, je veux en avoir une aussi. Ici, j'ai l'impression de traîner des centaines de casseroles derrière moi. Je veux me sentir libre.

Tout cela lui paraissait très logique à présent. Elle annonça à Avery le prix de vente proposé par l'agent, et sa belle-mère approuva.

— Tu ne vas pas te débarrasser aussi de la galerie ? s'enquit-elle, se demandant si Francesca voulait faire table rase du passé.

— Non, bien sûr que non. Je me suis tout simplement lassée de Charles Street. C'est un boulet. Elle est trop lourde pour moi, à tous points de vue. Il y a eu la mort d'Eileen, tu as raison, mais il y a aussi le coût de l'entretien, le prêt à rembourser, les réparations. Elle est trop grande pour nous trois, et je ne veux plus prendre de locataires. Nous achèterons un appartement, ou bien une maison plus petite.

— Attends de voir si tu peux la vendre facilement, et à quel prix, suggéra Avery.

Francesca se rangea à son avis.

Elle eut plusieurs visites le week-end suivant, et, deux semaines plus tard, elle reçut une première offre. On lui proposait pratiquement le prix qu'elle en demandait. Elle n'avait pas caché ce qui s'était passé, c'est-à-dire la mort violente d'Eileen. Mais cela n'avait pas découragé les acheteurs, un couple avec quatre enfants. Francesca était enchantée, et Chris également. Il ne l'aurait jamais poussée à vendre, et l'aurait même aidée à garder la maison si cela avait été son choix, mais il était heureux qu'elle ait décidé de partir. L'idée de tout recommencer à zéro l'enthousiasmait. Cela voulait dire une nouvelle vie bien à eux, dans un lieu neuf.

Il fut convenu que les nouveaux propriétaires emménageraient le 15 mars. Le jour de la Saint-Valentin, Francesca et Chris trouvèrent un appartement en location qui leur plaisait, et ils s'y installèrent quinze jours plus tard. Les choses allaient très vite, ce qui pour Francesca signifiait qu'elle ne s'était pas trompée. Les acquéreurs de Charles Street étaient ravis. Tout le monde était content. Francesca, Ian et Chris avaient un nouveau foyer, ils formaient une nouvelle famille, et une nouvelle vie leur ouvrait les bras.

Le lendemain de leur déménagement, Francesca retourna seule à Charles Street pour la fermer. Il fallait brancher l'alarme et verrouiller la porte d'entrée, et elle voulait s'en charger elle-même. Une société spécialisée viendrait nettoyer les lieux et tout astiquer pour les nouveaux occupants.

Francesca passa de pièce en pièce, en songeant aux bons moments qu'elle y avait vécus, et aussi aux mauvais. Elle pénétra partout, excepté dans la chambre d'Eileen. Elle sourit, seule dans la cuisine, en se rappelant les merveilleux repas concoctés par Marya et Charles-Edouard.

La maison avait joué son rôle en son temps. Chris avait raison, elle l'avait adorée, et elle l'aimait encore. Mais il en allait des maisons comme des gens : parfois il fallait les quitter. C'était une question de moment, de tournant à prendre dans la vie.

Elle se tint dans le hall pour la dernière fois, et le contempla tout en branchant l'alarme. Puis, après avoir chuchoté un au revoir, elle dévala les marches du perron, sauta dans un taxi pour retrouver Chris et Ian, et sa nouvelle vie.

Une odeur délicieuse flottait dans l'air lorsqu'elle entra. Ian avait fait des biscuits.

— Regarde ce qu'on a préparé pour toi ! s'exclama-t-il, tout joyeux.

C'étaient des petits gâteaux en forme de trèfles à quatre feuilles pour la Saint-Patrick, saupoudrés de sucre vert.

Francesca se pencha pour le câliner, puis elle embrassa Chris.

— J'ai beaucoup de chance ! dit-elle.

Non seulement elle avait trouvé le bon « couvercle », comme disait Avery, mais elle n'avait même pas eu besoin de le chercher. C'est lui qui l'avait trouvée, tout seul.

Elle avait été bien inspirée finalement de se battre pour garder la maison. Sans cela, jamais elle n'aurait connu Chris. Tout avait bien fonctionné dans cet arrangement, sauf pour la pauvre Eileen. Mais ils n'auraient rien pu faire pour la sauver.

Francesca prit un biscuit et regarda autour d'elle. Il y avait des cartons partout et des tonnes d'affaires à déballer et à ranger. L'idée de s'installer ici était très excitante.

Francesca avait enfin trouvé les siens, et sa place. Ce n'était plus le 44 Charles Street, qui appartenait à une autre vie, une autre époque, et maintenant à une autre famille qui l'aimerait probablement autant qu'elle.

Le 44 Charles Street était bien plus qu'une maison. C'était un chapitre de sa vie. Le chapitre venait de se terminer, un autre commençait.

Vous avez aimé ce livre ?
Vous souhaitez en savoir plus sur Danielle STEEL ?
Devenez, gratuitement et sans engagement, membre du
CLUB DES AMIS DE DANIELLE STEEL
et recevez une photo en couleur dédicacée.

Pour cela il suffit de vous inscrire sur le site
www.danielle-steel.fr
ou de nous renvoyer ce bon accompagné d'une enveloppe
timbrée à vos noms et adresse au
Club des Amis de Danielle Steel
– 12, avenue d'Italie – 75627 PARIS CEDEX 13

Monsieur – Madame – Mademoiselle

NOM :
PRÉNOM :
ADRESSE :

CODE POSTAL :
VILLE :
Pays :

E-mail :
Téléphone :
Date de naissance :
Profession :

La liste de tous les romans de Danielle Steel publiés
aux Presses de la Cité se trouve au début de cet ouvrage.
Si un ou plusieurs titres vous manquent, commandez-les
à votre libraire. Au cas où celui-ci ne pourrait obtenir le
ou les livres que vous désirez, si vous résidez en France
métropolitaine, écrivez-nous pour le ou les acquérir par
l'intermédiaire du Club.

Composé par Nord Compo Multimédia
7, rue de Fives, 59650 Villeneuve-d'Ascq

Imprimé au Canada